Magia lejana

books4pocket

Mary Jo Putney

Magia lejana

Traducción de Victoria E. Horrillo Ledesma

EDICIONES URANO

Argentina - Chile - Colombia - España
Estados Unidos - México - Perú - Uruguay - Venezuela

Título original: *A Distant Magic*
Traducción: Victoria E. Horrillo Ledesma

© Copyright 2007 by Mary Jo Putney
This translation published by arrangement with Ballantine Books,
an imprint of Random House Publishing Group,
a division of Random House, Inc
All Rights Reserved
© 2009 de la traducción *by* Victoria E. Horrillo Ledesma
© 2009 by Ediciones Urano, S.A.
        Aribau, 142, pral. - 08036 Barcelona
        www.edicionesurano.com
        www.titania.org
        www.books4pocket.com

1ª edición en books4pocket junio 2014

Impreso por Novoprint, S.A.
Energía 53
Sant Andreu de la Barca (Barcelona)

Fotocomposición: **books4pocket**

ISBN: 978-84-15870-23-4
Depósito legal: B10930-2014

Código Bic: FRH
Código Bisac: FIC027030

Impreso en España – *Printed in Spain*

Para todos aquellos, tanto famosos como desconocidos,
que lucharon por nuestras libertades.
Y especialmente para quienes pagaron
un alto precio por ello.

No dudéis nunca de que un pequeño grupo de ciudadanos comprometidos puede cambiar el mundo. De hecho, es lo único que ha sido capaz de cambiarlo.

MARGARET MEAD

Agradecimientos

Quisiera dar las gracias especialmente a Patricia Rice y a Susan King, que han tenido que soportar que les rogara que, si alguna vez vuelvo a mostrar interés por escribir un libro basado en un movimiento social, saquen el Salmón de la Corrección y me aticen con él.

Más agradecida aún le estoy a John, que acepta alegremente mi mal humor cuando El Libro no va bien.

Gracias también a mi excelente editora, Betsy Mitchell, y a mis dos agentes, Ruth Cohen y Robin Rue, por apoyar la concepción de esta historia.

Como escritora, tengo una suerte asombrosa por trabajar con gente tan estupenda.

LIBRO PRIMERO

Encender una chispa

1733

Capítulo 1

La Valeta, isla de Malta, otoño de 1733

Los dos caballeros extranjeros que paseaban por la plaza del mercado de La Valeta parecían tener bolsillos dignos de un robo. Nikolai los seguía discretamente entre el gentío, consciente de que no repararían en un chico de su tamaño en medio de aquel bullicio. Por encima de su cabeza se parloteaba en una docena de lenguas o más. Nikolai las reconocía todas y podía hacerse entender en la mayoría de ellas. La Valeta era la encrucijada del Mediterráneo, un lugar en el que Europa, África y Asia confluían para intercambiar sus mercancías.

Aquellos hombres tenían el cabello y la piel claros de los europeos del norte. Cuando Nikolai se acercó lo suficiente para oír su conversación, descubrió que hablaban inglés. Aquél era uno de los idiomas que mejor hablaba, pues su madre había tenido debilidad por los marineros ingleses.

Había otros extranjeros deambulando por el mercado, pero aquellos dos tenían el aire y los atavíos de la riqueza y eran lo bastante necios para pasear solos, sin guardias. Tendrían suerte si volvían al barco con la ropa todavía puesta.

Todavía tras ellos, Nikolai se deslizó tras un carro tirado por un burro para acercarse a su presa. Su talento para pasar desapercibido le había salvado de morirse de hambre en los años transcurridos desde la muerte de su abuela, aunque rara vez lograba comer bien.

El más alto de los dos ingleses, un hombre fornido cuyo cabello rojo oscuro estaba profusamente veteado de gris, se detuvo para admirar las baratijas de un buhonero maltés. Levantó un par de pendientes de filigrana de plata.

—Creo que a mi mujer le gustarán éstos.

—Los vimos mejores en Grecia, Macrae —comentó su compañero. Era más bajo y más joven, de complexión delgada y gusto de dandi en el vestir—. Dime otra vez por qué estabas tan empeñado en parar en Malta.

—Valía la pena por volver a pisar tierra firme un día o dos. —Tras llegar a un acuerdo con el buhonero, Macrae pagó dos pares de pendientes de plata—. Además, tengo el presentimiento de que aquí hay alguien a quien merece la pena conocer.

—¡Qué raro! —bufó el otro.

Nikolai hacía poco caso de la conversación, que sólo le interesaba porque mantenía distraída a su presa. Cuando el más alto de los dos hombres se volvió hacia su acompañante, Nikolai metió unos dedos ligeros como alas de mariposa en su bolsillo derecho. Sí, allí había monedas...

De pronto alguien le agarró la muñeca y se descubrió traspasado por unos ojos grises y penetrantes. Unos ojos que lo miraban como nadie lo había mirado desde la muerte de su abuela.

Intentó escapar mordiendo la mano de Macrae y se apartó de un salto cuando éste lo soltó con un juramento. Corrió hacia un callejón cercano. Por las callejuelas fétidas y sinuosas de La Valeta, podía perder a aquellos dos brutos en un abrir y cerrar de ojos.

El más bajo soltó varias palabras ininteligibles. El aire se estremeció extrañamente y de pronto Nikolai sintió que sus miembros no respondían. Aunque quería correr, apenas podía sostenerse en pie. Cayó contra los ladrillos de la pared del callejón. Respiraba trabajosamente. No se había sentido tan débil desde que estuvo a punto de morir de la misma fiebre que se llevó a su madre.

Macrae entró en el callejón y le puso las manos sobre los hombros; luego se agachó hasta que sus ojos quedaron al mismo nivel.

—No queremos hacerte daño —dijo en buen italiano.

Nikolai le escupió, pero sin saber cómo erró el blanco. Macrae arrugó el ceño.

—No parece entender italiano —dijo en inglés—. Ojalá conociera yo ese árabe zarrapastroso que habla la gente de aquí.

Nikolai no se molestó en escupir de nuevo, dado que no había servido de nada. Pero gruñía como un perro. ¡Árabe zarrapastroso! ¡Ya! El *malti* era la antigua lengua de los fenicios. Pero como nunca había quedado atrapada en un alfabeto, era la jerga privada de los malteses, un misterio para extranjeros estúpidos como aquél.

El bajo, que estaba detrás del pelirrojo, dijo con sorna:

—¿Seguro que quieres conversar con un cachorrillo rabioso como éste?

Macrae se irguió y soltó los hombros de Nikolai.

—Míralo con visión mágica y vuelve a preguntármelo.

Los ojos del hombre bajo se entornaron un momento; luego se abrieron de par en par.

—¡Santo Dios, el chico irradia poder! Cuando se haga mayor, será un mago formidable.

—Si vive lo suficiente y recibe la formación adecuada —dijo Macrae adustamente—. Parece estar medio muerto de hambre.

—¡No hablen de mí como si no estuviera aquí! —farfulló Nikolai—. ¡Es de mala educación!

—La criatura habla inglés —dijo el bajo con marcado asombro—. Tiene un acento abominable, pero lo habla bastante bien.

—No es una criatura —dijo Macrae, irritado—. Es un chico, seguramente más pequeño que mi Duncan. Es de los nuestros, Jasper. Su poder tiene un halo que nunca había visto, pero es auténtico y tiene un enorme potencial.

—Sangre africana, quizá —murmuró Jasper—. Hay algo de eso en su cara y en su pelo, además del halo de su magia.

Nikolai empezaba a recobrar las fuerzas, pero seguía atrapado entre los dos hombres. ¿Por qué nadie se fijaba en ellos? La gente pasaba por la plaza, a unos pasos del callejón, y ni siquiera miraba.

Mago. Uno de ellos había usado aquella palabra. Su abuela decía que significaba brujo o hechicero. Habían usado la magia para atraparlo y luego para asegurarse de que nadie les miraba. Hizo con su mente una pelota, como le había enseñado la Nona, e intentó escapar de nuevo pasando bajo el brazo de Macrae.

Una mano recia volvió a cogerlo.

—¡Fíjate en eso, Jasper! El chico tiene escudos tan fuertes que puede desaparecer de la vista de un mago.

—O le han enseñado, o lo ha aprendido para sobrevivir —contestó Jasper, pensativo—. Empiezo a compartir tu interés. Pero ¿qué puede hacerse con un muchacho asilvestrado como éste?

—Empecemos por darle de comer. —El alto miró a Nikolai a los ojos—. Soy Macrae de Dunrath y éste es Jasper Polmarric. Siempre has sabido que eras distinto, ¿verdad?

Nikolai pensó si debía mentir, pero al fin asintió de mala gana con un gesto.

—Nosotros también somos distintos, igual que tú —continuó Macrae—. O de manera parecida, al menos. Entre nuestros deberes está el ayudar a otros como nosotros en momentos de necesidad. Y tú necesitas una buena comida, como mínimo. ¿Nos acompañas? Si me miras con la mente, verás que no tengo malas intenciones.

Nikolai siempre había sabido adivinar las intenciones ajenas, y no sentía en aquel hombre deseos de hacerle daño. Pero había más de una forma de asaltar a alguien.

—¡No pienso ser su fulano!

En lugar de enfadarse, Macrae sonrió.

—No me interesan los mocosos. Excepto cuando tienen tanto potencial como tú. ¿Hay alguna taberna en la que podamos comer bien y hablar en privado?

Nikolai asintió con la cabeza y condujo a los dos hombres por los callejones hasta que salieron a la mejor taberna del malecón. Daba sobre el Gran Puerto y era el lugar predilecto de los oficiales de navío y los mercaderes. Naturalmente, Nikolai no había comido nunca allí, pero a veces buscaba desperdicios en la puerta de atrás.

El tabernero arrugó el ceño al verlo entrar, pero la evidente riqueza de los ingleses lo salvó de ser arrojado a la calle. Jasper se detuvo para pedir comida y bebida mientras Macrae acompañaba a Nikolai a una mesa tranquila, en el rincón más apartado de la taberna. A Nikolai no le gustaba que lo llevaran de acá para allá, pero los aromas deliciosos lo animaban a tolerarlo. Sería capaz de aguantar muchas cosas con tal de darse un festín con los mejores platos de la taberna.

Además, tenía curiosidad por saber qué querían aquellos hombres de él.

Macrae se sentó a su derecha y Jasper Polmarric a su izquierda. Aunque no se echaban sobre él, estaba claro que podrían impedirle huir si lo intentaba. Aun así, Nikolai no creía correr peligro. Sólo sentía un profundo e intenso interés.

—¿Cómo te llamas? —preguntó Macrae—. Puedes mentir si quieres, pero me gustaría tener algún nombre por el que llamarte.

Mentir no tenía gracia, expuesto así.

—Nikolai Gregorio.

—¿Ruso e italiano? —preguntó Polmarric—. ¿Algo de sangre africana?

—Algo. —Un cuarto, al menos. Su abuela era africana de pura cepa, pero él no conocía a todos sus parientes. Su abuelo era maltés, y su madre no sabía a ciencia cierta quién era su padre. Quizás un italiano, quizás un griego; incluso un inglés. Era difícil saberlo. El hecho de que a su madre le gustara el nombre de Nikolai no lo convertía en ruso.

La conversación acabó cuando una camarera se acercó con una jarra de vino y tres vasos toscos. La bandeja contenía también una hogaza de pan de masa fermentada, un triángulo de queso y un plato de pescado en adobo.

Con hambre casi incontrolable, Nikolai cogió un trozo de pescado y lo engulló mientras arrancaba un pedazo de pan. Había un cuchillo en la tabla, así que cortó un buen trozo de queso y se lo metió en la boca, seguido por un mordisco de pan. El fuerte sabor del queso de cabra estalló deliciosamente sobre su lengua.

—No es muy civilizado —dijo Polmarric en francés, con expresión al mismo tiempo curiosa y horrorizada.

—Da gracias por no haber tenido nunca tanta hambre. —Macrae sirvió el vino en los vasos y bebió un trago. Aunque había contestado a Polmarric en francés, volvió al inglés para hablar con Nikolai—. Come cuanto quieras, pero convendría que echaras un poco el freno. Si te pones enfermo, volverás a tener el estómago vacío.

Aquello no tenía sentido. Nikolai tragó otro bocado de pan con queso y echó mano del vino para ayudarlo a pasar. El vino era de mesa, ligero y joven, agradable y posiblemente elegido para que no se le subiera a la cabeza. Otra señal de las buenas intenciones de aquellos hombres: no era aquél el vino que usarían si quisieran emborracharlo.

La camarera regresó con tres platos de *fenek*. Nikolai los atacó con ansia. No comía un buen *fenek* desde la muerte de su abuela. Los extranjeros probaron el suyo con menos prisas.

—Este conejo está bastante bueno —dijo Polmarric.

—Cuece una bota con tanto vino y estará buena —repuso Macrae, aunque comía con entusiasmo.

Nikolai se acabó sus dos pedazos de conejo estofado y se recostó en el banco de madera. Con el hambre ya saciada, volvió la curiosidad.

—Habéis dicho que sois distintos. ¿En qué?

La mirada de Macrae voló hacia la taberna para asegurarse de que no había nadie mirando su mesa en penumbra. Cuando estuvo seguro de que nadie los observaba, levantó una mano y a su alrededor comenzaron a agitarse chispas doradas como flecos de fuegos de artificio.

Recogió entre las dos manos aquellas luces danzarinas y dejó que se deslizaran delante de Nikolai. Encantado, Nikolai intentó coger las chispas doradas. Pero se desvanecían entre sus dedos, dejándole en la palma un cosquilleo fresco.

—Magia —musitó. Creía que la magia había abandonado el mundo cuando murió su abuela.

—Nosotros solemos llamarla poder —dijo Macrae en voz baja—. Es un término menos alarmante que magia. Polmarric y yo somos Guardianes, miembros de familias con gran poder. Hay Guardianes en todas las naciones de Europa, y hemos jurado usar nuestros dones para ayudar a los demás, no para obtener ganancias personales.

—¿Qué clase de magia… de poder… tienes tú? —Nikolai intentaba que no se le notara lo ansioso que estaba por saber.

Polmarric lanzó a su compañero una mirada de advertencia.

—¿Seguro que quieres contarle tantas cosas sobre nosotros?

—Tiene que saberlas. —Macrae fijó su atención en Nikolai—. Hay algunas cosas que todos los magos Guardianes pueden hacer hasta cierto punto. Sanar, percibir la energía de los demás, ocultarse, crear luz mágica… La mayoría de los Guardianes tiene además un don concreto. Yo soy un mago del tiempo atmosférico, capaz de formar vientos y tormentas. Es un don muy común en mi familia. Polmarric tiene mucho talento para la comunicación.

—Dices que habéis jurado ayudar a la gente. ¿Qué os impide convertiros en reyes? Aunque parecéis vivir bastante bien. —Nikolai miró con intención sus ricos atavíos.

—Convertirse en rey es más difícil de lo que puede parecer —dijo Macrae con sorna—. Con el paso de los siglos, hemos aprendido que es mejor no interferir a menudo en la vida cotidiana porque las consecuencias son impredecibles, y normalmente peores de lo que uno espera. Entre nosotros mantenemos el orden mediante consejos nacionales de Guardianes. Es probable que Polmarric se convierta en consejero la próxima vez que haya uno, debido a sus habilidades para la comunicación. Si alguno de nuestros semejantes se desmanda y daña a otros… Bien, tenemos magos con el don de detectar la maldad y hacer cumplir el orden.

Nikolai arrancó un trozo de pan y lo mojó en la salsa del *fenek*. Los Guardianes parecían una familia grande y secreta que tenía al mismo tiempo poder y sabiduría. Pensó en su abuela.

—¿Los magos son todos hombres?

—Nada de eso. Las mujeres pueden ser tan fuertes o más que los magos hombres. Mi esposa es una sanadora muy dotada. Y la de Polmarric es la mejor rastreadora de Inglaterra, creo. —Macrae hizo una pausa, como si intentara decidir qué debía decirle—. Normalmente, uno alcanza todo su poder cuando se acerca a la edad adulta, pero no es infrecuente que quienes tienen un talento especialmente fuerte muestren habilidades mágicas en la niñez. A mi hijo Duncan le pasa, igual que a ti.

Nikolai se quedó mirando su plato vacío mientras intentaba asimilar lo que le estaban diciendo.

—¿Por qué me estáis contando esto?

—Porque creo que necesitas ayuda. —Macrae parecía cansado, y Nikolai se dio cuenta de que era más viejo de lo que le había parecido—. Hay demasiados niños sin hogar en el mundo para que podamos salvarlos a todos. Pero tú eres uno de los nuestros, así que me siento obligado a intentar ayudarte.

—¿Cómo?

—Una posibilidad sería buscarte sitio en una escuela de La Valeta donde te den de comer y te vistan y donde puedas aprender a leer y a escribir.

—Ya sé leer y escribir —contestó Nikolai con vehemencia.

Macrae enarcó las cejas.

—Es impresionante. ¿Cómo aprendiste?

Nikolai se encogió de hombros.

—Mi abuela llevaba una pensión en el puerto. Cuidó de un marinero inglés que se estaba muriendo a cambio de que me enseñara. El viejo Smithy tardó mucho en morirse. —Tanto que Nikolai había aprendido aritmética y algo de historia, además de a leer y a escribir.

—Aprendes rápido —observó Polmarric—. Tu acento inglés ha mejorado mientras hablamos. Es casi como si pudieras extraer el idioma de nuestras mentes. ¿Lees el pensamiento?

Nikolai se agazapó, receloso, preguntándose cómo lo había descubierto el inglés. No era exactamente que leyera el pensamiento, pero a veces percibía lo que sabía la gente que lo rodeaba. Estar junto a aquellos dos hombres que hablaban inglés mejoraba su forma de hablar.

—Smithy decía que era listo.

—Un chico listo con poderes podría no estar a salvo en una escuela de la ciudad, al menos mientras los caballeros de San Juan gobiernen Malta —comentó Polmarric—. Tienen por costumbre entregar a los magos a la Inquisición.

—Lo sé —dijo Macrae—. Lo que necesitas de verdad es una familia, Nikolai. Gente que se preocupe por ti, y de la que tú te preocupes.

Una familia. Nikolai bajó la mirada para que los extranjeros no vieran en sus ojos el aguijón humillante de las lágrimas. Su familia había sido pequeña, pero auténtica. Con la muerte de su madre y su abuela, se había creído solo para siempre. Pensar en lo que había perdido le hacía difícil digerir su conejo estofado.

—Podríamos buscar una familia de Guardianes en Italia o Francia para que te acoja, si prefieres quedarte cerca de tu hogar. Pero si estás dispuesto a viajar al norte, te llevaré a mi casa y te criaré con mis hijos —dijo Macrae tranquilamente.

Nikolai levantó la cabeza y se quedó mirándolo.

—¿Haría eso?

Polmarric sofocó una exclamación de sorpresa al oír hablar así a su amigo.

—¿De veras estás dispuesto a llevar a tu casa a este pequeño salvaje? —dijo en francés.

Macrae contestó en el mismo idioma.

—Soy escocés, y no muy civilizado. —Pasando al inglés, miró a Nikolai a los ojos—. Tú necesitas un hogar y a mi hijo Duncan le vendría bien tener otro chico con poderes en casa. Mi hija es mucho más pequeña y no le sirve de compañía.

Nikolai dio vueltas a la idea, remiso a abandonar su tierra, pero también emocionado hasta lo indecible.

—¿Haría de mí un caballero?

Macrae asintió.

—Comerás la misma comida, vestirás la misma ropa y recibirás la misma educación que mi hijo. Pero, sobre todo, tendrás las enseñanzas que vas a necesitar cuando se manifiesten tus talentos. Ahora puedes usar hasta cierto punto tu poder, pero tu habilidad florecerá cuando alcances la madurez. Sin adiestramiento, te arriesgas a hacerte daño a ti mismo y a hacérselo a otros. No serás el heredero de Dunrath, desde luego, pero los Guardianes tienen fondos para ayudar a establecerse a jóvenes en tus circunstancias. Así que, sí, serías mi hijo adoptivo y un caballero. Mi esposa te recibirá de buen grado.

Polmarric se dirigió a su amigo en francés.

—Tu mujer siempre está recogiendo cachorros extraviados, así que seguramente no le importará tener uno más. Aunque este muchacho dará mucho más trabajo que un perrillo.

—Y más satisfacciones, también —contestó Macrae, imperturbable—. Es lo que hay que hacer, Polmarric. Lo sé.

Los dedos nerviosos de Nikolai cortaron un trozo de pan. Su abuela había predicho una vez que llegaría a ser un caballero. Él se había reído, claro, incapaz de imaginar una posición en la vida que superara la de un vulgar marinero.

Debería haber sabido que su abuela no se equivocaba en esas cosas. Pensó con melancolía en su cara oscura e intemporal. Le dolería dejar las tumbas de ella y de su madre, pero ambas le habrían animado a aprovechar aquella oportunidad. Macrae no le deseaba ningún mal; de eso Nikolai estaba seguro.

Su mano se cerraba espasmódicamente sobre el pan, convirtiéndolo en una masa informe.

—Iré con usted y seré su hijo —le dijo a Macrae.

El escocés sonrió.

—Me alegro, Nikolai. Y estoy seguro de que tú también te alegrarás.

Nikolai miró a Polmarric con expresión traviesa.

—Y usted necesita otro idioma si quiere hablar en privado delante de mí —dijo en francés.

Polmarric se sumó a la carcajada de Macrae, lo cual decía mucho en su favor.

Hombres que sabían reír y toda la comida que pudiera ingerir. Sus antepasados velaban por él. Nikolai cortó otro pedazo de queso y se preguntó lleno de contento qué aspecto tendría vestido de caballero.

Capítulo 2

Nikolai despertó antes de que amaneciera y se recreó en el suave balanceo de la goleta *Hermes*. El barco se había convertido en su hogar desde que, hacía un mes, Macrae le había dado la vuelta a su vida por casualidad. Polmarric era el dueño del barco, así que a todos les trataban muy bien.

Tras parar una semana en Sicilia, el *Hermes* había puesto rumbo a Londres, su puerto de partida. Había hecho buen tiempo, con vientos constantes que henchían las velas e impulsaban el barco a buen ritmo. Estaban ya en el Mediterráneo occidental. Un día o dos después pasarían el estrecho de Gibraltar y entrarían en el borrascoso Atlántico para emprender el último tramo de su viaje.

Cerró los ojos, adormecido por el chapoteo suave de las olas al estrellarse contra el casco de la goleta. Aunque había crecido en una isla, con el mar siempre presente, no imaginaba cuánto le iba a gustar navegar. Había libertad y pureza en los vientos y las olas. Aquélla podía ser una buena vida para un hombre.

Había descubierto, además, que la existencia del hijo de un caballero era mucho más dulce que buscarse la vida como una rata de callejón. Desde hacía un mes, disponía de buena ropa, de seguridad y, sobre todo, de comida. De toda la que pudiera comer. Tanta que ya no sentía necesidad de engullir lo que se ponía en la mesa antes de que lo retiraran.

Incluso tenía intimidad. Aquel camarote minúsculo era poco más que una taquilla de marinero, pero era suyo. Macrae y Polmarric compartían uno más grande en la popa del velero, pero Nikolai disfrutaba de su cubículo cerca de la proa, que sentía muy próximo al mar.

Metió la mano bajo el catre y tocó su pequeño baúl con remaches dorados, que contenía la ropa del hijo de un caballero. Después de que aceptara ir con Macrae, le habían llevado al *Hermes* y le habían restregado tan fuerte que el color de su piel se había aclarado varios tonos. Luego, Macrae lo llevó al mejor sastre de La Valeta.

El sastre le había hecho una casaca y unas calzas de brocado de seda azul, y camisas de la mejor muselina. Conocedor de las costumbres de los muchachos, Macrae había encargado también varios juegos de prendas hechas de lana y burdo lino. Aunque a Nikolai le encantaban sus ropas elegantes, se sentía más a gusto con aquellas prendas corrientes y cotidianas. Hasta ésas eran muy superiores a cualquiera que hubiera tenido antes.

Pero se negó a entregar sus toscos pantalones y su camisa de lino, a pesar de que estaban hechos jirones. Se los había hecho su abuela y no soportaba desprenderse de ellos.

Macrae no se opuso; sólo insistió en que lavaran aquellas prendas. La ropa vieja de Nikolai resultó perfecta para trepar por los mástiles y las jarcias del *Hermes*. Los marineros eran rudos, pero amables, y le enseñaban a navegar.

Cada minuto que pasaba despierto estaba dedicado a lecciones de uno u otro tipo. Macrae y Polmarric le enseñaban la historia de los Guardianes y cómo podía usarse la magia. Le enseñaban también técnicas elementales de control. Aunque su poder era modesto por ahora, eso cambiaría cuando llegara a la madurez. Cuanto más supiera controlarse ahora, más fácil le sería después.

Algunas técnicas las había deducido por sí solo. Otras le hacían contener el aliento, llenándole de asombro, como si, al aprenderlas, supiera intuitivamente que aquello era lo correcto.

También le habían enseñado modales y protocolo. Convertirse en caballero era un trabajo muy duro.

A veces, se preguntaba por aquel misterioso Duncan que iba a ser su hermano. ¿Sabía Duncan lo afortunado que era por tener un padre, y más aún un padre como aquél? No, un chico que había crecido dando por descontadas la comida y la ropa, y la protección de un padre, no podía apreciar la suerte que tenía. En su fuero interno, Nikolai tenía tendencia a despreciar a Duncan por blando. Pero, por respeto a Macrae, se esforzaba por mostrarse amable.

Macrae hacía mucho hincapié en que observara con todos sus sentidos, tanto internos como externos. Uno de ellos, comprendió Nikolai, lo había despertado a hora tan temprana. En la oscuridad del alba no se oía nada, salvo los ruidos del mar, el crujido del maderamen del barco y el chillido lejano de una gaviota solitaria. Sin embargo… algo iba mal.

Más curioso que preocupado, se levantó y se puso su ropa vieja. Pronto le quedaría pequeña: en el último mes, había engordado y crecido una pulgada.

Descalzo, salió de su pequeño camarote y trepó por la escalerilla que llevaba a la cubierta principal. Una niebla densa se había posado sobre el *Hermes* y el mar. Un marinero montaba guardia en la popa. Su oscura figura situada junto al timón era casi invisible, de no ser por el leve resplandor de su pipa cuando aspiraba. El barco se movía muy despacio, reco-rriendo el trecho justo para mantenerse estable.

Intrigado por saber qué lo había despertado, Nikolai se acercó a la proa, apoyándose en las barandillas mientras el barco cabeceaba. Entre la niebla y la oscuridad, apenas veía más allá de unos pasos.

¿Corrían el riesgo de chocar con escollos o con alguna isla? No era probable; el timonel conocía aquellas aguas, y la lentitud con que avanzaban reducía el peligro de sufrir daños graves incluso aunque hubiera un error de navegación.

Nikolai suspiró, irritado. Quizá en dos o tres años sus ha-bilidades mágicas florecerían y podría definir qué lo inquie-taba. O quizá no. Como Polmarric solía decir de vez en cuan-do, la magia era una herramienta para enfrentarse al mundo, no una fuente fiable de milagros.

Por delante de él sonó un chapoteo. ¿Un grupo de peces saltando? Era difícil orientarse con tanta niebla.

Estaba a punto de dar media vuelta y volver a la cama cuando una forma baja y oscura surgió de la niebla con velo-cidad asombrosa. Era un navío: una galera. Las largas pasadas de docenas de remos la impulsaban furiosamente hacia la go-leta. Corsarios.

El espanto dejó paralizado a Nikolai. Durante siglos, los piratas berberiscos habían atacado no sólo los barcos, sino también las costas en busca de esclavos, y Malta había sufri-do numerosos ataques. Recobrándose, gritó a pleno pulmón:

—¡Piratas!

Después de que diera la alarma, se desató el caos. Al sa-berse descubiertos, los piratas lanzaron una andanada de dis-paros de mosquete. Nikolai agachó la cabeza mientras a su al-rededor las balas se incrustaban en la madera. En la popa, el hombre de guardia juró con furia y empezó a tirar de la cuerda de la campana para dar la alarma. Hombres medios desnudos comenzaron a subir de las cubiertas inferiores, con las armas en la mano.

Cuando Nikolai se irguió, la proa acorazada de la galera embistió al *Hermes*, incrustándose en el casco a poca distancia por debajo de él. El impacto le hizo perder el equilibrio. Su cabeza golpeó con la barandilla y perdió un momento la conciencia.

Cuando volvió en sí, a su alrededor se había desatado una batalla campal. Un viento fuerte desgarraba la niebla y el cielo se había aclarado, dejando al descubierto los garfios que enlazaban ambos navíos. Una veintena o más de soldados tocados con turbante había abordado el *Hermes*. La tripulación y los pasajeros de la goleta luchaban con espadas, pistolas y con cualquier cosa que pudiera usarse como arma. Nubes de humo negro irritaban los ojos de Nikolai y hacían arder sus pulmones.

Vestidos sólo con camisa holgada y calzones, Macrae y Polmarric se hallaban en el fragor de la batalla. El escocés daba mandobles a su alrededor con una espada. Polmarric iba armado con un par de pistolas. Nikolai quiso correr hacia Macrae, pero estaba demasiado débil para moverse. Acurrucado en el rincón de la proa, miraba horrorizado la batalla y se preguntaba por qué los Guardianes no usaban la magia para ponerle fin. ¡Seguro que podían hacer algo! ¿O acaso era aquel viento obra de Macrae?

Nikolai ahogó un grito cuando un corsario dio un tajo al brazo de Macrae con su cimitarra. La sangre oscura salpicó la camisa blanca del escocés cuando atravesó a su atacante. Sin perder la calma, Polmarric apuntó y derribó a un pirata con la pistola de su mano derecha, y luego a otro con la de la izquierda. Mientras los piratas buscaban presas menos peligrosas, Polmarric volvió a cargar y Macrae lo cubrió.

Nikolai intentó levantarse y estuvo a punto de desmayarse otra vez al sentir un fuerte dolor en las costillas. Debía de haberse roto alguna al caer. Dado que no podía luchar, se obligó a observar usando todos sus sentidos.

El *Hermes* iba ganando la batalla. Había varios marineros heridos, pero la mayoría de los cuerpos que yacían sobre la cubierta ensangrentada eran de piratas. Adivinó que los corsarios no esperaban una resistencia tan fiera y que se estaban preguntando si el asalto valía la pena. Los corsarios preferían atacar a personas que no tenían muchas posibilidades de defenderse.

Mientras la niebla y el humo acababan de disiparse, un garfio cayó con estruendo cerca de los pies de Nikolai. El cabo que unía la goleta al navío pirata se había partido. Uno a uno, los demás cabos fueron rompiéndose y la galera comenzó a alejarse.

Otra racha de viento hinchó sus velas, y la galera se escoró hacia estribor. Los remos se agitaban en el aire como patas de araña. Una voz gritó en árabe desde la galera:

—¡Retiraos!

Un pirata que se retiró maldiciendo por la cubierta del *Hermes*, con la vista fija en la tripulación de la goleta por si alguien lo seguía, tropezó con Nikolai, y una punzada de dolor atravesó las costillas del chico. El pirata miró hacia abajo y lo levantó con una sola mano.

—Aquí hay uno, por lo menos. —Hablaba un burdo dialecto de árabe norteafricano que Nikolai había oído en el puerto de La Valeta.

Nikolai intentó defenderse, pero colgaba impotente como un cachorro de la mano del gigante.

—¡Macrae! ¡Macrae! —gritó.

El escocés comenzó a volverse hacia él, pero entonces se oyó otra andanada de disparos de mosquete procedente de la galera y Polmarric se derrumbó. Macrae se volvió bruscamente y se arrodilló junto a su amigo. Nikolai lo perdió de vista.

La galera se había enderezado y flotaba a unos metros del *Hermes*. El que sujetaba a Nikolai llamó a uno de los piratas de la galera.

—¡Coge a este mocoso!

Arrojó a Nikolai a la embarcación. Tras volar unos segundos vertiginosamente, alguien lo agarró sin contemplaciones y lo depositó en la cubierta inclinada. Resbaló por la galera, agarrándose a la regala de estribor. El agua se agitaba a su alrededor, y Nikolai gemía de dolor por su costilla rota, temiendo ahogarse.

Debía combatir el dolor. Macrae le había hablado de eso. El truco era distanciarse, pensar en el dolor como algo lejano y ajeno.

Se concentró y el dolor disminuyó un poco. Se levantó tambaleándose, desesperado por volver al *Hermes* antes de que los barcos se separaran.

En mitad de la goleta, Macrae miraba ceñudo hacia la galera. Nikolai cruzó corriendo la embarcación y agitó los brazos frenéticamente para llamar la atención del escocés. ¡Seguro que Macrae sabía algún truco de magia que pudiera salvarlo! ¡Era su hijo adoptivo, un futuro gran mago!

Macrae lo miró fijamente. Luego dio media vuelta, el rostro como granito.

Nikolai vio con perplejidad cómo el hombre que le había prometido protegerlo y darle una familia lo abandonaba a su suerte. Aterrorizado, empezó a treparse a la barandilla. Mejor aventurarse en el mar que en la esclavitud.

Unas manos recias volvieron a atraparlo. Esta vez eran las manos del capitán de la galera, el *reis*, un hombre fornido, con cadenas de oro alrededor del cuello y ojos fríos como la muerte.

—Así que lo único que hemos sacado de este ataque es un mísero cochinillo.

—Soy hijo de un hombre rico —dijo Nikolai frenéticamente—. ¡Mi padre me rescatará!

El *reis* paseó una mirada desdeñosa por su ropa andrajosa.

—¿Tú? ¡Ja!

—Soy inglés. Escocés. Mi padre, Macrae de Dunrath, pagará por recuperarme. —Se preguntaba, sin embargo, si era cierto. Macrae lo había visto en manos de los corsarios y se había dado la vuelta. ¿Pagaría el rescate?

—Tú no eres inglés. —La mano pesada del *reis* golpeó un lado de su cabeza, haciéndole caer de rodillas—. A mí me pareces un mulato, una rata de puerto.

El *reis* llamó con un gesto al encargado de vigilar a los esclavos de la galera, un hombre con la cara picada de viruelas que empuñaba un látigo.

—Este mocoso es demasiado pequeño para remar, pero puede servir para achicar. Llévatelo.

El vigilante dio un latigazo en la espalda de Nikolai, rasgando la tela. Nikolai chilló. El fuego del latigazo disparó el dolor de su costilla fracturada.

—Eso es lo que les pasa a los esclavos desobedientes, chico —gruñó el hombre—. Cumple las órdenes y puede que llegues a hacerte mayor. ¡Ponte a achicar!

Nikolai se levantó aturdido, casi incapaz de respirar. El vigilante puso un cubo en sus manos y señaló el lado de estribor del barco, donde el agua se agitaba alrededor de los tobillos de los galeotes. Magullado y desorientado, obedeció. Se avergonzaba amargamente de las lágrimas que corrían por sus mejillas.

Mientras recogía agua y la arrojaba por la borda, vio cómo el *Hermes* se alejaba hacia el oeste. Macrae y Polmarric estaban a salvo y lo habían abandonado a su suerte sin mirar atrás. Si aquello era lo que significaba ser un Guardián, haber jurado proteger a los demás, él no quería tener nada que ver con aquellos cerdos.

El vigilante de los esclavos volvió a azotarlo con el látigo.

—¡Más deprisa, o te tiro por la borda para que te coman los peces!

Nikolai se mordió los labios y obedeció, pero por dentro empezaba a crecer su furia. Macrae le había prometido el paraíso y le había traicionado. ¡Traicionado!

Mientras llenaba y vaciaba el cubo, su ira creció hasta lograr saturar cada fibra de su ser. Aunque sentía que no podía continuar achicando agua, siguió adelante jurando por su sangre y sus huesos y por su abuela muerta que sobreviviría a la esclavitud y que algún día lograría escapar.

Luego, cuando estuviera listo, se vengaría de Macrae y su familia. De aquel mentiroso, de su bella esposa, de su apuesto hijo y de su niñita mimada.

Todos serían sus presas.

LIBRO SEGUNDO

Prende la yesca

1752

Capítulo 3

Londres, 1752

Jean Macrae observaba con asombro la multitud reunida en el muelle.

—¿Es que ha venido todo Londres a verme partir?

—Es muy probable —contestó plácidamente lady Bethany Fox—. Brilla el sol, y desearte buen viaje es una buena excusa para divertirse. Supongo que, cuando partas con la marea, casi toda esta gente acabará en casa de alguien, comiendo y bebiendo como si fuera a acabarse el mundo, y pasándolo en grande. —La mujer de cabello canoso le dio un abrazo—. Dales recuerdos a los chicos. Si no fuera tan vieja y no estuviera tan delicada, iría yo misma.

—No son niños, lady Beth. A fin de cuentas, van a casarse —dijo Jean, riendo, mientras le devolvía el abrazo—. ¿Por qué no vienes? El *Mercurio* es uno de los barcos de Sir Jasper, así que te tratarán como a una reina todo el trayecto.

Lady Bethany pareció tentada un momento, pero al fin movió la cabeza de un lado a otro.

—No, querida mía, ésta es tu aventura, no la mía.

Jean la miró con recelo. Lady Beth podía parecer una abuela inofensiva, pero era una de las mejores hechiceras de Europa y cabeza del Consejo de los Guardianes de Inglaterra.

—¿Esto es una aventura? Creía que iba a hacer una apacible travesía para ver casarse a unos amigos.

Los ojos de la anciana brillaron.

—Las aventuras surgen cuando menos te lo esperas.

—Pues espero que a Jean no le surja ninguna —dijo su hermano mayor, Duncan—. Eres tan poca cosa que me pone nervioso pensar que vayas a hacer sola un viaje tan largo.

—Tengo a Annie, viajo en un barco Polmarric, irán a esperarme al puerto de Marsella… Y sabes perfectamente que no soy en absoluto frágil —replicó ella.

—Es verdad que últimamente vistes tan recatada como una monja, pero a mí no me engañas —dijo él con severidad—. Conociendo tus hazañas pasadas, es normal que, siendo tu hermano, esté nervioso.

Ella sonrió. Duncan era diez años mayor que ella y a menudo se comportaba como si fuera su padre, más que su hermano.

—Mi época salvaje es cosa del pasado. Ahora soy una tía solterona y estirada.

—Puede que la boda sea un buen ejemplo para ti —dijo su hermano, esperanzado—. Que te haga pensar en casarte. Tres hombres honorables, prósperos y muy deseables como maridos han pedido tu mano, y no has querido a ninguno.

Y eso sin contar a los dos que se lo habían pedido a Jean directamente. De aquéllos no le había hablado a su hermano. No tenía sentido irritarlo aún más.

Gwynne, la mujer de Duncan, lo miró.

—Deja en paz a Jean, Duncan. Mejor ser una solterona feliz que una esposa desgraciada.

Jean sonrió a su bella cuñada.

—Y, como solterona, sirvo como niñera de tus preciosos hijos.

Gwynne le devolvió la sonrisa.

—Exactamente. —Abrazó a Jean—. Que lo pases de maravilla, Jean. Y piensa en la fría y ventosa Dunrath cuando estés pasando el invierno al sol del Mediterráneo.

Como Duncan era el mejor mago climático de toda Inglaterra, en Dunrath se estaba bastante bien, pero no sería lo mismo que en Marsella. Jean soñaba con el calor y con las ruinas de Roma.

—¡Menos mal que hemos llegado a tiempo! —Megan, la pequeña condesa de Falconer, se deslizó entre el gentío y la tomó de las manos—. Hemos traído regalos de boda para que te los lleves. Ojalá pudiera ir yo. —Se dio unas palmadas en la cintura—. Pero no es buen momento para que viaje.

—Te escribiré contándotelo todo con detalle —prometió Jean. Tras abrazar a Meg, se volvió hacia Simon, el conde de Falconer. Cuando Jean era más joven, el principal jefe militar de los Guardianes siempre tenía un aspecto amenazante. Al casarse con Meg se había relajado considerablemente.

Simon la estrechó con un brazo. En el otro llevaba una cesta de buen tamaño.

—Voy a llevar los regalos a bordo para que los guarden a buen recaudo. Dales recuerdos a Moses y a Lily, y a Jemmy y a Breeda.

—Lo haré, y prometo que los animaré a visitar pronto Inglaterra. —Simon y Meg habían rescatado a los cuatro jóvenes de un horrible cautiverio, sometidos a la tiranía de un mago renegado que esclavizaba sus mentes. Jean había ayudado a los cuatro rehenes a recuperarse de su cautiverio, y entre tanto se había convertido en una especie de tía honorífica para ellos. Estaba deseando volver a verlos, después de cuatro largos años. Las cartas no eran lo mismo.

Jean acabó de despedirse y tuvo que disimular unas cuantas lágrimas. Nunca antes había salido de Inglaterra, ni había estado lejos de su familia varios meses seguidos.

Sin embargo, mientras estaba en la cubierta de popa, saludando con la mano, y el *Mercurio* se deslizaba por el Támesis, la emoción venció a la congoja. Salvo durante el Levantamiento, siete años antes, cuando el príncipe Charles había perturbado su existencia y la de gran parte de Escocia, había llevado una vida muy tranquila. Estaba dispuesta a probar el sabor de un mundo más ancho.

Su compañera y doncella, Annie Macrae, lloraba copiosamente a su lado.

—¿No quieres venir a Marsella? Puedes desembarcar en Greenwich, si prefieres quedarte —preguntó Jean un poco preocupada.

Annie sacudió la cabeza con energía. Era prima lejana de Jean; había cierto parecido familiar, pero era más alta, más rotunda, y su cabello era más caoba que rojo. En el valle de Dunrath, se la consideraba una chica estupenda.

—Oh, no, señorita Jean, si lloro de alegría. Todas las chicas de Dunrath me tienen envidia. Pero un viaje tan largo merece una buena llorera.

—Sin duda tienes razón —dijo Jean mientras le pasaba el pañuelo—. Yo, sencillamente, no tengo una sensibilidad adecuada.

—Eso es porque usted es una heroína, señorita Jean. Las heroínas no son nada sentimentales.

Jean se sonrojó y volvió a mirar el río, viendo cómo Londres se alejaba. Desde el Levantamiento, la gente de Dunrath la miraba con pasmo ridículo. Ella no era ninguna heroína. Se había sentido perdida, aterrorizada y desesperada, y sólo gracias a Gwynne y Duncan se habían salvado todos del desastre.

El comentario de Annie sirvió para recordarle que las aventuras no sólo eran de temer, sino también endiabladamente incómodas. Jean prefería dejárselas a los jóvenes y a los temerarios.

La travesía fue apacible y un tanto aburrida, aunque resultaba agradable navegar hacia climas más cálidos. Jean apenas pudo contener la emoción cuando pasaron el estrecho de Gibraltar y entraron en el Mediterráneo. El Mar del Medio, el centro del mundo. Incluso la luz era distinta a la de Inglaterra, más cálida y radiante.

Jean leyó, charló con el puñado de pasajeros y durmió bien hasta la noche en que la despertó el clamor ensordecedor de una campana de alarma. En aquellas aguas, sólo podía significar una cosa.

—¡Piratas!

Se levantó de un salto de la cama, agarró el manto que colgaba detrás de la puerta y sacó sus pistolas del pequeño baúl. Tardó un momento en cargarlas mientras Annie se volvía y se asomaba desde la litera de arriba, con la cara muy blanca a la luz de la luna que entraba por el ojo de buey.

—¿Qué ocurre, señorita Jean?

—Cabe la posibilidad de que haya piratas berberiscos a la vista. Seguramente será una falsa alarma, pero tú quédate aquí mientras yo voy a ver qué pasa. —Annie sofocó un grito y escondió la cabeza bajo las mantas, y Jean salió corriendo del pequeño camarote y subió las escaleras. Algunos miembros de la tripulación montaban guardia, armados, y los dos cañones giratorios estaban guarnecidos.

Con la pistola en la mano, Jean encontró un lugar tranquilo junto a la caseta del timón, donde no estorbaría. Durante un cuarto de hora lleno de tensión, esperó junto a la tripulación.

Luego, el vigía encaramado a lo largo del mástil de proa gritó:

—¡Es un mercante veneciano, no un corsario!

—¿Estás seguro? —contestó a voces el capitán Gordon. Su catalejo recorría el horizonte.

—Sí, señor, no es una galera pirata.

Pasado un rato, el curtido capitán bajó el catalejo.

—Muy bien. La tripulación que no estuviera de guardia puede volver a la cama.

Entre cháchara y suspiros de alivio, la mayoría de los hombres volvieron abajo. El capitán Gordon se dirigía hacia la popa del barco cuando vio a Jean entre las sombras de la caseta del timón.

—¡Santo Dios, señorita Macrae! ¿Qué hace aquí arriba?

—Me preparaba para defender mi virtud, si era necesario.

Gordon pareció sorprendido.

—¿Sabe usar eso?

—Le haría una demostración, pero un disparo volvería a alarmar a todo el mundo.

Él asintió con la cabeza.

—Estaba usted en las Tierra Altas cuando el Levantamiento, ¿verdad? Algo así le hace a uno estar alerta y aprender a manejar un arma.

—En efecto. —Bajó la pistola; ahora que el peligro había pasado, le temblaban los dedos—. Además, mi padre estuvo en un barco que atacaron los piratas en estas aguas. Sir Jasper Polmarric y él viajaban juntos.

—¿Su padre estuvo en ese viaje? Ese ataque es el responsable de que Sir Jasper tome tantas precauciones en todos sus barcos. Todos los navíos Polmarric llevan un cañón extra, y se nos exige que adiestremos a la tripulación para que sepa cómo reaccionar en caso de emergencia. Haremos más ejercicios ahora que hemos entrado en el Mediterráneo. De hecho, pensaba ordenar uno mañana. Pero les habría avisado a usted y a los demás pasajeros para que no se preocuparan.

—Habría sido un detalle —contestó ella irónicamente—. Después de despertarme con la campana de alarma, creo que tardaré en volver a dormirme.

—Dé un paseo conmigo —sugirió él—. Después de una alarma, me gusta asegurarme de que todo va bien. —Cuando Jean echó a andar a su lado, añadió—: Sólo un vigía nervioso e inexperto confundiría una galera veneciana con un corsario, pero los hombres están muy alerta ahora que estamos en el Mediterráneo, y prefiero que haya falsas alarmas a encontrarme por sorpresa con un barco pirata.

—¿Ha estado alguna vez en un barco atacado por corsarios, capitán?

—Una vez, cuando era un muchacho. —Frunció el ceño—. Es mal asunto, y peor aún si capturan ingleses. Los países católicos tienen órdenes religiosas como los Trinitarios que se dedican a rescatar esclavos, pero los países protestantes no están tan bien organizados.

—No lo sabía. —Recordó la historia del ataque sufrido por su padre en el *Hermes*—. Aunque uno acabe siendo rescatado, tendrá que sufrir antes varios años de esclavitud muy desagradables. —Desagradables, y posiblemente fatales.

—Y es peor aún para una mujer. —La miró—. Una muchacha bonita, con ese cabello rojo, alcanzaría un precio muy alto en los mercados de esclavos de Berbería.

Ella se rió y se echó hacia atrás el pelo agitado por el viento. No se lo había empolvado, ni llevaba peluca desde que había salido de Londres. Era mucho más fácil dejarlo al natural y recogérselo sencillamente hacia atrás. Los marineros y los pasajeros ya se habían acostumbrado a su color llameante.

—Es agradable saber que el pelo rojo es bueno para algo.

—La comprarían a usted para el harén de un sultán, a buen seguro —dijo él con una risa—. El valor de lo raro, ¿comprende?

—Me lo tomaré como un cumplido. —Habían llegado a la proa del *Mercurio*, y ella añadió—: Creo que voy a quedarme aquí un rato, si no le importa. Me encanta sentir el viento en la cara.

—Todavía haremos de usted un buen marinero, señorita Macrae. —El capitán Gordon continuó su inspección de la goleta. Jean había disfrutado de su compañía, pero le apetecía estar sola. Lo mejor de aquel viaje habían sido las largas horas sin nada que hacer, salvo observar el tiempo. La familia Macrae engendraba los mejores magos del tiempo de Gran Bretaña: su hermano era simplemente el vástago más reciente de un linaje largo y distinguido.

Sin embargo, controlar el tiempo era un talento casi exclusivamente masculino. Las mujeres Macrae podían tener un don modesto para manejar los elementos, pero los grandes magos del tiempo eran siempre hombres. Era terriblemente injusto.

De todos modos, ella nunca había sido un prodigio de la magia. Muchos magos importantes le habían dicho que tenía poder, pero nunca había aprendido a usarlo por completo. Salvo en circunstancias verdaderamente desesperadas, lo cual resultaba arriesgado e inquietante.

Al pasar de niña a mujer, había creído que superaría sus problemas y aprendería a usar el poder con la misma facilidad que la mayoría de los Guardianes. Pero no había sido así, y hacía mucho tiempo que había dejado de intentarlo. En una familia de magos, alguien tenía que ser práctico, y en Dunrath esa persona era Jean. Durante los años que su hermano había pasado viajando, se había convertido en una administradora capaz. Después de la boda de Duncan, su esposa, Gwynne, la había animado a estudiar magia más en profundidad, y había aprendido a hacer pequeños hechizos y a leer el porvenir con un cristal de escrutar. Pero nunca sería una gran hechicera.

Tampoco sería nunca una esposa. Siempre había tenido la sensación de que no se casaría con un Guardián. Se había prometido a su amor de la infancia, Robbie Mackenzie, y hasta lo había seguido a la guerra.

Ah, Robbie era un buen muchacho, el único hombre al que había amado. Era un muchacho corriente, y ella nunca le habló de los Guardianes, pensando que su poder no era grande como para que influyera en su matrimonio. Pero Robbie había muerto en Culloden y, pese a los esfuerzos de su familia y amigos, Jean no había conocido a nadie que pudiera ocupar su lugar.

No importaba. Era una buena maestra y tenía una puntería excelente. Y, siendo una Macrae, no podía sino disfrutar del tiempo. Para su satisfacción, en aquel viaje había descubierto que tenía una pizca de la magia de su familia. Podía sentir, más allá del cielo visible, tormentas y vientos lejanos.

También había influido un poco en las condiciones climáticas. No era sólo la suerte la que había brindado al *Mercurio* un viaje tan apacible.

Cerró los ojos y al aspirar el viento del sur se imaginó los desiertos africanos, secos y misteriosos, de donde venía. Lugares extraños con extraños nombres…

Debería haber empezado a viajar antes.

Capítulo 4

Adia, oeste de África, 1752

Adia se irguió. Estaba cavando ñames y le dolía la espalda. Su familia cultivaba los mejores ñames de la aldea, pero para ello había que trabajar.

—Me alegraré mucho cuando Abeje acabe su iniciación y vuelva a trabajar.

Su madre se rió.

—Más te alegrarás aún cuando tú también te inicies, pequeña. Pero para eso tienes que esperar todavía un par de años. —Levantó la vista hacia el sol—. ¿Por qué no juegas un rato con Chike mientras doy de comer al bebé?

El cansancio de cavar se desvaneció al instante. Mientras su madre se llevaba al pequeño a un lado del campo de labor, Adia y Chike empezaron a jugar al corre que te pillo entre las matas de ñame, corriendo por simple placer. A veces, Adia dejaba que su hermano pequeño la cogiera, a pesar de que Chike sólo tenía cuatro años y las piernas muy cortas.

Años después, Adia se preguntaría si fueron sus gritos de alegría lo que atrajo a los tratantes de esclavos, pero seguramente no. Aquellos hombres eran expertos en encontrar víctimas.

La primera advertencia llegó cuando, al alzar la vista, vio un grupo de hombres altos y amenazadores surgir del bosque, callados y con las lanzas listas. No eran iskes, como ella, sino de alguna otra tribu que no conocía. Mientras los miraba, asustada, su madre gritó:

—¡Corre, Adia! ¡Ayuda a tu hermano!

Su madre hizo un ademán con las dos manos y una ráfaga mágica cruzó el campo, levantando una nube de polvo, densa y cegadora, entre Adia y Chike y aquellos hombres. Luego cogió al bebé en brazos y corrió hacia el interior del bosque. No podía hacer nada más por sus hijos.

¡Tratantes de esclavos! Adia los oyó jurar y toser por el polvo. Su madre les había dado un poco de tiempo. Corrió hacia su hermano y lo agarró de la mano.

—¡Ven! —dijo—. Esos hombres malos quieren llevársenos.

Chike corrió tan rápido como pudo, ayudado por Adia, que tiraba de él. ¡Si la hubieran iniciado…! Adia formaba parte de una familia de sacerdotes y sacerdotisas, y algún día tendría poder suficiente para enfrentarse a los hombres malvados, pero ahora sólo contaba con sus piernas y su tozudez.

No fueron suficientes. Con un grito de satisfacción, los tratantes de esclavos atravesaron la nube de polvo y les cogieron antes de que pudieran adentrarse en el bosque. Unas manos brutales tiraron a Adia al suelo y le ataron las muñecas a la espalda. Lo mismo le hicieron a Chike, que lloraba frenéticamente.

Uno de aquellos hombres dijo:

—Los niños no valdrán mucho. —No hablaba iske, pero su lengua era lo bastante parecida al dialecto de una tribu vecina para que Adia la entendiera.

Otro dijo:

—Valen uno o dos lingotes de hierro, si sobreviven, así que más vale que nos los llevemos.

Levantó a Chike de un tirón mientras el primero que había hablado tiraba de Adia. Le sangraban las rodillas y los brazos, por la caída. Desde que se tenía memoria, los tratantes de esclavos se habían cebado en los iskes y otras tribus. Nadie a quien se llevaran volvía. El primo preferido de Adia y su mejor amigo habían desaparecido un día, secuestrados por aquellos hombres.

Mientras los asaltantes los llevaban a rastras, Adia pensó en los esclavos de su padre, guerreros capturados en las guerras tribales. Pero eso era distinto a secuestrar niños. *Ayúdame, abuela*, rezó en silencio. Había estado muy unida a Monifa, la madre de su madre, que había muerto hacía un año. Mientras rezaba, sintió el contacto fantasmal de las manos de su abuela. *Sobrevive, pequeña. Hay esperanza para el futuro.*

Adia cerró los ojos y dio las gracias a sus ancestros por ayudar a su madre y al bebé a escapar. Luego rezó por que su padre y los otros cazadores fueran tras los tratantes de esclavos y les rescataran.

Su esperanza se desvaneció cuando se unieron a una gran banda de tratantes de esclavos y fueron conducidos más allá del fértil valle del Iske. El grupo se dirigía al oeste, hacia el gran mar. Había muchos otros cautivos encadenados con grilletes, formando largas filas que hacían imposible que alguno escapara. La primera vez que Adia vio un esqueleto entre la maleza, se estremeció al comprender que aquellos huesos pertenecían a algún pobre cautivo que había muerto en una marcha como aquélla.

Poco después había visto tantos esqueletos que ya apenas se fijaba en ellos. Con el paso de las semanas, empezó a envidiar a los muertos porque ya no tenían que andar y beber agua estancada o intentar sobrevivir con un puñado de granos cocidos cada día.

Hubo algunos momentos más alegres. Un joven alto y fuerte, llamado Mazi, iba encadenado detrás de Chike, y todos los días llevaba en brazos al niño durante horas. Adia y él hablaban lenguas distintas, pero él le hizo entender que no consideraba a su hermano una carga. Luego, los tratantes de esclavos se reunieron con otro grupo. Se hicieron las ventas, los esclavos cambiaron de manos y otros se llevaron a Mazi. Adia lo echó de menos. Era sólo un par de años mayor que ella, casi un hombre, no un niño, y con él cerca se sentía más a salvo.

Chike murió una semana antes de que llegaran a la costa. Adia rezó sobre su cuerpo delgado, pidiendo a sus antepasados que cuidaran especialmente de su espíritu porque era pequeño. Luego, un hombre la hizo ponerse en pie, y tuvo que ponerse en marcha de nuevo.

Pero ella no moriría. No, ella no. Adia de Iske sobreviviría, y algún día encontraría un modo de vengarse de aquellos hombres.

Capítulo 5

El lento avance del *Mercurio* por el atestado puerto de Marsella dio a Jean tiempo de volverse loca de emoción. Logró controlarse lo suficiente para no ponerse a saltar, pero, inclinada sobre la barandilla de proa, Annie y ella se recreaban en las vistas y los olores de Francia.

—En Dunrath no van a creérselo —dijo Annie alegremente—. Cuando sea abuela, les contaré a mis nietos historias sobre mi viaje a Marsella.

—Yo también —dijo Jean, aunque estaba menos segura de que fuera a tener nietos.

El sol reverberaba en el mar y hasta con el sombrero de ala ancha tenía que hacerse sombra con la mano para observar a la gente que esperaba en la orilla. ¿Habrían identificado sus amigos la goleta? ¿Estarían esperándola?

—Pruebe con esto, señorita Macrae. —El capitán Gordon apareció a su lado y le dio su catalejo—. Quizá pueda ver a sus amigos.

—Gracias. —Jane se acercó el catalejo al ojo derecho y escudriñó lentamente los muelles—. ¡Ahí están!

Los cautivos habían cambiado tanto que quizá no se habría fijado en ellos de no ser por la presencia, alta y oscura, de Moses Fontaine. Con su piel como el ébano y su elegancia de caballero, su porte y su herencia africana lo hacían inconfundible.

Llevaba del brazo a su futura esposa, la rubia Lily Winters. Cuando sus amigos y ella fueron liberados, Lily estaba tan frágil que se hallaba al borde del colapso. Ahora estaba guapa y sana, y su elegancia igualaba la de Moses. Era hija de un boticario de pueblo y se había convertido en toda una dama.

Jemmy y Breeda, la otra pareja prometida, deambulaban por allí, más nerviosos. De los cuatro esclavos, Jemmy era el que más apuros había pasado. Había sido deshollinador, un chico pálido y hambriento que probablemente no habría llegado a hacerse mayor. Ahora estaba fuerte, atlético y bronceado. Como nunca había tenido apellido, había decidido llamarse James King cuando recobró la libertad. «Jemmy», para los amigos.

Por último estaba Bridget O'Malley, la sirvienta irlandesa cuyo cabello de color zanahoria rivalizaba con el de Jean. Tras verse liberada, la mayor ambición de Breeda había sido aprender a leer y escribir. Jean les había enseñado a ella y a Jemmy, y las cartas que se habían escrito durante aquellos años eran testimonio de lo bien que habían aprendido los dos. Jean pensó que la pareja era la prueba palpable de que el origen social importaba mucho menos que las oportunidades. Breeda y Jemmy siempre habían sido inteligentes. En cuanto fueron libres y tuvieron ocasión de madurar, ese potencial había florecido.

—¿Quieres mirar? —Le pasó el catalejo a Annie.

—¡No sabía que había tanta gente distinta en el mundo! —exclamó su compañera mientras contemplaba el puerto—. Hay pieles blancas, negras y marrones, y de todos los colores intermedios. ¡Y cómo visten! Esto no es como Dunrath, señorita Jean.

—No, desde luego. —Jean observó ávidamente los edificios y las colinas que rodeaban el puerto, y pensó que una ventaja de estar soltera era la libertad de viajar. Se quitó el sombrero y saludó con él, intentando al mismo tiempo enviar un mensaje mental a sus amigos. O el sombrero o el mensaje funcionaron, porque Breeda la vio y agitó la mano, eufórica. Los demás la siguieron un momento después.

El barco pareció tardar una eternidad en atracar, pero al fin Jean pudo bajar por la pasarela, hasta la orilla, mientras Annie se quedaba atrás para ocuparse del equipaje. Breeda fue la primera en llegar hasta ella, y se abrazaron, riendo y llorando a un tiempo. Las circunstancias en las que se habían conocido habían creado entre ellos un vínculo muy hondo. Mientras abrazaba a Lily, Jean dijo:

—¡Estáis maravillosos! Marsella os sienta bien.

—Marsella y la familia de Moses. —Huérfana cuando fue convertida en esclava, Lily había entrado de buen grado en el hogar, cálido y acogedor, de su prometido.

—Ha encogido usted, señorita Jean —dijo Jemmy con un brillo travieso en los ojos—. Es muy poquita cosa.

—Usted tampoco es muy alto, señor King —repuso ella—. Pero Breeda me escribió que eras el jockey más solicitado de todo el sur de Francia.

—Lo soy —dijo él con gran satisfacción—. Y me estoy convirtiendo en un buen entrenador, además.

Moses, que llevaba siempre la voz cantante en el cuarteto, señaló hacia los dos carruajes que les aguardaban.

—Vamos, señorita Jean, les llevaremos a casa.

Su figura larguirucha se había rellenado con los músculos recios de un hombre. Moses había nacido en Zanzíbar, hijo mayor de un astuto mercader que había trasladado su familia y la sede de su emporio mercantil a Francia cuando Moses tenía seis años.

Como heredero del negocio, Moses había recibido una educación de primera clase y hablaba varios idiomas. Luego había sido secuestrado y reducido a la esclavitud. Tras su liberación, su familia había acogido a los demás cautivos, que no tenían dónde ir. Los cuatro jóvenes habían florecido y se habían recuperado de su cautiverio al tiempo que maduraban y se convertían en adultos.

El resto del día pasó rápidamente, mientras recorrían la finca de la familia de Moses y se acomodaban. La enorme casa de los Fontaine tenía múltiples patios que albergaban fuentes y jardines. Moses decía que estaba hecha a imagen y semejanza de la casa de la familia en Zanzíbar. Jean quedó maravillada por el modo en que el interior y el exterior se fundían fluidamente. No como en Escocia, donde el principal propósito de una casa era mantener fuera el tiempo atmosférico.

Los padres de Moses la recibieron como si ella en persona hubiera salvado la vida de su hijo, en vez de ser simplemente su tutora. Eran los Falconer quienes habían rescatado a Moses, en realidad; si Meg y Simon iban alguna vez a Marsella, serían tratados como reyes. Entre tanto, los Fontaine expresaban su gratitud agasajando a Jean.

Tras una cena suntuosa que combinaba lo mejor de la cocina francesa con algunos platos africanos especiados de tal forma que Jean nunca había probado nada parecido, los mayores se retiraron discretamente para que Jean y sus cuatro amigos pudieran charlar en privado. El salón en el que se reunieron tenía un balcón que se abría al aire templado de la noche. Mientras bebía un jerez excelente, Jean pensó que podía aficionarse al estilo de vida mediterráneo.

Aún faltaban semanas para la boda, pero las tres mujeres estuvieron hablando de los preparativos hasta que les pareció que Jemmy y Moses tenían ganas de huir. Apiadándose de ellos, Jean se puso a hablar de magia.

—Veo un destello de energía que os conecta. ¿Seguís sintiéndoos tan unidos como cuando estabais en Inglaterra?

Los cuatro se miraron.

—Sí, aunque no es como cuando lord Drayton nos tenía cautivos —respondió Lily.

—¡Gracias a Dios! —añadió Breeda.

—Siempre percibimos la presencia y los sentimientos de los demás —dijo Moses—, pero no hace falta que fundamos nuestros poderes.

—Así que últimamente no hemos matado a nadie —concluyó Jemmy con humor ácido.

—Me alegra saberlo. —Consciente de que era una broma, Jean bebió otro sorbo de jerez—. Pero parece que os habéis acostumbrado a acabar los unos las frases de los otros.

Moses se encogió de hombros.

—Formamos parte los unos de los otros, señorita Jean. El matrimonio es el siguiente paso lógico. —Su mirada cálida voló hacia Lily.

Breeda alargó el brazo para coger la mano de Jemmy.

—Nos marchitaríamos, si estuviéramos separados.

El poder hacía posible que los compañeros se unieran con especial intensidad. Jean lo había visto en las familias de Guardianes, sobre todo con sus padres, y ahora también con su hermano y su cuñada. Ella había querido a Robbie, cuya muerte había dejado un hueco en su corazón que ningún otro hombre había podido llenar. Perderlo la había dejado destrozada, así que quizá fuera preferible que no estuviera destinada a casarse con un Guardián. Si la cercanía era mucho mayor que la que había sentido con Robbie, la pérdida sería insoportable.

—¿Habéis estudiado magia desde que estáis aquí? —Aunque por separado ninguno de ellos, excepto Moses, tenía poderes especiales, cuando unían sus fuerzas eran aterradores—. Me lo preguntaba, pero, claro, no es una pregunta que pueda hacerse por carta.

—Hemos trabajado con varios Guardianes franceses que nos han enseñado a protegernos y controlarnos. —Lily daba vueltas en la mano a su copa con expresión preocupada—. Las lecciones estaban bien, pero no he querido seguir. Mis experiencias con la magia seria no han sido agradables. Me gusta ayudar a los demás con pociones y ungüentos. Con eso me basta.

Los demás asintieron en silencio.

—Nosotros no somos Guardianes, en realidad, señorita Jean —dijo Breeda—. Espero que lord y lady Falconer no se sientan muy defraudados cuando sepan que no hemos seguido estudiando.

Jean sonrió con desgana.

—Yo tampoco soy muy guardiana, así que no soy quién para regañaros. A veces pienso que la magia es más un estorbo que otra cosa. —Aunque podía ser sumamente útil cuando do estaba en apuros.

La conversación derivó hacia otros asuntos hasta que Breeda se levantó, sofocando un bostezo.

—Me voy a la cama. Mañana podemos enseñarle más de la ciudad, señorita Jean. ¿Hay alguna cosa en particular que quiera ver? La capilla de Notre Dame de la Garde es espléndida, y hay unas vistas magníficas de la ciudad.

—Me encantaría ver la capilla, y cualquier otro monumento que merezca la pena. —Jean reflexionó un momento antes de añadir—: Sé que es muy superficial por mi parte, pero también me gustaría comprar regalos para mi familia y mis amigos. Pero para eso no hay prisa. Voy a estar aquí meses.

Lily se echó a reír.

—Breeda y yo la ayudaremos encantada a gastar dinero. Uno de los mejores sitios de la ciudad es la tienda de los Fontaine. Aunque la familia se dedica sobre todo a la importación, hace unos años a Moses se le ocurrió abrir una tienda para vender directamente al público. Ha sido un gran éxito.

—Y le harán un precio muy especial —añadió Moses.

—Pagaré el precio normal —dijo Jean con firmeza—. Ya me he beneficiado de vuestra generosidad.

—Ya veremos —dijo Lily con expresión traviesa al levantarse para irse a la cama. Breeda y Jemmy salieron tras ella cogidos de la mano.

Jean, que aún no deseaba retirarse, salió al balcón con su copa de jerez. Moses se reunió con ella.

—¿Necesita un guía para que la acompañe hasta sus habitaciones, señorita Jean?

Ella se rió.

—Podría ser. Maison Fontaine es casi un laberinto.

—Yo la acompañaré cuando esté lista. —Sonrió, y sus dientes blancos brillaron sobre su piel oscura—. Y le daré una bobina de hilo para que en el futuro marque con ella el camino.

—Puede que te tome la palabra. —Miró las luces dispersas de la ciudad y la curva oscura del mar, más allá—. Esto es precioso, pero ¿echas de menos África?

Él se apoyó en la barandilla. La luna iluminaba su rostro oscuro.

—A veces. No era más que un niño cuando dejamos Zanzíbar, pero he acompañado dos veces a mi padre en largas visitas. Aunque adoptó el apellido Fontaine y vive como un caballero, no quiere que olvidemos nuestras raíces.

—No las olvidaréis. Pero, si vuestros hijos nacen aquí, ellos sí lo harán.

Moses suspiró.

—Lo sé. Y serán medio europeos, atrapados entre dos mundos más aún que yo.

—Todos somos extranjeros en cierto modo. Los que tenemos poderes mágicos vivimos apartados de los que no los tienen. —Apuró el jerez de un trago—. Los Guardianes con poco poder viven apartados de los grandes magos. Y parece que hombres y mujeres reciben casi siempre una educación completamente distinta.

Él se rió.

—Tiene razón. Mi verdadero hogar son Lily, Jemmy y Breeda. Todos marginados, y sin embargo completos cuando estamos juntos.

—Es un milagro que la flor del amor y la amistad haya crecido a partir de la desesperación de vuestra experiencia. —¿Estaría ella dispuesta a soportar el cautiverio de su ser y su voluntad si la recompensa fuera un amor profundo y duradero como el que unía a sus amigos? Seguramente no. La idea de que un hombre malvado como Drayton le arrebatara el alma era demasiado horrenda.

—Los demás han dejado la magia a un lado —dijo Moses, vacilante—. Pero en mi caso no es del todo así.

A ella no le sorprendió oír aquello.

—Siempre parecías el más interesado en el tema. ¿Qué has aprendido?

—Le pedí a un capitán de navío que transporta muchas mercancías para mi padre que me buscara un chamán africano, y lo hizo. Sekou vino a Marsella y me sirvió de tutor un año y un día. Dijo que había cosas que debía enseñarme que serían esenciales en el futuro.

Jean decidió preguntar viendo que él guardaba silencio.

—¿Qué aprendiste? ¿Son distintas la magia africana y la europea?

—En ciertos aspectos son parecidas; en otros, no. En la magia africana, los antepasados son muy poderosos. —Su voz ganó en intensidad—. ¡Aprendí tanto, señorita Jean! Sekou fue mi guía en una iniciación en la que me adentré en otros mundos. No físicamente, claro, pero sí mentalmente. Y sin embargo era todo tan claro, tan vívido, que, si tocaba fuego, me quemaba. Supe por Sekou que algunos chamanes africanos tienen una habilidad especial para obrar con el tiempo y el espacio de la que no he oído hablar en la magia europea. No sé si yo tengo esas habilidades, pero él me enseñó las técnicas, y practico todos los días. Pero una vida entera no bastaría para aprenderlo todo. —De pronto se cohibió—. Disculpe mi entusiasmo. Tenía ganas de hablar de ello, pero los demás no están muy dispuestos a escucharme.

—Me gustaría saber más, si tienes tiempo de hablarme de ello —dijo Jean, fascinada—. La esposa de mi hermano es una erudita en magia, y no me perdonará si pierdo una oportunidad así de adquirir más conocimientos.

—Compartiré los míos con usted de buena gana. —Su expresión se volvió adusta—. Una de las razones por las que decidí seguir estudiando fue la necesidad de utilizar la magia para protegerme. Hay quienes ven un negro en la calle y creen que es un esclavo del que pueden apropiarse. He sido atacado en dos ocasiones por bandas que querían capturarme y esclavizarme. Una de las veces logré salvarme a puñetazos. La otra… —Sacudió la cabeza—. Sin la magia, quizás ahora estaría trabajando en las plantaciones de azúcar de las Antillas. Pero no me gusta mancharme las manos de sangre.

Ella hizo una mueca al oír aquel relato expuesto con total llaneza.

—He oído que esas cosas también pasan en Inglaterra. Pero no se me había ocurrido que un hombre como tú, que es evidentemente un caballero, pudiera correr ese peligro.

—Los negros somos negros —contestó él lacónicamente—. Lo demás es simple atavío. No se lo he contado a los demás, aunque puede que Jemmy sospeche que he tenido problemas. No quiero que Lily sepa que… que tuve que matar a un hombre para defender mi libertad.

—Yo no voy a decírselo. —Jean entornó los ojos—. Si quieres absolución por haber matado para salvarte, tienes la mía, sirva para lo que sirva.

Él exhaló suavemente.

—Creo que eso es lo que quería. Gracias, señorita Jean. —Le ofreció el brazo—. ¿La acompaño a sus habitaciones?

—Sí, por favor, monsieur Fontaine. —Ella lo cogió del brazo—. ¡Y no olvide la bobina de hilo para futuros viajes!

Capítulo 6

Aunque a Jean le habría gustado pasar más tiempo aprendiendo magia africana con Moses, las semanas siguientes transcurrieron entre un torbellino de visitas turísticas, comidas campestres y bailes, y preparando las bodas. Annie era la compañera ideal porque también quería verlo todo y siempre estaba dispuesta a visitar una iglesia o trepar a una colina. Lily y Breeda las acompañaban en sus excursiones, y Moses y Jemmy se les unían cuando no estaban trabajando.

De vez en cuando, mientras disfrutaban de los días tibios y soleados, Jean y Annie hablaban sobre las horribles tormentas que estarían azotando los cerros de Escocia. Jean tenía la sensación —una especie de mágico cosquilleo— de saber qué tiempo hacía en Dunrath, pero no había modo de comprobarlo. Tal vez sólo tuviera mucha imaginación.

Las bodas, cuando finalmente tuvieron lugar, fueron preciosas. Breeda había insistido entre risas en celebrar ceremonias separadas, alegando que no quería que Lily la eclipsara el día de su boda. No tenía por qué preocuparse: estaba muy guapa con su pelo brillante llameando bajo un velo de encaje, y Jemmy la miraba como si fuera la única mujer que había en el mundo. Un resplandor los rodeaba: su amor era visible para todos aquellos que tenían poder para verlo.

Lily y Moses se casaron esa misma tarde en una ceremonia igual de conmovedora. Jean lloró sin sonrojo, como había hecho por la mañana. Mientras se enjugaba los ojos, pensó con ironía que las dos parejas le debían algo al despreciable lord Drayton, cuyo hechizo perverso había unido a aquellos cuatro extraños, creando entre ellos lazos profundos y duraderos. Aquellas ligaduras se habían forjado a fuego.

Después del suntuoso banquete de bodas, presidido por los padres de Moses, a los que se veía radiantes, los recién casados marcharon a una casa de campo para pasar dos semanas de luna de miel. Allí, cada pareja tendría intimidad para explorar su nueva relación, pero también disfrutaría de la compañía de sus queridos amigos.

Al día siguiente, mientras todos se recuperaban de los festejos, la casa de los Fontaine estuvo muy silenciosa. El lunes, sin embargo, se despertó llena de energía y determinación. Mientras tomaba en la cama su chocolate matutino, Annie entró en la habitación, ya vestida.

—Estoy deseando tener otro día tranquilo, señorita Jean.

—Con uno ha habido bastante. Es hora de que visite la tienda de los Fontaine. Todavía no he ido de compras, y hay mucha gente a la que tengo que comprar regalos. —Revigorizada por aquella idea, Jean apuró su chocolate caliente—. ¿Me acompañas?

—Hoy no, señorita. Tengo que arreglar un poco de ropa y escribir a casa. —Annie se acercó al armario que contenía la ropa de Jean y comenzó a buscar prendas necesitadas de arreglos—. Iré otro día, si me dice usted que hay cosas bonitas que pueda permitirme.

—Muy bien. —Jean se levantó y rescató su vestido verde de algodón estampado, uno de sus favoritos, del montón creciente de Annie—. Este puede esperar. El lazo que tiene roto no se ve.

Annie soltó un bufido, pero consintió, y poco después Jean iba en un carruaje hacia el puerto, acompañada por monsieur Fontaine, el padre de Moses. Era éste un hombre corpulento, de imponente presencia. Una versión de su hijo con el pelo canoso. Durante las semanas anteriores, al interrogar a Moses por la magia africana en ratos perdidos, Jean había descubierto que sus padres tenían cierto poder. Con aquella herencia doble, Moses los había sobrepasado a ambos en habilidades.

Monsieur Fontaine la ayudó a apearse del carruaje.

—Hoy tendrá una mañana tranquila. La tienda está abierta al público casi todos los días, pero los lunes sólo dejamos entrar a mercaderes y a clientes privados muy especiales. —Su acento africano era fuerte, pero hablaba el francés con fluidez, y también un poco de inglés. Mientras la acompañaba al interior del edificio, añadió—: Y usted es una clienta muy especial.

La tienda formaba parte del extenso edificio de piedra que servía de almacén a los Fontaine y que cubría toda una manzana del puerto de Marsella. La zona de almacenaje daba al puerto. En la calle a la que daba la parte de atrás, se había abierto una entrada modesta, pero atractiva. Dos limoneros en macetas flanqueaban la puerta, y en una pequeña placa dorada se leía simplemente «FONTAINE». Lily había dicho que, los días que había mucho ajetreo, los carruajes de quienes iban allí en busca de mercancías raras atestaban la calle.

Dentro, Jean observó cuanto la rodeaba con interés. La amplia sala estaba dividida en cubículos, cada uno de ellos dedicado a un tipo concreto de mercancías. Los días que la tienda abría al público, había en cada puesto un vendedor que atendía a los clientes y vigilaba el género. Ese día, sin embargo, el local estaba casi vacío.

—Las ventanas que han puesto junto al techo iluminan muy bien el espacio.

—Y dificultan más los robos que las ventanas bajas. Fue Moses quien sugirió que pusiéramos una galería alta con ventanas cuando decidimos abrir la tienda al público. —Monsieur Fontaine cogió una cesta de mimbre de un montón que había junto a la puerta y se la dio para que metiera en ella lo que eligiera—. Aunque estamos especializados en mercancías africanas, hay también muchas cosas de otros países. Elija lo que le interese. Luego hablaremos del precio.

—Debe prometerme que obtendrá usted algún beneficio —dijo ella con firmeza—. La familia Fontaine es muy grande y tiene que ganar dinero.

Él sonrió.

—Prometo cobrarle más que su coste real, pero no todo el precio. Le debemos mucho.

—Fueron lord y lady Falconer quienes rescataron a su hijo, no yo.

—Pero ellos no están aquí. —Su voz se suavizó—. Moses me ha dicho lo que significó para cuatro espíritus maltratados hallarse bajo su protección. Dice que usted y lady Bethany Fox fueron su refugio. Volvieron a hacerles humanos.

Era cierto, aunque a Jean seguía avergonzándola ser objeto de tanta gratitud.

—Es lo más gratificante que he hecho nunca.

Él inclinó la cabeza.

—Estaré en las oficinas, si me necesita. Las puertas están cerradas al público, así que nadie la molestará. —Se volvió y se dirigió a las oficinas de la tienda.

Jean decidió empezar dando una vuelta rápida por la tienda para hacerse una idea de lo que había antes de empezar a comprar en serio. Su resolución se vio puesta a prueba una y otra vez, a medida que iba encontrando tesoro tras tesoro. Había telas, abalorios y piezas de latón de África, sedas, porcelanas y lacados de China, especias de Oriente, joyas de la India, y muchas cosas más. Habría podido pasarse la vida entera comprando allí. Quitándose los guantes para tocar la textura de los objetos, avanzó por aquel laberinto de mercaderías.

En el rincón más alejado de la izquierda, encontró un entrante en la pared dedicado a los botones. Como había allí dos mujeres, empezó a retirarse. Pero la más alta de las mujeres la llamó con un ademán.

—Mademoiselle, si visitara usted a una *modiste*, ¿querría comprar estos botones?

Tenía en la palma de la mano varios botones de distintos materiales. Uno era de jade verde, labrado; otro, de cinabrio rojo; y los demás de esmalte con motivos chinos.

—Son una maravilla —contestó Jean—. Sí, desde luego, a mí me interesarían, si fuera clienta suya.

La mujer señaló los letreros que mostraban el precio y el origen de los botones, colocados pulcramente junto a cada bandeja.

—Mi hermana dice que son demasiado caros.

Jean vio los precios y parpadeó.

—Lo son, desde luego, pero también son muy bonitos. Pondrían un toque de distinción en cualquier vestido.

—Tenemos un *atelier* en París —explicó la más baja de las hermanas—. Venimos aquí todos los años en busca de cosas raras, pero nuestros clientes no son ricos, aunque tengan una posición desahogada. No quiero gastar una fortuna en botones asiáticos. —Estaba claro que aquellas palabras iban dirigidas a su hermana.

—Tal vez puedan comprar una muestra de distintos estilos y encargar más si a sus clientes les interesan —sugirió Jean—. Siempre y cuando comprendan que puede que los botones no sean exactamente iguales que la muestra, pero sí del mismo material y de aspecto general. Si hablan con monsieur Fontaine, estoy seguro de que estará encantado de venderles botones con esas condiciones.

La mujer más alta pareció pensativa.

—Podría funcionar. Gracias, mademoiselle.

Mientras las hermanas debatían qué muestras elegirían, Jean se dirigió hacia el primer cuadrante de la tienda para empezar a comprar en serio. Los parisienses parecían pensar que era francesa, lo cual la complacía. Las semanas que llevaba en Marsella habían mejorado su acento.

En una parte de la sala llena de brillante latonería de África y Asia, eligió una gran tetera china con dibujos grabados como regalo para su cuñada. Para lady Bethany, su abuela honoraria y amiga, escogió un hermoso rinoceronte de marfil labrado. Lady Beth había dicho una vez que el rinoceronte era la versión africana del unicornio, y a ella le gustaban los unicornios.

Después de que las hermanas se marcharan con sus cestas llenas, Jean tuvo la tienda para ella sola. Llenó su cesta, la dejó junto a la puerta que daba a las oficinas y comenzó a llenar otra. Estaba examinando la zona dedicada a los abalorios africanos cuando un hombre entró en la tienda desde el almacén.

Olvidando sus modales, Jean lo miró con franca admiración; era uno de los hombres más guapos que había visto nunca. El recién llegado vestía con lujosa elegancia europea, pero sus facciones duras y su piel oscura procedían sin duda alguna de tierras más exóticas. Fibroso y un poco más alto que la media, se movía como quien andaba por lugares peligrosos. Y a cada paso que diera, las mujeres se fijarían en él.

Era tan atractivo que Jean tardó un momento en darse cuenta de que iba seguido por un sirviente, o quizás un esclavo, un negro africano que llevaba una cesta. El elegante caballero examinó unas varas de tela antes de poner dos en la cesta; luego pasó a la zona siguiente.

Como iba hacia ella, Jean volvió a fijar la vista en los collares de cuentas que había estado examinando. Eran tan hermosos y variados que quería comprarlos todos. No a todas las mujeres les gustaban las joyas con tan bárbaro esplendor, pero a Meg, la condesa de Falconer, le encantaría aquel ancho collar de abalorios rojos y conchas minúsculas, mientras que aquella otra delicada gargantilla de eslabones de plata y gemas relucientes sería perfecta para la hija pequeña de Duncan.

Estaba tan absorta que se olvidó del guapo extranjero hasta que, al darse la vuelta para salir de aquella zona y tomar el pasillo, se tropezó con él. Se tambaleó hacia atrás, pero él la cogió del brazo rápidamente.

—Mis excusas, mademoiselle —dijo en un francés impecable al soltarla.

Vivamente consciente de que él le había tocado el brazo, ella respondió:

—La culpa es mía, monsieur. Estoy tan deslumbrada por los tesoros de Fontaine que no sé por dónde voy.

Le costó un gran esfuerzo no tartamudear; aquel hombre era aún más guapo de cerca. El cabello negro y ondulado, que llevaba recogido en una coleta, era suyo, no una peluca, y el fondo de sus ojos oscuros abrigaba un misterio. Jean intentó interpretar su energía, pero estaba cerrada a cal y canto.

El hombre habló en un inglés con levísimo acento.

—Disculpe mi atrevimiento, pero es usted inglesa, ¿verdad?

Adiós a la calidad de su francés.

—Escocesa, en realidad, pero sí, no anda usted desencaminado.

—¿Escocesa? —Una emoción ardiente e indefinible brilló en aquellos ojos oscuros—. Una vez conocí a un caballero escocés. Macrae de Dunrath.

—Mi padre o mi hermano —explicó ella, alegrándose de tener algún motivo para continuar la conversación.

—Su padre, creo —dijo él con mirada intensa—. Hace muchos años que coincidimos en Malta. Usted debía de ser apenas un bebé. Dijo que tenía un hijo, Duncan, y una hija pequeña, pero no recuerdo el nombre. ¿Es usted, o una hermana mayor?

—No tengo hermanas, sólo un hermano. —Ella le sonrió—. Soy Jean Macrae.

—Mi nombre es Nicholas Gregorio. —Sus ojos se entornaron—. ¿Vive aún su padre?

—Murió hace diez años.

—Así que James Macrae está muerto —dijo Gregorio en voz baja—. Una lástima. Soñaba con volver a encontrarme con él. Confío en que su hermano esté bien.

—Sí, y tiene dos hijos preciosos.

—Así que el linaje de los Macrae perdura. —Gregorio se quedó con la mirada perdida, como si contemplara el pasado, antes de volver a clavarla en ella—. ¿Puedo estrechar la mano de la única hija de James Macrae?

Su intensidad empezaba a turbar a Jean, pero seguía fascinándola.

—Por supuesto. —Le tendió la mano derecha, pensando que habría sido preferible no quitarse el guante. Él tenía también la mano desnuda, y le parecía un gesto peligroso de intimidad que sus pieles entraran en contacto. Pero aquel hombre había conocido a su padre, así que no era un extraño, en realidad.

Él apretó su mano con fuerza y una ráfaga de energía la atravesó. Oscuridad, furia…

… y el mundo se hizo pedazos.

Nikolai sostenía aún la mano de la muchacha, lo que frenó su caída lo suficiente para que la cogiera antes de que quedara tendida en el suelo. ¡Santo cielo, qué ligera era, apenas pesaba más que una niña! Miró con atención su carita pálida. Debía de tener unos veinticinco años, pero parecía mucho más joven; una niña cursi y mimada de la aristocracia británica.

Nikolai sintió un desasosiego de mala conciencia. Aquella chica no era quien lo había traicionado, quien lo había condenado a la esclavitud. Pero los pecados del padre recaían sobre los hijos, y las hijas. Durante muchos años, a lo largo de días ardientes y noches crueles, Nikolai había planeado la venganza que se tomaría contra Macrae. Se había recreado en ella, y a veces aquella sed de venganza era lo único que lo había mantenido vivo.

Aunque había sufrido una amarga decepción al saber que su enemigo había muerto, no lo sorprendía, en realidad, pasados tantos años. Pero no había podido buscar justicia antes. Había tenido que conseguir la libertad y el poder que le permitieran acosar a Macrae y a su familia.

Irónicamente, había ido al almacén Fontaine a comprar cosas para su primer viaje a Londres. Llevaba años planeando aquel viaje, pues por fin estaba preparado para dar caza a su enemigo. Ahora, la hija de ese enemigo había caído en sus manos. Quizá la fuerza de su obsesión la había atraído hacia él.

Muerto Macrae, la venganza debía recaer sobre el hijo que llevaba ahora el nombre de Macrae de Dunrath. Y aquella pálida chiquilla, que había caído en su poder por puro azar, sería su arma. Nikolai la observaba con ávida curiosidad, pensando que su cuerpo liviano nunca había conocido la adversidad, ni el trabajo esforzado. Su tez era delicada, y llevaba el cabello tan empolvado que su color quedaba disimulado. Nikolai no se había fijado en sus ojos. Debían de ser castaño claro.

Pero era bonita, con un aire frágil y refinado. Lo asaltó de pronto una imagen violenta en la que se veía a sí mismo asaltándola, arrancándole aquel costoso vestido y hundiéndose en su cuerpo suave y delicado.

El deseo feroz que acompañó aquella visión lo hizo temblar. Respiró hondo y la depositó en el suelo. Él jamás cometería una violación, ni siquiera contra la hija de Macrae.

Tano regresó y se detuvo para mirar a la chica.

—¿Capitán?

—Es la hija de mi enemigo. —La determinación de Nikolai se hizo más fuerte. El destino había llevado a aquella Macrae hasta él, y no desperdiciaría aquel regalo. Más tarde decidiría el mejor modo de usarla. De momento, debía llevarla a su barco sin que nadie lo notara.

—Es tan pequeña que cabrá en un canasto de mercancías. Trae uno del almacén y que nadie te vea.

Tano miró ceñudo a la chica antes de dar media vuelta para obedecer. Nikolai volvió a observarla, preguntándose cuánto tiempo estaría inconsciente. Había usado gran cantidad de poder contra ella. Pensar en Macrae lo había hecho arder de rabia. Era una suerte que no la hubiera matado por error. De hecho, seguramente lo habría hecho de no ir ella protegida. A fin de cuentas, era una guardiana. Excepto en ocasiones como aquélla, Nikolai refrenaba estrictamente su poder, que de todas formas estaba sin desarrollar.

Se preguntaba si el de ella sería muy grande. El escudo que la protegía era bastante eficaz. Pero quizá la hubieran ayudado a conseguirlo. Cuando Macrae hablaba de sus hijos, se mostraba orgulloso del gran talento de su hijo varón, pero no mencionaba los poderes de su hija. Probablemente, Jean Macrae no tenía ninguna habilidad mágica fuera de lo corriente. Pero él no debía darlo por descontado. Una maga guardiana en cautiverio podía ser peligrosa.

Tano regresó con un canasto de mimbre grande de los que se usaban para empaquetar mercancías frágiles y valiosas. Nikolai quitó la tapa, levantó a Jean Macrae y la metió dentro, encogida. Apenas cabía, con las rodillas levantadas y los brazos cruzados sobre el pecho como una niña. Nikolai volvió a experimentar una punzada de malestar por lo que estaba haciendo. Ella parecía tan dulce y cándida al sonreírle, tan contenta de haberse encontrado con un hombre que conocía a su padre…

Pero todos los vivos eran fruto de sus ancestros. Ella debería haber elegido a los suyos con más cuidado. Nikolai le puso encima el sombrero, que había caído al suelo.

—¿Seguirá dormida? —preguntó Tano.

Nikolai tocó la frente tersa y marfileña de Jean. Seguía sumida en un profundo sopor, pero de todos modos mandó más energía.

—El tiempo suficiente. —Cerró el canasto.

El siguiente paso era llevarla a su barco. Tendría que llevarla él mismo, por su habilidad para hacer que la gente no reparara en su presencia. Aunque no se volvía invisible, los demás tendían a no verlo.

—Voy a sacarla por la puerta delantera. Tú quédate aquí para volver a abrirme la puerta. Luego concluiremos nuestros asuntos y nos iremos por el lateral del almacén, para que nadie sepa que he salido y he vuelto a entrar.

Tano asintió con un gesto y levantó el asa de uno de los extremos del canasto. Juntos lo llevaron hasta la puerta delantera; luego Nikolai se hizo cargo de él. Aunque la chica no pesaba demasiado, resultaba costoso llevar el canasto. Por suerte, el *Justicia* estaba atracado allí cerca. Después de encerrar a su prisionera en el camarote, regresó a la tienda de los Fontaine y concluyó sus compras con expresión impasible.

En cuanto el último bulto estuvo a bordo, el barco zarpó, favorecido por una marea a tiempo. Los dioses, parecía, estaban de su parte.

$$\bullet \ \bullet \ \bullet$$

La desaparición de Jean fue advertida a mediodía, cuando monsieur Fontaine fue a buscarla para regresar a casa a comer. Encontraron sus cestas cargadas de cosas, pero de ella no quedaba ni rastro. Se registraron el almacén y la tienda, se interrogó con creciente inquietud a los vecinos del puerto, pero todo fue en vano. La señorita Jean Macrae, una joven dama escocesa de elevada posición, se había desvanecido sin dejar rastro.

Capítulo 7

Adia en el Paso Medio

La fortaleza de la Costa de los Esclavos que albergaba a los cautivos era el edificio más grande e imponente que Adia había visto nunca, pero era también la entrada al infierno. Una puerta estrecha, del ancho justo para que entrara una sola persona, permitía el paso al barco de las filas de esclavos encadenados. Al cruzar la puerta arrastrando los pies, Adia sintió en los huesos que nunca volvería a ver su tierra natal. *Por favor, no me abandones, abuela, aunque me vaya de África.*

Como siempre que pedía auxilio a su abuela, sintió una leve caricia en el corazón. La mente de Adia convirtió aquella sensación muda en palabras pronunciadas por la amada voz de su abuela. *No te dejaré, niña. Siempre estaré contigo.*

El espíritu de su abuela le dio la tenaz determinación que necesitaba para sobrevivir. El horror infinito de la travesía superó cuanto había imaginado. Tal vez uno de cada cinco esclavos murieron durante el viaje. En una ocasión, tres hombres lograron liberarse y saltaron por la borda, buscando escapar del único modo que podían.

Dos lo consiguieron. Al tercero lo recuperaron unos marineros que lo persiguieron en un bote. Cuando estuvo de nuevo a bordo, lo azotaron casi hasta matarlo por intentar escapar. Kondo, el africano que empuñaba el látigo, un hombre cruel y venenoso, era el ayudante del capitán. El hecho de que fuera tan negro como ella lo hacía especialmente detestable.

Sin embargo, incluso en medio del hambre y la desesperación, había destellos de bondad. Una mujer en particular, una yoruba llamada Fola, cuidó de Adia. Dormía a su lado por la noche y se aseguraba de que tuviera su ración de comida rancia. Sin que nadie hablara de ello, Adia comprendió que la hija de Fola había sido capturada y que no había sobrevivido a la marcha hasta la costa.

Los esclavos eran llevados a la cubierta en pequeños grupos encadenados para respirar aire fresco. A Adia le parecía que aquello era una muestra de sensatez del capitán, porque sin esos respiros del hedor y el ambiente enfermizo de las cubiertas donde se les alojaba, pocos habrían sobrevivido a la travesía. Una vez vio a un marinero mirando por un extraño artilugio de metal. Al ver su interés, el marinero dijo:

—Esto es un cuadrante, niña. Nos dice dónde estamos. ¿Quieres mirar?

—Cua-drante —dijo ella con esmero, y cogió el instrumento. Siempre que podía escuchaba las conversaciones de los marineros, intentando aprender el idioma. Su abuela le aseguraba que le sería ventajoso después. Miró por el tubo metálico y se sobresaltó al ver el horizonte y el sol poniente el uno junto al otro—. Gracias —dijo al devolver el cuadrante. Su abuela la animaba también a ser amable; así la gente estaría más dispuesta a ayudarla.

De las salidas a la cubierta aprendió que a los marineros blancos podían tratarlos tan mal como a los esclavos negros. Una vez vio al capitán azotar a uno hasta dejarlo inconsciente. Él mismo empuñaba el látigo. El capitán Trent tenía los ojos azules, del color más frío que Adia había visto nunca. El marinero quedó tendido en la cubierta, sangrando, mientras los demás miembros de la tripulación subían los cadáveres de los esclavos muertos durante la noche.

Cuando arrojaron el primer cuerpo por la borda, se oyó un chapoteo. Adia vio que grandes peces con aletas se disputaban el cuerpo. Fola dijo sin emoción:

—Los tiburones siguen a los barcos de esclavos. —Y rodeó con el brazo los temblorosos hombros de Adia.

Adia sólo podía escapar en sueños. A veces estaba de vuelta en el valle, con su familia, riendo, feliz y bien alimentada. Otras veces se veía de mayor, en un país lejano, feliz nuevamente, aunque el futuro era tan incierto que no veía ningún detalle de lo que causaba aquella felicidad. Sin embargo, los sueños le daban esperanza, y la esperanza le daba fuerzas.

La luna había recorrido un ciclo completo y la mitad de otro cuando tocaron tierra. Adia se despertó pensando que algo había cambiado. El barco se mecía como no lo había hecho desde su partida. Debían de haber anclado.

Otros esclavos se despertaron y notaron lo mismo. Una oleada de excitación recorrió el grupo. Por más horrores que les aguardaran, la vida en tierra tenía que ser mejor que en aquel barco hediondo.

Cuando bajaron dos marineros con las perolas de arroz cocido que se daba de comer a los cautivos, alguien preguntó:

—¿Dónde estamos?

El marinero más joven, que parecía menos endurecido que sus compañeros, contestó:

—En Jamaica. Es una buena isla azucarera. Hoy os dividirán en grupos para llevaros al mercado.

Adia comió un poco de arroz, que ese día tenía trozos de pescado. Lo tragó despacio, aunque tenía ganas de engullir todo el cuenco. Durante la última media luna, le había dado la mitad de su arroz a Fola. Su amiga, una mujer alta y fuerte, necesitaba más comida, y durante la travesía había enflaquecido por el hambre.

—Tienes que comer, niña —murmuró Fola cuando Adia le ofreció su cuenco.

—Ahora que hemos llegado, habrá más comida —dijo Adia—. Ya he tomado suficiente.

El hambre hacía fácil de convencer a Fola. Se acabó su arroz y luego el de Adia. Después esperaron entre la oscuridad y el hedor de la bodega. Por fin se abrió la trampilla y los esclavos fueron conducidos arriba en grupos. Los marineros vigilaban como chacales para impedir que alguno huyera; estando tan cerca de la costa, quizá algún esclavo sintiera la tentación de hacerlo.

Adia entornó los ojos contra el reverbero del sol cuando se ordenó salir a su grupo. Jamaica era un lugar hermoso, con el agua azul turquesa y una bahía rodeada de verdes montañas. Nubes orondas pastaban en el cielo. Una racha de lluvia azotó el barco cuando los llevaban a la orilla. Adia agradeció el chaparrón, que disipó el calor y se llevó parte del olor.

En la orilla, los cautivos fueron divididos en grupos equivalentes a los dedos de las dos manos; guardias armados los vigilaban. Adia notó que en los grupos había de todo: mujeres y hombres, fuertes y débiles, y uno o dos niños en cada uno. Sólo quedaba un grupo de esclavos al fondo, en el que estaba ella.

Los llevaron a un corral con vallas muy altas. Cada grupo iba encadenado. Tras esperar largo rato en pie, al sol del mediodía, se abrió una puerta y entró un grupo de hombres blancos. Parecían ansiosos por encontrar los lotes que más les convinieran. Adia no sabía inglés suficiente para seguir los regateos, pero el patio fue despejándose rápidamente a medida que se vendían los lotes y los esclavos eran conducidos fuera de allí por sus nuevos propietarios. El desarrapado grupo de Adia, formado por cinco esclavos, quedó el último. Fola estaba en uno de los primeros lotes que se vendieron. Adia y ella cambiaron una última mirada antes de que Fola desapareciera del patio. Otra pérdida. Adia volvía a estar sola. Apretó los dientes. No lloraría.

El mercader hizo acercarse a uno de los blancos.

—Tu última oportunidad, Harris —dijo—. Sabes que necesitas más esclavos, ¿y quién sabe cuándo llegará el próximo barco?

Harris frunció el ceño.

—Los de este lote están muy débiles. Se morirán todos antes de que consiga amortizar el dinero que me cuesten. —Su mirada fue a posarse sobre Adia, y se acercó. La tomó de la barbilla y la obligó a levantar la cara—. Ésta tiene genio, pero es una criatura. No servirá de nada hasta dentro de unos años.

—Te haré un buen precio por este lote.

—No me interesa más que la cría. —Harris comenzó a alejarse.

—Te la vendo por tres peniques la libra —le ofreció el mercader.

—Dos peniques la libra. Tendré que gastar una fortuna en arroz y cerdo salado para engordarla.

El mercader se encogió de hombros y abrió los grilletes de Adia. Luego la llevó a un cuartito que daba al patio. Allí fue obligada a subir a una balanza donde fue pesada. Así, rígida por la rabia, fue vendida como un cesto de verduras. Su nueva vida había comenzado.

La única cosa que la mantenía cuerda eran las palabras de consuelo de su abuela. *Morirás libre.*

Capítulo 8

Al despertar, Jean sintió vértigo, como si se meciera adelante y atrás. Poco a poco comprendió que se estaba moviendo, que su cuerpo se alzaba y caía, impulsado por el balanceo de un barco. Pero ¿de qué barco? ¿Y por qué?

Abrió los ojos y se halló tumbada en un camastro estrecho, en un camarote de reducidas dimensiones. El ojo de buey dejaba pasar la luz justa para iluminar la austera habitación. Se sentía desaliñada, magullada y tenía la boca seca.

Se levantó del camastro y, tambaleándose, se acercó al ojo de buey. Una línea lejana y oscura marcaba la costa. El barco estaba en alta mar: demasiado lejos para volver a nado, si la ventana hubiera sido lo bastante grande para que escapara. Por la inclinación del sol, dedujo que la tarde estaba ya muy entrada.

El camarote era tan pequeño que, de pie en el medio, podía tocar las cuatro paredes. El camastro estaba empotrado, lo mismo que varios armarios y un minúsculo lavamanos empotrado en una encimera. Junto a él había una jarra metida en un agujero para protegerla cuando había temporal. Afortunadamente, estaba llena de agua. Jean bebió con ansia y se sintió mejor.

Los armarios estaban casi vacíos. Seguramente su anterior ocupante los había vaciado a toda prisa. El que había debajo del camastro contenía varias prendas de hombre, ajadas pero dobladas con pulcritud. Su sombrero, aplastado, estaba puesto encima. Debajo del lavamanos había dos toallas raídas y una pastilla de jabón de forma irregular. Metido en otro armario había un orinal. No había armas, ni ninguna otra cosa de interés. Nada con lo que pudiera deducir algo sobre el barco o su tripulación.

La cerradura de la puerta era sólida, pero sencilla. Probablemente podría abrirla con una horquilla y un toque de magia, pero de momento no tenía sentido hacerlo: no tenía dónde huir. Aunque saliera y robara un bote, volverían a atraparla enseguida. O eso, o la usarían como diana para hacer prácticas de tiro.

El fino puñal que llevaba envainado en la parte interior del muslo seguía en su sitio, así que, al parecer, no la habían registrado cuidadosamente. Quizás a su captor no se le había ocurrido pensar que una señorita tan recatada e inútil pudiera ir armada.

Dio los dos pasos que la separaban del camastro y volvió a sentarse. Lo último que recordaba era a aquel hombre que se hacía llamar Nicholas Gregorio. La había tomado de la mano, ella había sentido una ráfaga de energía, y todo se había vuelto negro. Se pasó la palma de la mano por la cabeza. No tenía chichones, ni sentía dolor. La habían dejado inconsciente por arte de magia.

Gregorio tenía que ser sin duda un mago. Pero ¿por qué diablos la había raptado?

El estómago se le revolvió otra vez, y tuvo que levantarse y abrir el ojo de buey para respirar el aire fresco. Normalmente, los Guardianes no hablaban de sí mismos a los mundanos, y veinte años atrás Gregorio tenía que haber sido un niño.

Pero tenía poder, así que seguramente era un Guardián. Si sus padres lo eran también, el padre de ella habría visitado el hogar de los Gregorio. Su padre y Jasper Polmarric habían viajado por el Mediterráneo veinte años antes, visitando a Guardianes allí donde recalaban. Tales viajes eran un modo de mantener los lazos entre los Guardianes de distintas naciones.

Si Gregorio era un Guardián, ¿por qué la había secuestrado? Los Guardianes rara vez hacían daño a sus semejantes, salvo si se trataba de magos renegados. Quizá Gregorio fuera un renegado. Era más probable que fuera eso a un tratante de blancas: ella no era tan bella como para que aquel hombre hubiera sentido el impulso inmediato de secuestrarla para venderla en Berbería. Aunque el capitán Gordon había hecho algún comentario sobre la rareza de su pelo rojo, ese día lo llevaba muy empolvado y estaba muy sosa.

Seguramente el secuestro estaba relacionado con el hecho de que Gregorio conociera a su padre. Al tocarle la mano, la ira irradiaba de él como una llama. Pero ¿por qué estaba furioso con su padre después de veinte años? James Macrae había sido un hombre tranquilo al que todo el mundo apreciaba. Jean y Duncan habían heredado el genio de su madre.

Jean se relajó e intentó escudriñar el barco, pero el camarote parecía protegido por un escudo. Sólo percibía levemente a la tripulación. Por enésima vez, deseó ser una maga más poderosa.

¿Tenía todavía su cristal de escrutar? Siempre lo llevaba en un bolsillo oculto cosido por la parte interior del vestido. Palpó una costura del lado izquierdo. Sí, lo mismo que el cuchillo, alguien había pasado por alto el cristal. Sacó el bolsillo hecho de retales y extrajo el disco de obsidiana pulimentada.

No era tan hábil como Gwynne con el cristal, pero tampoco se le daba del todo mal.

Tras calentarlo entre las palmas, hizo mentalmente una pregunta sobre su situación. Una oleada de angustia recorrió la obsidiana, y Jean vio vagas imágenes de personas que la buscaban. Sintió que monsieur Fontaine había mandado un mensaje a los recién casados informándoles de su desaparición. Arrugó el ceño. Odiaba que su luna de miel quedase arruinada.

Aunque sus amigos descubrieran lo que le había ocurrido, poco podrían hacer. Un barco en el mar era una aguja muy pequeña en un inmenso pajar. Quizás un Guardián con dotes excepcionales para la caza, como Simon, pudiera localizarla. Pero hasta eso era dudoso. Sospechaba que Gregorio era muy hábil cubriendo su rastro.

¿Qué había del propio Gregorio? Intentó invocar su imagen en el cristal de escrutar, pero siempre aparecía desenfocada; era frustrante. Aunque notaba que aquel hombre ardía de rabia y determinación, no acertaba a adivinar qué era lo que perseguía, ni lo que había hecho de él lo que era.

Como siempre, el intento serio de utilizar la magia le dio dolor de cabeza, de modo que escondió el cristal y volvió a tumbarse en el camastro. Aclaró su mente e intentó comunicarse con Breeda. Ambas se parecían, y no sólo en sus cabellos rojos. Así pues, era con Breeda con quien más posibilidades tenía de entrar en contacto.

Tras esforzarse unos minutos, sintió que tocaba a Breeda, y que su amiga se tensaba, llena de angustia. Intentó enviarle un mensaje diciéndole que estaba viva y en buen estado, pero no supo si lo consiguió. Luego procuró alcanzar a los otros cautivos, con menos éxito aún.

Como no tenía nada útil que hacer, se tumbó de lado y volvió a dormirse.

Pensaba que Gregorio aparecería pronto para amenazarla, provocarla o darle alguna explicación. Pero seguía sola. A medida que pasaban las horas, fue dándose cuenta de que el aburrimiento iba a ser un problema grave de su cautiverio. Nunca se le había dado bien quedarse sentada sin hacer nada.

Después de unas horas de inactividad, se subía por las paredes. Como andar de un lado a otro del camarote no servía de nada, se obligó a relajarse y a repasar todos los tipos de magia que podían serle útiles.

Le dio un vuelco el corazón cuando, al acercarse la noche, se abrió la puerta. Pero sólo eran un par de marineros que le llevaban la cena. La bandeja la llevaba un hombre de rostro curtido y ascendencia incierta. Iba acompañado por un africano que apuntaba a Jean con una pistola. Ella ignoraba que fuera tan peligrosa.

Intentó hacerles hablar usando el inglés, el francés y el latín, sin éxito. Quizá fueran mudos, los condenados. Verse ignorada era al mismo tiempo tranquilizador y desasosegante. ¿Qué le tenía preparado Gregorio?

Cuando aquellos hombres se marcharon, Jean refrenó su nerviosismo y fijó la atención en la comida. La bandeja contenía un cuenco de madera con un guiso pegajoso a base de arroz. Había también un trozo de buen pan y una frasca de vino blanco de mesa. Había cenado peor en casa de algunos caballeros ingleses.

El único utensilio era una cuchara hecha de metal blando. Dedujo que sus captores se andaban con cuidado. Pero les faltaba imaginación si creían que una frasca de cristal o una jarra de porcelana no podían romperse y convertirse en un arma. O quizá sabían, simplemente, que tales heroicidades no le servirían de nada, dadas las circunstancias.

Como no tenía velas ni razón alguna para mantenerse despierta, se fue a dormir en cuanto se puso el sol. No quería dormir con el vestido y el corsé, así que sacó las prendas gastadas que había visto en el armario. Unos pantalones de marinero holgados, de color azul marino, muy desteñidos, y una camisa blanca manchada de sustancias dudosas serían un pijama decente.

Se recogió los pantalones hasta la altura del tobillo para no tropezar con la tela sobrante. La cintura le quedaba enorme, pero tenía un cabo de cordel, y pudo atárselos lo justo para que no se le cayeran. Se arremangó la camisa para dejar libres las manos. Aunque parecía un ratero, era un alivio verse libre de su ropa. Guardó consigo el puñal y el cristal, por si acaso tenía ocasión de escapar.

Para alguien que había dormido sobre piedras y montones de helechos o brezo, el duro camastro era bastante cómodo. Se arrebujó en la manta para defenderse del aire frío de la noche. Quizá porque había dormido un poco antes, le costó conciliar el sueño.

Un barco en marcha era un ente vivo, una sinfonía de crujidos, golpes sordos, y el chapoteo constante del agua sobre el casco. Jean se había acostumbrado a los ruidos de la navegación durante el viaje a Marsella, y hasta le parecían agradables. Ahora, sin embargo, era plenamente consciente de que aquel navío iba alejándola de todo cuanto conocía.

Lady Bethany le había dicho que correría una aventura. Sin duda se habría mostrado más preocupada si hubiera sentido que Jean iba a morir a manos de un pirata vengativo. Si aquello era simplemente «una aventura», de ello se deducía que sobreviviría. Con esa nota de esperanza, se durmió por fin.

Durante dos días, sólo recibió las breves visitas de los marineros que le llevaban la comida. La comida de la mañana era una especie de pasta de cereales cocidos, seguramente de trigo con trozos de fruta seca. Servida con té caliente a la menta, no estaba mal.

Cuando se cansó de catalogar su repertorio de hechizos, intentó recordar los poemas que recordaba. Decididamente, no estaba hecha para vivir encarcelada mucho tiempo.

Su aburrimiento acabó al tercer día, cuando la puerta se abrió a eso de las doce de la mañana, cuando no esperaba la comida. Levantó la vista, alarmada. Nicholas Gregorio llenaba el vano de la puerta, oscuro y amenazador. Aunque seguía impecablemente vestido y llevaba unas botas admirables, sus ropas no eran ya las de un caballero. Con la cabeza desnuda y una cimitarra a un lado, parecía un pirata. Un pirata turbadoramente poderoso y atractivo.

—Así que mi secuestrador se digna visitarme. —Se levantó de la cama y se quedó de pie, de espaldas a la pared exterior, mientras intentaba interpretar la energía de Gregorio. No hubo suerte: iba bien escudado. Ardía de furia contenida, y estaba claro que era el capitán del barco. Pero esos datos podían deducirse de su cara, sin necesidad de magia alguna—. ¿Por qué estoy aquí?

Los ojos oscuros de Gregorio brillaron malévolamente.

—Dejarle con la duda sirve a mi propósito.

—Tonterías —repuso ella impaciente—. Me ha secuestrado, a mí, a una mujer a la que no había visto nunca, y parece dispuesto a arruinar mi vida. Al menos me debe una explicación.

—Puesto que quiere saberlo… —Cerró a su espalda la puerta del camarote con un chasquido amenazador—. Está aquí porque su padre me traicionó de la manera más vil posible. Juré vengarme de él y del linaje de los Macrae. Dado que él está muerto, su hermano y usted deben pagar por los crímenes de su padre.

Ella se quedó boquiabierta por la impresión.

—¡Eso es absurdo! Mi padre jamás hubiera traicionado a nadie. Debe de estar en un error.

—James Macrae de Dunrath, ¿no? También conocido como lord Ballister, con un hijo y heredero llamado Duncan. Usted misma lo dijo. ¿O acaso otro Macrae reclama la jefatura del linaje?

—No —reconoció ella—. Pero puede que alguien se hiciera pasar por él.

Él soltó un bufido.

—¿Y ese personaje misterioso tenía poderes de Guardián? Está usted dando palos de ciego, señora.

Ella tenía que reconocer que un engaño semejante resultaba inverosímil.

—¿De qué crimen le acusa?

Un músculo vibró en la mejilla del capitán.

—Su querido padre me entregó a la esclavitud. Para eso no hay castigo lo bastante grande.

Ella se quedó de nuevo anonadada.

—¡No! Mi padre jamás habría hecho una cosa así.

—¿No? —Esbozó una sonrisa amarga—. Yo estaba allí, señora. Usted no.

—Dígame qué ocurrió. —En vista de que él no contestaba, añadió—: Le va a costar mucho convencerme de esa calumnia. Por el momento, me parece que está usted trastornado.

—No importa que lo crea o no. —Dio un paso adelante. Estaba tan cerca que podía tocarla, si quería. Una cicatriz delgada, casi invisible, le corría entre el lado izquierdo de la mandíbula y el cabello negro—. Sólo le he dicho la verdad porque me ha preguntado.

Si se había propuesto intimidarla, lo estaba consiguiendo. Con los puños cerrados, Jean intentó escudarse, pero no sabía si su hechizo funcionaría contra un hombre como aquél.

—Deseo conocer la verdad, capitán —dijo, intentando calmarse—. Aunque ello vuelva mi vida del revés. ¿Dónde conoció a mi padre? ¿En qué consistió su traición?

—Nací en Malta y quedé huérfano siendo muy niño —contestó él con voz crispada—. Hace veinte años, el peor día de mi vida, su padre y un amigo suyo, Sir Jasper Polmarric, me encontraron en La Valeta y me dijeron que tenía poderes mágicos. Me hablaron de los Guardianes y aseguraron que ellos me protegerían y educarían. —Gregorio torció la boca—. Su padre se comprometió a llevarme a Escocia y a criarme con sus propios hijos.

—Eso parece muy propio de él. —Sus padres habían acogido a menudo a niños Guardianes necesitados de un hogar temporal. Simon, el conde de Falconer, había sido uno de ellos, después de que sus padres murieran. Pero si Simon fue para ella un hermano mayor ligeramente exasperante, le resultaba imposible imaginar a aquel pirata en semejante papel—. ¿Qué le impidió llegar a Dunrath?

—De camino a Inglaterra, nuestro barco fue atacado por piratas berberiscos. —Sus ojos oscuros llamearon con la furia del recuerdo—. Fui hecho prisionero. Cuando pedí ayuda, su padre, que me vio en manos de los piratas, se volvió. ¡Me dio la espalda!

Jean vio de pronto la imagen vívida y perturbadora de un niño gritando mientras el adulto en el que confiaba lo abandonaba. La imagen era tan intensa que se preguntó si procedía de la mente de Gregorio. Pero su padre no se habría comportado así. Era imposible.

—Una batalla es un caos. No debió de verlo.

—Me miró directamente a los ojos y se volvió —dijo el capitán con frialdad—. Además, ¿acaso no era un mago? Durante las semanas que lo conocí, demostró muchas veces que podía detectar mi presencia cuando andaba cerca. Me vio en poder de los piratas y decidió que no merecía la pena arriesgarse por una rata de albañal, a pesar de las promesas que había hecho. —La ira palpitaba en su voz, incandescente a pesar de los años transcurridos.

La rabia y la ira eran reales, fueran cuales fuesen los hechos. Intentando hacerse una idea más clara, Jean preguntó:

—¿Por qué dirige toda su ira contra mi padre? ¿Acaso Jasper Polmarric intentó ayudarlo?

—Polmarric no me prometió nada. —Su expresión era pensativa—. Creo que Polmarric murió ese día, pero si sobrevivió y vive aún, lo buscaré cuando llegue a Londres.

—¿Vio cómo disparaban a Sir Jasper? —quiso saber Jean, sorprendida.

—Sí. Usted parece conocerlo. ¿Sobrevivió?

—Sí, pero recibió un balazo en la espalda. Aunque mi padre consiguió salvarle la vida, Sir Jasper no volvió a caminar. Está confinado en una silla de ruedas.

Jean vio con satisfacción la impresión que sus palabras causaban en Gregorio, pero comprendió también con inquietud que tal vez aquélla fuera la respuesta. Había oído contar cómo Sir Jasper recibió un disparo durante el ataque pirata, cayendo literalmente a los pies de su padre.

—Puede que mi padre se viera obligado a elegir entre usted y la vida de uno de sus mejores amigos —dijo lentamente—. Quizá la seguridad de todo el barco recaía sobre sus hombros. Era un líder nato y un buen espadachín, además de mago.

Gregorio dio medio paso adelante.

—¿Cree que saber que se vio en esa disyuntiva va a hacer que me sienta mejor?

Ella se resistió a bajar la mirada.

—No. Pero sé que en medio de una batalla todo pasa con rapidez vertiginosa. Hay que tomar decisiones a vida o muerte sin tiempo para pensar. El arrepentimiento es un lujo que viene después, si uno sobrevive. —Un arrepentimiento que atormentaba los sueños para siempre.

—Para ser un niña mimada, habla de la guerra con mucha autoridad —dijo él con sorna.

Aunque sabía que era preferible que la subestimara, Jean no pudo dejar pasar aquel comentario.

—¿Me equivoco?

—No —reconoció—. En el calor de la batalla pasan cosas extrañas. Los pequeños detalles pueden magnificarse; y grandes hechos pueden suceder a unos pasos de ti sin que los notes. Ha oído hablar a soldados, supongo.

—Escocia sufrió una sangrienta guerra civil hace un par de años. Conocía a muchos hombres que participaron en ella. —Cambiando de tema, continuó—: Aun en el caso de que mi padre lo abandonara a conciencia, lo cual todavía me resisto a creer, no le ha ido mal. —Hizo un gesto que abarcaba el barco—. ¿Cómo escapó de la esclavitud y se convirtió en capitán pirata?

—Capitaneé un levantamiento de esclavos en una galera —contestó con frialdad—. Matamos a los oficiales y a la tripulación y nos quedamos con el barco.

Ella pensó en las cadenas que sujetaban a los galeotes a sus bancos y se estremeció.

—Sin duda fue más difícil de lo que parece al oírle.

Él entornó los ojos.

—Yo no he dicho que fuera fácil.

Jean tuvo otra visión; esta vez, de sangre y acero y de hombres desarmados enfrentándose a sus captores en un intento desesperado de conseguir la libertad. Supuso que, si lo habían conseguido, se debía al hombre que tenía ante sí. Con su inteligencia, su determinación implacable y su poder, era un cabecilla nato.

—Vuelvo a preguntarle por sus intenciones para conmigo. Supongo que no querrá matarme, o ya estaría muerta.

—Tiene razón. La muerte es demasiado fácil. —Se vieron destellar sus dientes en algo a lo que resultaba difícil llamar una sonrisa—. Aún no lo he decidido. Puede que pida un rescate.

Ella se encogió de hombros.

—Puede intentarlo, pero mi familia no tiene riquezas comparables a las de la aristocracia. Escocia es un país pobre, y todo lo que posee el jefe de los Macrae está al servicio de su gente.

Él se acercó un poco más. Su energía presionaba a Jean con la fuerza de un empujón físico.

—Puede ser, pero juntos los Guardianes controlan grandes riquezas. ¿Permitirán que uno de sus miembros languidezca en un mísero cautiverio?

Ella volvió a encogerse de hombros.

—Una solterona con pocos poderes mágicos tiene escaso valor para la comunidad. Mi familia se preocupará, pero no puede permitirse mendigar para que yo vuelva a casa. No podrá conseguir un rescate lo bastante grande para satisfacer su ira. —Aquello no era del todo cierto: los Guardianes velaban por sus semejantes, y como grupo disponían de grandes recursos—. De todos modos, puede que el consejo mande rastreadores a buscarme. Y no son gente a la que creo que quiera enfrentarse, a menos que tenga a su lado a una docena de magos poderosos.

—Nunca me ha seducido la idea de pedir un rescate. —Alargó el brazo y trazó con un dedo el contorno de su garganta—. Venderla como esclava sería más justo.

Ella se estremeció al sentir su contacto, que contenía al mismo tiempo una amenaza y una turbia promesa. Aquel hombre podía destruirla en cuerpo y alma sin pestañear. Pero su contacto hacía más fácil interpretarlo.

—No va a vender a nadie como esclavo —dijo ella tajantemente—. Odia usted tanto la esclavitud que no condenaría a ella ni a su peor enemigo.

Él la asió de la garganta con tanta fuerza que Jean apenas podía respirar.

—Quizá tenga razón —susurró—. Quizá sea preferible mantenerla prisionera aquí, en el *Justicia*, para poder violarla cuando se me antoje.

Eso era exactamente lo que quería hacer; Jean notaba su deseo y la rabia que exigía venganza por lo que había sufrido. Pero aquel hombre se preciaba de ser fuerte, de no plegarse nunca a emociones descarnadas.

—Creo que no me violará. Hoy no.

Sintió un destello de sorpresa, aunque el semblante de Gregorio no se alteró.

—Qué ingenua es usted —le espetó él—. ¿Por qué no iba a tomarla ahora mismo? Si no voy a venderla en Tánger, el hecho de que no sea virgen no disminuirá su valor, y para mí sería un gran placer deshonrar a la hija de James Macrae.

El mismo vínculo mental que había desvelado a Jean lo que sentía él acerca de la esclavitud volvió a esclarecer las cosas.

—Por Ulindi. Porque ella es la razón de que violar a mujeres indefensas no sea de su agrado. —Al pronunciar aquel nombre, varias imágenes desfilaron por su cabeza. Una joven delgada con la piel de color canela, atacada por una horda de borrachos. Los asaltos brutales y repetidos mientras ella gritaba desesperadamente. Las patadas y los golpes que acabaron con la vida de la muchacha.

Gregorio se apartó de ella como si fuera venenosa.

—¡Maldita bruja! —gruñó—. Es usted la hija de su padre. Maldad disfrazada de inocencia. ¡Maldita sea, Jean Macrae! —Dio media vuelta y salió del camarote dando un portazo.

Así pues, Jean se hallaba prisionera en un barco llamado *Justicia*, y el capitán quería que pagara por los supuestos pecados de su padre. Se acurrucó, temblando, sobre el camastro.

Que Dios se apiadara de su alma.

Capítulo 9

El corazón de Nikolai latía con violencia cuando cerró la puerta del camarote y se alejó. Aquella condenada mujer tenía el don de sacarlo de quicio. Debería haber comprendido que una guardiana no sería una muchacha inglesa corriente, por muy remilgada que pareciera. Quizá debería haberse enfrentado a ella el día que la apresó, antes de que se hubiese recubierto de aquel imponente manto de aplomo. Y antes de que hubiera tenido tiempo de hurgar en su mente y sus recuerdos.

Subió la escalerilla que llevaba a la cubierta principal con la esperanza de que la brisa áspera aclarara sus ideas. ¿Qué iba a hacer con ella? Tal y como ella había dicho, no iba a venderla como esclava, aunque fuera justo hacerlo. Tal vez podría haber condenado a James Macrae a ese destino, pero la hija no le había hecho ningún daño, aunque llevara en la sangre la culpa de su linaje.

¿Cuánto sabía de Ulindi aquella bruja escocesa? Demasiado, puesto que se había dado cuenta de que, por Ulindi, él era incapaz de atacar a una mujer indefensa.

Jurando de nuevo, levantó el catalejo y escrutó el horizonte. El instinto le decía que allí, en alguna parte, había un barco del que podía adueñarse, y por Dios que iba a encontrarlo.

• • •

Después de que el capitán se marchara hecho una furia, Jean se abrazó y comenzó a mecerse adelante y atrás, temblando. Estaba en manos del hombre más peligroso e impredecible que había conocido nunca, y la despreciaba. Ese día, al menos, él no había dado rienda suelta a su violencia, pero nada garantizaba que no pudiera hacerlo al día siguiente. La ira podía hacerle olvidar su repugnancia por la violación.

Con tiempo, los Guardianes la encontrarían, pero ella no tenía tiempo y su familia estaba a miles de millas de distancia. Si quería sobrevivir y regresar a casa, tendría que recurrir a su ingenio y sus capacidades.

Saltó como una liebre asustada cuando una llave rechinó en la cerradura, pero esta vez sólo eran los marineros que le llevaban la cena y el guardia de siempre. Como los días anteriores no había conseguido sonsacarles ninguna información, esa noche pidió agua caliente para lavarse. La pidió en francés y repitió la petición en inglés, pero los marineros volvieron a ignorarla. Se retiraron, cerrando la puerta firmemente a su espalda.

Cuando acabó de comer, la puerta volvió a abrirse y un marinero al que no había visto nunca le entregó un gran cubo de agua. Se mostró muy precavido, desde luego.

—*Merci* —dijo Jean amablemente al entregarle la bandeja con el cuenco vacío y la cuchara. No se había acabado el vino, así que se lo quedó. Añadió la sonrisa que en algunos de los mejores salones de baile de Londres se había considerado encantadora.

Cuando le dio las gracias, el marinero bajó los ojos avergonzado y se fue. Era sólo un muchacho; seguramente tenía menos de veinte años. Lo bastante joven para avergonzarse por la simple presencia de una mujer. Tal vez pudiera convertirse en un aliado.

Dadas las circunstancias, Jean se resistía a desvestirse para darse un baño completo, pero con la esquina de una de las toallas que había encontrado debajo del lavamanos pudo lavarse bastante bien. Luego se lavó el pelo, quitándose todo el polvo que pudo. Si tenía que enfrentarse a lo desconocido, quería hacerlo con su verdadero aspecto.

Como una maldita pelirroja escocesa.

Despertó de un sueño profundo cuando un tremendo estruendo hizo temblar el barco, arrojándola del camastro. Maldiciendo, se levantó a duras penas. ¿Habría chocado el barco con escollos o con algún arrecife? No. Oyó un grito y luego una andanada de explosiones sacudió el barco. Estaban disparando un cañón.

Se oyeron más cañonazos, tan cerca que resultaban ensordecedores, mientras el *Justicia* respondía abriendo fuego de nuevo. Si el barco sufría daños y se hundía, podía morir allí, atrapada como una rata en una jaula.

¡Demonios, no! Se puso sus zapatos ligeros y, encendiendo por arte de magia una pequeña luz para ver lo que hacía, empezó a manipular la cerradura con una horquilla. Carecía de la capacidad mágica de mover vasos con el pensamiento, pero se le daban bien los rompecabezas y las cerraduras, y sólo tardó unos instantes en abrir aquélla.

Con el puñal en la mano, apagó la luz mágica y abrió la puerta. El estrecho pasillo estaba a oscuras y en silencio, aunque arriba reinaba un tumulto. No habían vuelto a oírse cañonazos. Los gritos y los disparos de pistola sugerían que un barco había intentado abordar a otro, y que las tripulaciones estaban luchando cuerpo a cuerpo encarnizadamente. En medio de la confusión tal vez hubiera una oportunidad de escapar.

Invocando un hechizo de no-me-mires, corrió por el pasillo, trepó por la escalerilla y salió a cubierta cautelosamente. En el horizonte, por el este, el alba era un tajo anaranjado, y la luz que había bastaba para siluetear a los hombres que luchaban con espadas y pistolas. Jean buscó refugio a la sombra de la caseta del timón y procuró entender lo que estaba ocurriendo. Para su sorpresa, el navío de Gregorio era un mercante europeo, no muy distinto al *Mercurio*. Esperaba que un barco pirata tuviera otro aspecto.

Pero el navío estrecho y fino situado a su lado era sin duda una galera corsaria. Bajo y esbelto, tenía docenas de esclavos encadenados a los remos. Allí donde los cascos de las embarcaciones chocaban, los remos que se extendían más allá del barco estaban rotos. Así pues, ¿cuál de los dos barcos era el asaltante y cuál la víctima? ¿Había atacado un pirata a otro por accidente?

La batalla se había extendido a los dos barcos. Los corsarios lucían turbantes de colores claros. Sobrepasaban en número a la tripulación del *Justicia*, pero los hombres de Gregorio, muy distintos entre sí, luchaban bien. De hecho, iban imponiéndose poco a poco, matando a algunos corsarios y empujando a los demás hacia la galera. Gregorio estaba en medio de la refriega. Se movía con ligereza pero implacablemente, derribando pirata tras pirata.

Jean pensó en saltar al otro barco hasta que vio que era un corsario. Unirse a ellos no mejoraría las cosas, probablemente. Quizá pudiera escapar del *Justicia* cuando la tripulación mirara para otro lado.

Rodeó la caseta del timón y observó el lado de estribor del barco, al otro lado de la pelea. El *Justicia* llevaba varios botes, de los cuales el más pequeño estaba amarrado un poco por delante de ella. Se acercó. Tras echar una rápida ojeada, le pareció que podría cortar la amarra con su cuchillo. El bote era tan pequeño que podía empujarlo al agua por encima de la barandilla. El mar estaba en calma y, si el bote se mantenía del derecho, podía zambullirse junto a él y luego subir a bordo y alejarse remando.

Pero ¿mejoraría eso su situación? Cuando el *Justicia* ganara la batalla, la echarían de menos. Una vez se dieran cuenta de que no estaba en el barco, seguramente no tardarían mucho tiempo en avistarla. Y remar no era un modo muy rápido de viajar. Aunque lograra escapar, podía sentenciarse a morir de hambre o sed.

Lo consultó con su intuición. No tenía la impresión de que fuera probable que muriera si escapaba en un bote, así que merecía la pena correr el riesgo. Naturalmente, quizá su intuición sólo quisiera decir que no conseguiría alejarse, pero estaba dispuesta a intentarlo.

Estaba cortando un cabo que aseguraba la proa del bote cuando oyó bramar a Gregorio con una furia que cuajó el aire. Intrigada, Jean volvió a la caseta del timón y vio que sus hombres y él habían abordado la galera.

Gregorio estaba discutiendo a voces con el capitán corsario, en un idioma que ella no reconoció. El cielo se había iluminado lo suficiente para mostrar su semblante y la sangre de su cimitarra. La mayoría de los corsarios estaban heridos o habían sido apresados. La lucha acabaría muy pronto.

Bufando, el capitán corsario (el *reis*: ése era su título) saltó al pasillo elevado que corría entre los asientos a los que estaban encadenados los remeros. Levantó su espada para descargarla sobre el esclavo que tenía más cerca. El hombre gritó y se encogió, intentando desesperadamente esquivar el golpe.

Con un rugido, Gregorio saltó tras el *reis* y de un mandoble apartó su espada. Jean lo observaba con pasmo. ¡Parecía estar defendiendo a los esclavos! Seguramente porque eran valiosos. Estaba a punto de volver al bote cuando tres de los corsarios que quedaban se unieron a su capitán y se abalanzaron contra Gregorio.

¡Maldición! El *reis* había sacado una pistola de debajo de su amplia túnica y apuntaba con ella a Gregorio a bocajarro. A Jean no debía importarle, pero todas las fibras de su ser le gritaban que no podía dejarlo morir.

Corrió hacia la barandilla con el puñal en la mano. La acción de la batalla pareció ralentizarse, dándole el tiempo que necesitó para detenerse, apuntar y lanzar el puñal a la garganta del *reis*.

El corsario se tambaleó, disparando al aire. Cuando su cuerpo golpeó la cubierta, tres de los marineros de Gregorio habían llegado junto a su capitán. Luchando en el estrecho pasillo entre las hileras de remos, derribaron al resto de los corsarios.

Con la espalda cubierta, Gregorio se volvió para ver de dónde había salido aquel cuchillo. Su mirada se fue derecha a ella, pero eso no significaba que la hubiera reconocido. Jean reforzó su hechizo de no-me-mires y se tiró al suelo de la cubierta del *Justicia*, quitándose de la vista del capitán. Si quería tener alguna oportunidad de escapar, tenía que darse prisa.

Ahora que no tenía el cuchillo, necesitaría alguna otra arma. Pasó junto a un pirata muerto y se apropió de su espada. Delgada y curva, era lo bastante liviana para que pudiera manejarla. No era tan buena como su puñal, pero sí mucho mejor que nada.

Con expresión hosca, empezó a cortar las cuerdas que amarraban el bote.

Capítulo 10

¿Quién demonios…? En la tripulación de Nikolai no había ningún muchacho como el que había arrojado aquel cuchillo. ¿Habría cruzado el chico desde el navío corsario?

Entonces aquella figura menuda se dio la vuelta, desapareció, y Nikolai comprendió que no era ningún muchacho.

—¡Tano! ¡Toma tú el mando!

La muerte del capitán corsario había puesto fin a la batalla. Mulay Reis era un viejo enemigo, y Nikolai había querido matarlo con sus propias manos. Su enfrentamiento había estado a punto de acabar al revés, desde luego. Era muy propio de Mulay hacer trampas con una pistola.

Pero ¿por qué lo había salvado la pequeña bruja? Eso, suponiendo que el mozalbete andrajoso que había arrojado el cuchillo fuera ella. Aquella idea resultaba increíble, pero Nikolai le había visto la cara, y también los contornos de una figura, si bien delgada, inconfundiblemente femenina bajo las prendas amorfas del marinero.

Volvió de un salto a bordo de su barco en busca de la bruja escocesa. La encontró en el bote, cortando los cabos que lo aseguraban a la cubierta. Una gruesa trenza roja le caía sobre un hombro, y sus manitas blancas empuñaban un alfanje corsario con una habilidad que resultaba inquietante.

—No malgaste sus fuerzas —gruñó él—. No va a abandonar este barco.

Ella se volvió bruscamente, con la espada en la mano. Era una hermosa *nimcha*, una espada que a Nikolai no le habría importado poseer. —Siseó la mujer.

—¡No se acerque a mí!

Él se detuvo fuera de su alcance, comprendiendo que no tenía deseos de acercarse más. Ella estaba usando algún tipo de escudo mágico. Nikolai era capaz de superarlo, pero para hacerlo tendría que usar la magia.

A su pesar, la divertía aquella diablesa de pelo rojo como el fuego que se enfrentaba a él amenazando su vida.

—¿Dónde está esa señorita tan educada a la que rapté en Marsella? —preguntó.

—Existía principalmente en su imaginación. —Su voz crispada había cambiado tanto como sus modales y su atuendo—. Yo no soy ninguna dócil doncellita británica, capitán. Luché contra el ejército del rey en el Levantamiento del 45. Cuando mi prometido murió, yo misma capitaneé a nuestros hombres. Después de Culloden, los conduje de vuelta a casa, sanos y salvos, cruzando territorios llenos de soldados ingleses entregados al pillaje. Me ha subestimado, como hacen la mayoría de los hombres. —Entornó los ojos—. Podría haberlo matado. Pero le he salvado la vida. Sin duda eso merece mi libertad.

—¿Por qué iba a ser justo llevando las de ganar? —Pensando que era improbable que ella lo atacara, concentró su poder y lentamente alargó el brazo hacia la espada.

Ella le lanzó un tajo a la muñeca con la fuerza justa para hacerle sangre. Luego dio un paso atrás.

—No todas las de ganar. Cabe la posibilidad de que lo mate antes de que alguno de sus hombres vea esta escenita.

—Enseñó los dientes—. Veremos si su poder de ataque es tan grande como mi habilidad para escudarme.

—Dudo que tenga poder suficiente para rechazarme a mí y a toda mi tripulación.

—Sería interesante averiguarlo. —Bajó la punta de la espada—. Prométame la vida y la libertad, y a cambio yo le perdonaré la vida y no mandaré en su busca a los Guardianes.

—No tengo intención de matarla. Pero otra cosa es su libertad. —Masculló un juramento mientras se limpiaba la sangre de la muñeca. La herida no era grave, pero escocía de lo lindo—. ¿Qué le hace pensar que cumpliré una promesa hecha bajo amenazas?

Ella se rió maliciosamente.

—Que es un hombre de principios, aunque sea también un pirata sanguinario y un secuestrador.

Él volvió a maldecir. Aquella mujer lo entendía instintivamente como ninguna otra persona lo había hecho nunca. Excepto su abuela, quizá.

—Tiene poco con lo que negociar. Máteme y mis hombres la matarán.

—Un hombre que busca venganza con tanta pasión sin duda tiene sentido de la justicia —dijo ella tajantemente—. ¿No me debe nada por haberle salvado la vida?

Nikolai frunció el ceño. Odiaba que ella tuviera razón. Mulay Reis adivinó que amenazar a un esclavo indefenso lo enfurecería hasta el punto de mandar la precaución al garete.

—Podría haber esquivado la bala de Mulay Reis. He sobrevivido a muchas batallas como ésta. Pero es posible que me hubiera matado, así que le debo algo. No la libertad, sin embargo. Mi vida es demasiado insignificante para pagar tan alto precio por ella.

La boca de Jean se tensó.

—Al menos debería liberarme de ese camarote antes de que enloquezca de aburrimiento.

Así que la bruja escocesa era impaciente. Con aquel cabello rojo, Nikolai no se sorprendió.

—Si me da su palabra de que no herirá a nadie, puede tener la llave de su camarote y moverse con libertad por el barco.

—¿Me está pidiendo que le prometa no escapar?

—El barco no va a recalar en ningún lugar donde pueda hallar la libertad —contestó él sin rodeos.

—Muy bien —dijo ella tras pensárselo—. Pero si salvarle la vida vale tan poco, ¿qué haría falta para ganarme la libertad?

Él adivinó que era una pregunta retórica, pero decidió contestar.

—Salvar todo el barco y a la tripulación, creo. Ahora, deme esa espada.

Ella se resistía a entregársela, aunque Nikolai sintió que relajaba su escudo protector.

—Sólo si me devuelve mi cuchillo. Está hecho para mi mano.

—Muy bien. Venga a sacárselo a Mulay Reis de la garganta.

Había hablado con aspereza premeditada, pero ella ni siquiera pestañeó. Cuando empezaba a cruzar la cubierta, dijo:

—¿Conocía al capitán del otro barco?

—Oh, sí —contestó él suavemente—. Lo conocía bien.

Ella lo miró de soslayo, levantando un poco los ojos.

—Lamento haberle privado del placer de matarlo —dijo con inquietante perspicacia—. ¿Quién era el atacante en esta batalla?

—Él. Justamente lo que yo deseaba. —Llegaron a la baranda. Aunque los dos barcos estaban el uno junto al otro y sus cascos se rozaban, había que poner gran cuidado para saltar a la cubierta de la galera. Nikolai calculó el vaivén de las naves antes de saltar.

Se volvió y vio que Jean vacilaba mientras miraba el espacio que se abría entre los barcos. Para una mujer menuda, el riesgo era mayor. Él le tendió la mano.

—Venga.

—No es necesario. —Sus músculos se tensaron cuando se preparó para saltar.

Él la miró con impaciencia.

—Si resbala y se cae, quedará hecha picadillo entre los cascos. Deme la mano.

Ella obedeció de mala gana. Cuando sus manos se tocaron, hubo un restallido de energía, y Nikolai se dio cuenta de que la corriente que fluía entre ellos era de doble sentido. Jean era mucho menos fría de lo que parecía. Aunque tenía experiencia en la batalla, no era una guerrera curtida. Su empeño en parecer feroz resultaba extrañamente enternecedor.

Jean saltó a la cubierta de la galera y estuvo a punto de caer cuando el barco cabeceó. Él la sujetó con firmeza hasta que recuperó el equilibrio.

—Gracias. —Apartó la mano. Nikolai dio un paso atrás, turbado por la reacción de ambos. Quizá debía liberarla, por el bien de su tranquilidad. O eso, o arrojarla a los tiburones. Aunque quizá los tiburones no le dieran las gracias por un bocado tan espinoso.

La aguerrida tripulación de Nikolai estaba ya limpiando los desperdicios de la batalla. Los muertos se apilaban a un lado. La mayoría eran musulmanes. Se efectuarían los ritos de su religión antes de entregarlos al mar. Los cautivos se apiñaban en la popa del barco, vigilados por guardias. Sus semblantes hoscos sugerían que habían oído hablar de Nikolai y del *Justicia*.

El estruendo del martillo y del cincel sobre el hierro marcaba los golpes del herrero del barco al machacar las cadenas de los galeotes. Otros marineros repartían raciones modestas de pan, queso y cerveza. Los esclavos liberados se abalanzaban con avidez sobre la comida. A los remeros rara vez se les daba más comida que la necesaria para mantenerlos vivos. Más tarde les darían mejores alimentos, pero Nikolai sabía por experiencia que, si comían demasiado en ese momento, se pondrían enfermos.

La mayoría eran europeos, aunque había también unos pocos africanos aquí y allá. Uno de los primeros en ser liberados se levantó temblando de su banco y se irguió en toda su estatura, estirando los brazos como si abrazara la capacidad de moverse libremente. Llevaba sólo un taparrabos, y su piel quemada por el sol recubría unos músculos duros y prominentes. Tenía el rostro iluminado por la alegría.

—Que Dios le bendiga, capitán —dijo en francés—. ¿Qué va a hacer con nosotros?

—Venderlos por un buen beneficio —masculló Jean en voz baja—. Pobres diablos.

Nikolai entornó los ojos.

—Espere y verá. —Le quitó la espada—. Pero primero recoja su cuchillo.

Jean sintió que había caído en otro mundo, pero se abrió paso entre los remeros, hasta el cuerpo tendido de Mulay Reis. Algunos de los esclavos liberados se quedaron boquiabiertos al darse cuenta de que era una mujer, pero no dijeron nada. En ese momento, la libertad y la comida eran más importantes.

La espléndida túnica de brocado rojo y dorado que llevaba el *reis* estaba empapada de sangre, y el puñal de Jean seguía alojado en su garganta seccionada. Sus ojos oscuros miraban, ciegos, a su asesina cuando Jean se inclinó para reuperar el arma. Obligándose a permanecer impasible, sacó la daga y limpió la sangre con el reborde de armiño de la túnica.

Se incorporó y se dio la vuelta, ansiosa por escapar de aquel osario. El pequeño y apacible camarote que había sido su prisión le parecía apetecible, ahora que no tendría que estar encerrada en él.

Mientras recorría el pasillo entre los bancos de los remeros, otro esclavo llamó a Gregorio con el semblante lleno de esperanza.

—¿Nos llevará a casa? —Hablaba en francés, pero tenía acento italiano, pensó Jean.

Aunque se disponía a retirarse a su camarote, la curiosidad la retuvo allí. Se situó junto a la barandilla, por debajo del *Justicia*, para poder retirarse rápidamente si era necesario, y luego se volvió para observar cómo manejaba el capitán la situación.

Gregorio se acercó al extremo de la zona de los remos y levantó los brazos imperiosamente, con la espada de Jean en la mano. Usando el francés, la lengua que más se hablaba en Europa, dijo:

—Os dejaremos en el puerto del Mediterráneo que convenga a la mayoría. Los que estén aún lejos de casa recibirán fondos para poder recorrer el resto del camino. —Recorrió con la mirada a los hombres huesudos y de mirada frenética que tenía ante sí. Algunos estaban traduciendo sus palabras en voz baja a los que no entendían el francés.

Era asombroso mirar a Gregorio y darse cuenta de que él también había sido un galeote, como aquellos hombres. Asombroso y perturbador, pensar en él encadenado y desnudo, con sólo un taparrabos para cubrir su cuerpo enjuto y quemado por el sol.

Un hombre lloroso se miraba las muñecas llenas de cicatrices, profundamente marcadas por años de llevar grilletes.

—¿Y los que no tenemos hogar? —preguntó con voz ronca.

Quizá no esperara la respuesta de Gregorio.

—Hay una alternativa. Puedo llevaros a la isla de Santola. Está habitada casi por completo por esclavos liberados, tanto hombres como mujeres. En Santola cualquiera es bien recibido, sea cual sea su pasado. A cambio de un hogar, hay que aceptar a los demás como ellos lo aceptan a uno. También hay que trabajar, pero como hombres libres, no como esclavos. Podéis quedaros tanto tiempo como deseéis. Si alguna vez decidís iros, tendréis un pasaje hacia el continente en el siguiente barco que haya disponible.

Sus palabras hicieron cundir un murmullo de interés entre los galeotes. Las voces sofocadas repetían aquella palabra: Santola. Jean observó los rostros de los hombres y tuvo la impresión de que buena parte de ellos, quizás un tercio, se emocionaba al pensar en un nuevo hogar en el que la vergüenza de la esclavitud no importara. Pero ¿dónde estaba Santola? Nunca había oído hablar de aquella isla.

Uno de los esclavos se levantó y se acercó al hosco grupo de prisioneros. Su espalda era un horrenda maraña de cicatrices.

—Habláis de vida. Pero, ahora que soy libre, sólo me interesa la muerte. ¡Su muerte!

Con mirada salvaje, se abalanzó hacia el cautivo que iba más ricamente vestido y, asiéndolo por el cuello, lo derribó sobre la cubierta. Los guardias lo apartaron del corsario, que se debatía.

—Contente. Te aseguro que se hará justicia. —La mirada de Gregorio se deslizó entre los esclavos liberados, posándose en cada uno—. Vosotros, que habéis sido sus víctimas, decidiréis cuáles entre los corsarios eran los verdaderamente malvados, cuáles se limitaban a hacer lo que les mandaban y si alguno de ellos pudo mostrarse piadoso. —Señaló al hombre que había sufrido la agresión—. Empezaremos por él.

—Hassan era el vigilante —gruñó un hombre—. Disfrutaba del látigo.

—Mató a ese chico griego sin ningún motivo —masculló otro.

—¡Dánoslo a nosotros para que lo castiguemos!

—¿Alguno puede hablar a favor de Hassan? —preguntó Gregorio con voz tranquilizadora.

Se oyeron murmullos, pero nadie respondió. Gregorio señaló con la espada, y sus hombres llevaron al vigilante a un lugar junto al extremo de la barandilla.

—Bien, ¿qué me decís de éste? —Indicó con la espada a otro corsario, un hombre flaco y de mirada angustiada.

Uno de los marineros del *Justicia* lo empujó hacia delante para que fuera juzgado. Al principio, no se oyó nada. Luego, uno de los remeros intervino.

—Nasir solía darme un poco más de agua cuando Hassan no miraba.

Varios asintieron.

—Una vez Hassan le dijo que me azotara, pero Nasir no me azotó muy fuerte —añadió otro.

—No le gustaba hacernos daño —añadió otro—. Una vez, me desmayé y Hassan quiso tirarme por la borda, pero Nasir dijo que todavía me quedaban unos años. Me dio pan y un trozo de su pescado, y dejó que me recuperara un rato.

—Así pues, no es malo. —Gregorio señaló hacia un lugar distinto junto a la barandilla y un guardia condujo allí a Nasir.

Jean observó fascinada mientras cada uno de los corsarios era sometido al juicio de los esclavos liberados. Algunos remeros querían tanta sangre como fuera posible, pero Gregorio siguió haciendo preguntas hasta que hubo acuerdo general acerca de la conducta de cada uno de los corsarios supervivientes. Unos pocos que se habían mostrado bondadosos cuando era posible se reunieron con Nasir. Muchos otros fueron juzgados neutrales: ni buenos, ni crueles.

Los corsarios que quedaban, cerca de un tercio de los cautivos, fueron acusados de violencia y brutalidad. En todos los casos se alegaron múltiples actos de crueldad y ni uno solo que pudiera redimirlos. Los esclavos que habían sobrevivido hablaban por los muertos que habían sido víctimas de aquellos hombres.

Cuando el último corsario fue juzgado, Gregorio dijo a los cautivos:

—Los que habéis sido juzgados honrados, seréis devueltos a un puerto de Berbería. Sugiero que penséis en dedicaros a otra cosa. Si vuelvo a encontraros en un barco esclavista, no seré tan clemente. En cuanto a los demás... —Su mirada implacable cayó sobre los corsarios a los que se había juzgado crueles—. Entregádselos a los esclavos liberados, uno a uno.

Hassán, el vigilante, fue conducido a empujones por el pasillo que corría entre los bancos de los remeros. Gritó e intentó huir, pero unos segundos después desapareció bajo un montón de esclavos furiosos y vociferantes.

Sus gritos cesaron bruscamente.

Con el estómago revuelto, Jean se dio la vuelta y volvió a subir con esfuerzo al *Justicia*, sin importarle el peligro de caer entre los barcos. Estaba en la escalerilla que bajaba a los camarotes cuando Gregorio la alcanzó.

—¿Desaprueba mi forma de administrar justicia? —preguntó él suavemente.

Jean se detuvo y se obligó a pensar con calma, en lugar de ponerse a dar manotazos y patadas furiosas.

—Yo… no lo sé. El vigilante y muchos de sus subordinados cometieron actos horrendos. Supongo que es justo dejar que sus víctimas ejecuten el castigo. Pero mi estómago no soporta presenciarlo. Me parece mal que no se les haya juzgado en un tribunal.

—Cuán británico por su parte. Ningún tribunal emitiría un veredicto más justo que el de sus víctimas, y una ejecución inmediata ahorra comida. —Había una expresión divertida y maliciosa en sus ojos oscuros. Le gustaba enfurecerla. Añadió—: Morirán enseguida. La mayoría no se merecía tanta piedad.

—¿Por qué no colgarlos o fusilarlos? Eso sería más rápido aún.

Él sacudió la cabeza.

—Los galeotes han estado impotentes desde que fueron apresados. Hoy vuelven a tener poder.

Jean oyó los gritos de los remeros cuando les entregaron a otro condenado.

—Creo que eso puedo entenderlo, pero es tan… tan salvaje.

El semblante de Nikolai se torció en una mueca de desdén.

—El verdadero salvajismo es la esclavitud. Que un hombre crea tener el derecho a adueñarse de otro sería una afrenta contra un Dios benevolente, si tal Dios existiera.

Teniendo en cuenta su pasado, Jean no podía reprocharle sus comentarios heréticos. En vista de que parecía dispuesto a hablar, decidió preguntarle.

—¿Dónde está Santola?

Él respondió con una invitación.

—Cene conmigo esta noche en mi camarote. Responderé a algunas de sus preguntas. Pero ahora debo irme a ver cómo despedazan a esos hombres.

Dio media vuelta y regresó a la galera. Resultaba evidente que le gustaba tener la última palabra. Y a ella, bien lo sabía el cielo, no se le ocurrió nada que responder a lo que acababa de decir.

Jean bajó a la cubierta de los camarotes sintiéndose exhausta. Así pues, debía cenar con su captor. Al menos, con un solo vestido, no tenía que preocuparse por lo que ponerse.

Capítulo 11

Adia
La vida en la plantación de Jamaica

Lo más extraño de vivir como un esclavo era que, en ciertos sentidos, era una vida fácil. Los esclavos de Harris Hall procedían de muchos países, pero juntos formaban una nueva tribu, y hombres que en África habrían sido enemigos jurados allí se hacían amigos. A pesar del trabajo brutal, había momentos para la alegría y el compañerismo. Los niños trabajaban con azadas pequeñas, pero durante los momentos de asueto reían y jugaban de manera no muy distinta a los niños libres del Iske.

Había también, sin embargo, horrores que superaban cuanto Adia pudiera haber imaginado antes de su captura. Las labores del campo las hacían en su mayoría las mujeres, a las que se obligaba a trabajar tanto que muy pocas quedaban encinta. El trabajo en el molino, machacando caña y cociendo el azúcar, lo hacían los hombres, y no eran raros los accidentes mortales y las quemaduras. Incluso los cuerpos más sanos se desgastaban en muy pocos años.

Poseedora de una mente rápida y curiosa, Adia aprendió todo lo que pudo de los otros esclavos, incluidas las historias de sus dioses y sus tradiciones mágicas. Aprendió también que la vida era más fácil para los esclavos domésticos y decidió esforzarse por llegar a ser uno de ellos.

Normalmente, a los esclavos nuevos se les encomendaban tareas más livianas durante dos o tres años, a fin de curtirlos para la vida en las Antillas. Adia se aproximaba al final de ese periodo cuando la cocinera de la casa grande llegó en busca de un criada para la cocina. Su habilidad para aprender y su buena disposición rindieron fruto cuando fue elegida.

El trabajo en las cocinas era duro, pero comía bien y aprendió a cocinar comida europea al pasar de fregona a ayudante de la cocinera. Durante sus años en la cocina, se hizo mujer y comenzó a llamar la atención de los hombres. El ardor de la juventud hizo que la tentaran algunos de los que se le acercaron, pero nunca se permitió sucumbir a la tentación.

Su abuela insistía en que fuera cautelosa, pues tenía un destino. Adia sabía que tener hijos la ataría más aún a la esclavitud, pero seguir los consejos de su abuela le hizo pasar muchas noches febriles y sin descanso.

Lo que más lamentaba era haberse convertido en mujer sin haber sido iniciada. Sentía el pálpito de la magia en su sangre, pero, a falta de adiestramiento, sus poderes permanecían atrofiados. Sólo podía hacer algunos hechizos y encantamientos de poca monta. Aunque algunos de los esclavos de Harris Hill tenían un modesto talento mágico, no había allí sacerdotes ni sacerdotisas que pudieran conducirla al reino del espíritu.

Una lección valiosa que aprendió fue a ocultar su fe tras los ritos de los dioses cristianos. La señora Harris, el ama de la plantación, creía su deber enseñar a los esclavos a ser buenos cristianos. Aunque acudía a la iglesia anglicana, como su marido, había recibido una educación católica, e invitaba discretamente a un sacerdote católico a enseñar religión a los esclavos. Pese a que eran los sacerdotes anglicanos los encargados de bautizar oficialmente a los esclavos, la señora Harris no se oponía a que los esclavos levantaran altares dedicados a la Virgen María. Al igual que los esclavos, la señora Harris tenía creencias que mantenía en privado.

Una de las mujeres mayores, que era como una tía para Adia, le explicó:

—Este altar tiene la imagen de la diosa madre de los cristianos, pero en realidad es un altar consagrado a Oshún, el gran espíritu femenino de mi pueblo. —Colocó delicadamente unas flores alrededor de la estatuilla de María—. Aunque honramos a nuestros dioses, los amos se sonríen cuando nos ven, porque creen que se han ganado nuestros corazones y nuestras almas, además de robarnos el cuerpo. Idiotas.

Los años fueron pasando, y Adia trabajaba y aprendía. La principal lección que aprendió fue que la esclavitud siempre estaba mal. Recordaba con reticencia su creencia de que la esclavitud a la que su pueblo sometía a los cautivos hechos en la batalla no era tan mala como el hecho de que a ella la hubieran arrancado de su hogar y llevado a un país extraño. Ahora sabía que no era así. La esclavitud era perversa, siempre: un producto de los demonios más tenebrosos.

El odio que sentía por su esclavitud era una llama que ardía lentamente y que ocultaba en lo hondo de su ser. Si cedía a la ira, estallaría con una violencia que la conduciría a la muerte. Jamaica había conocido rebeliones de esclavos en el pasado, y volvería a conocerlas en el futuro. Al acabar la jornada de trabajo, cuando se reunían para hablar y contar cuentos, los esclavos hablaban de la rebelión de Tacky, que había tenido lugar varios años antes. Como había pocas tropas británicas en la isla, el señor Harris armó a veinte de sus esclavos de mayor confianza para que combatieran a los rebeldes. Aquel pequeño grupo dio las gracias a su amo, lo saludó con el sombrero… y acto seguido se unió a los rebeldes.

La revuelta fue sofocada a costa de cientos de vidas. Después, muchos de los huidos retornaron, asegurando que habían escapado para impedir que les forzaran a unirse a los rebeldes. Otros prefirieron colgarse en el bosque a regresar a la esclavitud. Adia los entendía, pero ella habría elegido la vida y la esperanza.

Su situación volvió a mejorar cuando la señora Harris necesitó una nueva doncella para su hija Sophie. La anterior había tenido la poca consideración de morirse de unas fiebres justo cuando Sophie alcanzó la edad casadera, de modo que había que reemplazarla rápidamente. Para enfado de la cocinera, se eligió a Adia por ser joven, despierta y presentable. Se le dio el nombre de Addie, que al menos se parecía al suyo propio, y la doncella de la señora Harris se encargó de adiestrarla.

Sophie era la única hija de los Harris, que tenían tres hijos varones. El mayor, el señorito Charlie, era un muchacho impetuoso que a menudo invitaba a grupos de jóvenes a la casa. Una vez besó a Adia en el recibidor trasero, murmurándole lo guapa que era y cómo le gustaría acostarse con ella. Pero aceptó el «¡No!» que ella pronunció con firmeza y nunca más volvió a molestarla.

No fue el señorito Charlie quien la violó, sino uno de sus amigos borrachos. Era demasiado fuerte para que Adia pudiera zafarse de él, pero más tarde hizo un muñeco que embadurnó con su semen y le echó una maldición. Quizá fue por eso por lo que aquel demonio sufrió un grave accidente mientras montaba a caballo, no mucho después de aquello. Entre los esclavos se rumoreaba que, tras el accidente, ya no podía acostarse con una mujer. Adia confiaba en que así fuera.

Se hizo también un brazalete de cuentas encantado para reducir su atractivo a ojos de los hombres. Sabía que no tenía sentido quejarse a los amos, pero con la protección del hechizo y sus propias precauciones, al menos no volvieron a asaltarla.

Echó de menos al señorito Charlie cuando se embarcó rumbo a Inglaterra para estudiar en Cambridge, pero todavía quedaban dos jóvenes amos en la casa. Le tenía especial cariño al más pequeño, Tommy, que le recordaba a Chike.

Trabajar en la casa fue importante en muchos sentidos; sobre todo, porque Adia pudo conocer allí a mucha más gente blanca. Llegó a darse cuenta de que los blancos no eran tan distintos de los negros. Tener poder sobre esclavos sacaba lo peor de la gente, y casi todos los blancos aceptaban la esclavitud como algo justo y natural. Pero la mayoría no eran malos. La élite de los iskes, que poseía esclavos, se comportaba de la misma manera que los blancos propietarios de esclavos.

El señor Harris no consideraba a los esclavos sus semejantes, pero los valoraba como podía valorar un buen caballo. Despidió a un capataz blanco que golpeó a un esclavo del molino hasta matarlo. El capataz fue contratado enseguida por el dueño de otra plantación, al que le gustó «la firmeza con que trataba a los negros». Un año después, el capataz murió a manos de dos esclavos que escaparon a las montañas y se unieron a una comunidad de cimarrones. Todos los esclavos de Jamaica aplaudieron para sus adentros aquella hazaña.

Con el tiempo, Adia se dio cuenta de que debía dirigir su odio hacia la esclavitud misma, pues era su existencia la que generaba maldad. A los dueños de esclavos y a los capataces los juzgaba por sus faltas y sus virtudes. Y escuchaba a todos los blancos a los que se acercaba para mejorar su inglés.

La señorita Sophie era una muchacha tímida, de edad parecida a Adia. Jamás se le habría ocurrido guardar su propia ropa y era algo quisquillosa, pero por lo general tenía buen carácter y no se divertía poniéndose difícil. Adia oía contar historias a las doncellas de otras señoras cuando había visitas, y daba gracias porque la señorita Sophie fuera tan agradable.

Más agradecida se sintió aún cuando la señorita Sophie le hizo el mayor regalo que había recibido nunca. Todo empezó cuando la señorita estaba sentada junto a la ventana de su cuarto, leyendo un periódico de Londres mientras disfrutaba de la brisa fresca del mar. Cuando acabó, dobló el periódico y lo dejó a un lado.

—Me pregunto cómo sería leer las noticias cuando acaban de pasar, en vez de dos meses después.

—No muy distinto, señorita. Haga como que estamos en abril y no en junio. —Sofocando su envidia, Adia levantó la mirada de la media que estaba zurciendo—. Debe de ser como magia mirar esas marcas negras en el papel y aprender tantas cosas de ellas.

La señorita Sophie pareció pensativa.

—Supongo que en cierto modo es magia, porque leer los periódicos hace que Inglaterra cobre vida para mí, aunque nunca haya estado allí. —Su semblante se iluminó—. ¿Te gustaría aprender a leer, Addie? Sería interesante ver si puedes.

El arrebato de emoción que sintió Adia sofocó su irritación porque su ama dudara de que una esclava fuera capaz de aprender. Ansiaba aprender a leer y escribir, porque la educación era un camino hacia el poder.

—Me gustaría más que nada en el mundo, señorita Sophie, pero no quiero que se meta usted en un lío por enseñar a leer a una esclava.

La señorita Sophie se encogió de hombros.

—Entonces no se lo diremos a nadie. Trae mi pizarra y una tiza, y empezaremos por el alfabeto.

Por suerte, Adia demostró ser una alumna aplicada y la señorita Sophie no se aburrió. De hecho, era tan aplicada que, durante la tercera lección, cuando Adia estaba aprendiendo a leer frases cortas, su ama frunció el ceño.

—Estás aprendiendo muy rápido, Addie. Más rápido que yo.

El cielo impidiera que un esclavo fuera más inteligente que sus amos.

—Yo soy más mayor —dijo Adia dócilmente—. Un niño pequeño tarda más en aprender.

Aplacada, la señorita Sophie volvió a la lección. En el futuro, Adia se aseguró de ser menos rápida. Y no le dijo a nadie, ni siquiera a sus mejores amigos, lo que estaba aprendiendo. La señorita Sophie podía llevarse una reprimenda por enseñar a una esclava, pero Adia podía acabar muerta si alguien se enteraba de sus lecciones.

Los libros eran raros y costosos, así que Adia no podía arriesgarse a tomar prestado ninguno, excepto los pocos que pertenecían a la señorita Sophie. Pero los Harris recibían montones de periódicos cuando llegaban barcos de Inglaterra. Después de que los miembros de la familia los leyeran, quedaban apilados en una mesa del saloncito de mañana y al final eran regalados a un anciano inglés amigo del señor Harris. Eso significaba que solía haber periódicos en una habitación pública, y que nadie se molestaba en seguirles la pista.

Adia sacaba el máximo provecho a los periódicos y, de paso, aprendió muchas cosas sobre Inglaterra y Londres. Parecían sitios interesantes, aunque fríos. Quizá, si algún día la señorita Sophie visitaba a sus parientes ingleses, ella tendría ocasión de ver el país que esclavizaba a más africanos que ningún otro y en cuya capital, sin embargo, vivían negros libres.

Hacía tres años que era la doncella de la señorita Sophie cuando, una noche, estuvieron a punto de sorprenderla cuando tomaba prestado un periódico. Nunca iba al saloncito de mañana hasta que todos dormían en la casa, pero esa noche los Harris habían asistido a un baile en una plantación vecina. Volvieron antes de lo que Adia esperaba, cuando estaba en el saloncito. La habitación daba al vestíbulo principal, de modo que, en cuanto oyó abrirse la puerta, se escondió tras un sofá, cerca de la pared. Aunque el corazón le latía con violencia por los nervios, sabía que era improbable que la descubrieran.

En lugar de subir las escaleras, el señor y la señora Harris entraron en el saloncito de mañana. El amo encendió varias lámparas; luego abrió el armario en el que guardaba los licores. El tintineo de los vasos dejó claro que estaba sirviendo unas bebidas para ambos. Adia se acomodó cuanto pudo, resignada a una larga espera.

—Gracias, querido —dijo la señora Harris. Hubo un breve silencio que acabó con el tintineo de una copa al posarse sobre la mesa—. ¿De qué querías hablarme?

—Esta noche, Joseph Watson ha pedido la mano de Sophie.

La señora Harris sofocó una exclamación.

—¡Pero si es de las colonias de Carolina!

—No puede sorprenderte —respondió su marido—. Sophie y él han estado arrullándose como tortolitos desde que llegó a Kingstown para visitar a su tío. ¿Te parece mal que se case con ella?

Aquello quizá sorprendiera a la señora Harris, pero no sorprendió a Adia. La señorita Sophie no paraba de hablar del apuesto señor Watson desde que se conocían.

—Es un buen chico, y va a heredar una fortuna considerable. —La señora Harris suspiró—. No me sorprende, pero confiaba en que no fuera más que un coqueteo. Odio pensar que Sophie se vaya tan lejos de nosotros.

—Yo también la echaré de menos —dijo el señor Harris en voz baja—. Pero será un alivio verla establecida lejos de las islas. Sabes que vivimos al borde de un infierno, Anna. Los esclavos son diez veces más numerosos que los blancos. Sólo es cuestión de tiempo que haya otra rebelión. Me sentiré mejor sabiendo que mi niña está a salvo en otro país.

La señora Harris dejó escapar un sonido estrangulado, y Adia sintió que su marido la rodeaba con el brazo para consolarla. Al cabo de un rato, la mujer dijo:

—Sé que tienes razón, y estoy segura de que ella aceptará su proposición si nosotros estamos de acuerdo. Pero a veces me pregunto si no haríamos mejor regresando a Inglaterra.

—¿Y vivir en una casita atiborrada, intentando sobrevivir con el salario de algún puesto gubernamental de poca monta? ¿Con pocas oportunidades para los chicos y ni un solo pretendiente rico para Sophie? —El señor Harris parecía enojado—. Aquí hay peligro, pero el peligro está en todas partes. En Jamaica por los menos las recompensas son grandes.

Adia no sabía si reír o compadecerse de ellos. La vida inglesa que tanto despreciaba el señor Harris sería el cielo para cualquier esclavo de Harris Hill. Su esfuerzo y su sufrimiento creaba la riqueza que daba «oportunidades» a los Harris. Sin embargo, en otro sentido, los Harris eran iguales a cualquier otra persona: se preocupaban por su familia y por los compromisos que exigía la vida. Adia decidió compadecerse de ellos. Pero sólo un poco.

La boda de la señorita Sophie consumió las energías de todos los esclavos de la casa durante semanas, pero sobre todo de Adia. Naturalmente, acompañó a la novia a la colonia de Carolina. Dejar a sus amigos, a la «tribu» de Harris Hill, fue como una puñalada en el corazón, pero también estaba ansiosa por ver las colonias americanas. Corría el rumor de que eran distintas a las de las Antillas.

Y lo eran. Había más blancos, y más gente en general. La pareja de recién casados adoptó la costumbre de la familia Watson de pasar el invierno en Charleston y de mudarse luego a Magnolia Manor, la enorme plantación de la familia, durante la primavera. La señorita Sophie era feliz en su matrimonio y pronto empezó a engordar.

La vida en casa de los Watson era menos relajada que en el hogar de los Harris en Jamaica, pero como doncella de la joven señora, Adia tenía cierto estatus y un cuarto minúsculo en el desván. Su posición era cómoda, y le gustaban el bullicio y la variedad de Charleston. Aunque la señorita Sophie jamás habría contado entre sus amigas a una esclava, durante los primeros meses pasó mucho tiempo en su habitación con Adia, la única cara que conocía.

Cuando la familia se trasladó a la plantación, Adia descubrió que Magnolia Manor se parecía mucho a Harris Hill. Las condiciones de trabajo no eran, sin embargo, tan malas como en Jamaica. Las cosechas exigían menos esfuerzo que la caña de azúcar, y los esclavos no morían tan jóvenes. Pronto hizo nuevos amigos. Y muy discretamente, en los barracones de los esclavos, comenzó a enseñar a leer y a escribir a unas cuantas personas en cuyo silencio confiaba.

La vida transcurría con un ritmo cómodo entre el campo y la ciudad. Sophie dio a luz a un niño sano al que pusieron Joseph por su padre y llamaban Joey. Dos años después tuvo otro varón. Adia disfrutaba de los niños y pasaba mucho tiempo con ellos, pero, en los momentos de quietud, se impacientaba. ¿Era aquello lo único que le deparaba la vida?

Paciencia, niña. Paciencia.

El quinto año que pasó en América trajo cambios. Cuando la familia se trasladó a la plantación, Adia encontró moho en el alféizar de una ventana de la señorita Sophie y mandó avisar al carpintero de la plantación. Hubo cierto retraso porque el viejo carpintero había muerto y costó encontrar a uno nuevo cuyo amo quisiera desprenderse de él.

Casi había acabado el verano cuando el nuevo carpintero llegó para reparar el marco de la ventana. Era un muchacho alto y guapo llamado Daniel, con hombros anchos y sonrisa fácil. Adia le enseñó el alféizar carcomido.

—Ya ves que ha entrado el agua.

—El agua y luego los insectos —murmuró el carpintero—. Antes de morirme, habré cambiado todas las ventanas de esta casa dos veces. —Mientras palpaba el alféizar para ver hasta dónde llegaba la podredumbre, Adia lo observó. Tenía la insidiosa sensación de conocerlo.

—¡Mazi! —exclamó—. ¿No eres tú Mazi, el que me ayudó con mi hermanito durante la marcha por la selva, después de que nos capturaran los tratantes de esclavos?

Él pareció sobresaltado. Luego una sonrisa iluminó su cara como un amanecer.

—¡Adia! Eras tan pequeña entonces… Y Chike lo era todavía más. ¿Logró…?

Ella sacudió la cabeza para que no tuviera que acabar la frase.

—Se reunió con los antepasados. Pero di gracias por tu bondad. Me ayudó a seguir adelante.

—Te has convertido en una señorita muy guapa —dijo él.

Ella, que quería ver algo más que amistad en su rostro, se quitó el brazalete encantado que llevaba para desalentar el interés de los hombres. Dijera lo que dijese su abuela, ansiaba que aquel hombre se fijara en ella. Le pareció oír la risa de su abuela cuando dejó a un lado el brazalete, y la expresión del carpintero pasó de la cordialidad al embeleso.

El alféizar de la ventana quedó olvidado mientras se contaban la historia de sus vidas. El grupo de esclavos de Mazi había acabado en un barco distinto, que llevó su cargamento a Charleston. Él había comenzado trabajando como peón en una plantación. Luego aprendió carpintería en otra. Le pusieron de nombre Daniel cuando se convirtió al cristianismo, y el nombre le gustaba.

Adia comprendió que, aunque cuando marchaban encadenados el uno junto al otro le había parecido un hombre adulto, debía de tener catorce o quince años. Sólo unos años mayor que ella. Había crecido bien. Adia se descubrió riendo como no lo hacía desde la niñez. *Abuela, ¿debo impedir que Daniel entre en mi corazón?*

Esta vez no, niña. Daniel forma parte de tu destino.

A un carpintero podía asustarlo acercarse a una de las doncellas de la familia, así que le tocó a Adia hacerle saber que estaba dispuesta. Después de tomar medidas a la ventana, cuando ya se preparaba para marcharse, ella lo cogió de la mano.

—Me ha hecho muy feliz volver a verte, Daniel.

Sosteniéndole la mirada, él levantó su mano y la besó.

Y así, de pronto, Adia se enamoró.

A finales del verano se habían dado el sí quiero. Los esclavos de los Watson no tenían permitido casarse por el rito cristiano, pero no importó. Adia y Daniel estaban tan casados como podían estarlo un hombre y una mujer.

Mientras guardaba las pertenencias de la señorita Sophie para regresar a Charleston, Adia ensayaba su petición. Cuando su ama entró en la habitación, levantó la mirada del baúl lleno de ropa y dijo:

—Señorita Sophie, Daniel, el carpintero, y yo nos hemos tomado como marido y mujer. Si es posible… ¿podría preguntarle al señor Watson si Daniel puede trabajar en Charleston durante el invierno para que podamos estar juntos?

La señorita Sophie se mordió el labio. Nunca se había sentido cómoda con su imponente suegro, pero prometió intentarlo. Esa noche, después de la cena, le dijo:

—Lo siento, Addie. Se lo he preguntado al señor Watson y dice que necesitan a Daniel en la plantación. No puede venir a Charleston.

Adia inclinó la cabeza, aplastada por la desilusión. Estaba recién casada e iba a tener que dejar a su esposo durante meses. Su odio por la esclavitud, que mantenía sofocado, ardió de pronto con fiereza. Su corazón latió doce veces antes de que lograra decir:

—Gracias por preguntar, señorita Sophie.

¡Prométeme que moriré libre, abuela!

Te lo prometo, niña. Pero todavía tienes un largo camino por delante.

De momento, debía bastarle con la esperanza de su futura libertad.

Capítulo 12

Mientras se vestía para la cena, Nikolai se preguntaba por qué había sentido el impulso de pedirle a Jean Macrae que lo acompañara. Seguramente porque le gustaba sorprenderla. A pesar de sus esfuerzos por parecer calmada, lo ocurrido ese día la había alterado. Pero Nikolai tenía que reconocer que estaba aguantando mejor que la mayoría de las mujeres de su clase. La típica señorita de alta cuna que compraba regalos en el almacén Fontaine estaría farfullando histéricamente en su camarote tras un día como aquél.

Pero una típica señorita de alta cuna no iba a la guerra, ni llevaba una espada en la batalla. Aquella jovencita era... interesante.

La puerta se abrió y entró la jovencita. Llevaba su vestido de algodón verde con ramilletes, y el pelo recogido hacia arriba con estilo formal. Nikolai la observó con ánimo crítico, como no había hecho en sus encuentros anteriores. Era esbelta y delicada, aunque tenía unas formas sumamente femeninas. El vestido sencillo estaba magistralmente confeccionado para hacerla parecer recatada y elegante.

Nikolai se recordó que aquella princesa de porcelana estaba forjada en acero puro.

—¿Ha usado la magia para que su vestido parezca nuevo?

Ella asintió con la cabeza.

—Tengo talento para los hechizos domésticos, como limpiar telas o quitar arrugas. —Su mirada recorrió la habitación y se detuvo en la ancha librería, en la que unas barras impedían que los libros cayeran al suelo cuando la mar estaba gruesa.

Atraída por los libros, rodeó el cañón con el que Nikolai compartía habitación. Su cabello finamente peinado brilló como una llama viva cuando cruzó un rayo de sol. No era de extrañar que lo llevara empolvado cuando Nikolai la conoció en Marsella. Ninguna mujer con aquel cabello rojo podía parecer recatada.

—Su biblioteca es impresionante. —Rozó las tapas respetuosamente con las puntas de los dedos—. Nunca he visto tantos idiomas en un solo sitio. ¿Cuántos conoce?

—Muchos. —Nikolai había descubierto que tenía don de lenguas, una habilidad que había resultado de incalculable valor—. ¿Le apetece una copa de vino?

Ella se apartó de los libros.

—Sí, por favor. ¿A qué obedece este encuentro? ¿Va a revelarme mi destino? —Se estremeció ligeramente—. Espero que sea distinto al de esos corsarios a los que juzgó y condenó hoy.

—A no ser que haya torturado a gente hasta el punto de que deseen despedazarla miembro a miembro, creo que se librará. —Sirvió dos copas de clarete y le dio una—. En cuanto a su destino… todavía no lo he decidido.

Ella meció la copa con la mirada fija en su fondo de color rubí.

—Me alegra que deteste la violación, pero aún queda la esclavitud, el asesinato y la petición de rescate.

—No será esclavizada —dijo él enérgicamente—. Pero puede que la ponga a fregar cubiertas para ganarse el sustento.

Ella enarcó las cejas. Eran espesas y de un rojo más oscuro que su cabello.

—Si estoy presa y se me obliga a trabajar, ¿en qué se diferencia eso de la esclavitud?

Su pregunta hizo que un destello de rabia atravesara a Nikolai. ¿Cómo se atrevía a acusarlo de esclavizarla? La sola idea era escandalosa.

Pero… ¿cuál era la diferencia? Nikolai exhaló lentamente.

—No es una esclava, sino una prisionera a la que se castiga por sus faltas.

—Mis faltas. —Ella bebió delicadamente su vino—. Le hice un pequeño corte con esa espada, pero ya estaba prisionera y tuve cuidado de no hacerle mucho daño. Explíqueme cuáles son mis faltas. Dado que no creo que las hijas deban rendir cuentas por los pecados de sus padres, no tengo más remedio que sentirme como una esclava, más que como una delincuente a la que castiga justamente.

—Nuestros ancestros forman parte de nosotros. Procedemos de ellos, y sus crímenes nos lastran —dijo él con aspereza—. Ahora, siéntese.

—Qué conveniente, tener una filosofía que le permite hacer lo que no puede justificar mediante la lógica. —Jean se acomodó elegantemente en la silla del otro lado de la pequeña mesa de comedor. Sus ojos brillaban—. Hábleme de Santola, capitán. Los remeros parecían conocer el nombre.

—Santola es una isla, no muy lejos de aquí. Mi isla. Tengo entendido que se ha convertido en una especie de leyenda entre los esclavos de Berbería —contestó él—. Es un refugio en el que los esclavos pueden vivir libres, a salvo de los cazadores de esclavos. Cazamos, pescamos y comerciamos, y todos los que han escapado a la esclavitud son bienvenidos.

Ella frunció el ceño.

—Estudié los mapas del *Mercurio*, pero no recuerdo haber visto Santola en el Mediterráneo. ¿Tiene otro nombre?

—Lo dudo. Santola es invisible. Si aparece en algún mapa, será sólo como un peñasco o unos escollos que hay que evitar.

Jean, a la que no pareció desconcertar su críptico comentario, dijo:

—¿La oculta por medios mágicos?

—Entre otras cosas.

—La capacidad de ocultar su guarida es sumamente útil para un pirata —dijo ella pensativamente.

Pensó que aquella mujer tenía una habilidad única para ponerse en su lugar.

—Yo no soy un pirata. No ataco otros barcos para conseguir el botín —replicó.

La mirada de Jean era directa como un estoque.

—Entonces ¿qué es, capitán Gregorio?

—Un hombre que ha dedicado su vida a poner fin a la esclavitud —contestó él tajantemente.

Ella contuvo el aliento.

—¡Eso es absurdo! La esclavitud es demasiado vasta, demasiado consustancial al mundo para que un solo hombre la derrote. El comercio del azúcar de las Antillas es por sí solo una parte esencial de comercio mundial, y emplea a incontables esclavos. Hay esclavos en las galeras, esclavos en las Américas, en Asia, en África… En todas partes. ¿Por dónde empezaría a poner fin a una institución que abarca a tanta gente?

Él entornó los ojos.

—¿Cree que la esclavitud es el orden natural de la vida? Jean también entornó los párpados.

—Soy escocesa. No creo que ningún hombre tenga el derecho de poseer a otro. Ni a una mujer. Pero la esclavitud existe desde que comenzó a escribirse la historia, y seguramente existía ya antes. Mil hombres no podrían cambiar eso. ¿Merece la pena dedicar la vida a una meta tan inalcanzable?

—Yo no he dicho que fuera a conseguirlo. Pero ¿significa eso que no debo intentarlo?

—Desde un punto de vista moral, es muy noble combatir semejante abominación, desde luego —contestó ella lentamente—. Pero aunque se pasara la vida liberando galeotes, eso sólo afectaría a un puñado de personas. No cambiaría nada, en realidad.

—Ha visto a los hombres liberados hoy. ¿He cambiado algo para ellos?

Ella se mordió el labio.

—Muchas cosas, sí.

Él hizo un ademán en el que incluyó todo el barco.

—Todos mis marineros eran esclavos. Aunque son libres de irse donde quieran, prefieren navegar conmigo para rescatar a otros. Éste es un oficio peligroso, pero gratificante. —No intentó despojar su voz de desdén—. ¿Son sus bailes y meriendas campestres gratificantes, Jean Macrae? Ni siquiera tiene marido, y mucho menos hijos. Dígame si es posible que su vida tenga más sentido que la mía.

Ella se sobresaltó como si la hubiera abofeteado. Tras un largo silencio, dijo:

—Tiene razón. Aunque no pueda abolir la esclavitud como institución, lo que hace tiene sentido.

—No esté tan segura de que es imposible abolir la esclavitud. No será rápido, ni fácil, desde luego, pero si hay un modo, lo encontraré —dijo él con ardor—. Ruego a los ancestros para que me ayuden.

—¿Reza a los ancestros? —preguntó ella, pensativa—. De modo que no ha abandonado por completo la religión.

—Los ancestros no son dioses. Son ancestros. —En un rincón había un pequeño altar que imitaba el de su abuela. Nikolai hubiera deseado haber aprendido más de ella antes de su muerte. A veces, cuando intentaba invocar a los espíritus ancestrales, sentía fugazmente que podía hacer algo más para combatir la esclavitud, pero se le escapaba lo que podía ser.

Conocía bien aquella frustración. Había aprendido un poco de magia con Macrae y Polmarric, y había descubierto más por sí mismo. Pero luego llegó a la edad adulta y el instinto de supervivencia lo obligó a reprimir su poder. Los Guardianes lo habían advertido de que, si no la dominaba, su magia podía despedazarlo. Había conseguido hasta tal punto sofocar su poder que ya apenas existía. Era probable que la mayor parte de su magia se hubiera marchitado por falta de uso.

Como resultado de ello, tenía poco poder; lo justo para ayudar en situaciones difíciles. Lo bastante para ocultar Santola a los barcos que pasaban. Pero era un aficionado, tosco y desmañado, no un verdadero mago. Entre los mayores pecados de Macrae estaba el haber mostrado al joven Nikolai posibilidades sobrecogedoras que nunca se cumplirían.

La bruja escocesa había tenido sin duda los mejores profesores de magia que pudieran conseguirse y sin embargo no tenía, ni mucho menos, los poderes de su padre. Qué desperdicio. Él habría absorbido aquel conocimiento como el desierto absorbía el agua.

La conversación fue interrumpida por su sirviente, que entró llevando una gran bandeja con la cena. Nikolai se sentó frente a su invitada. El camarote era pequeño y la mesa más pequeña aún, de modo que tuvo que acercarse demasiado a su turbadora invitada. La despreciaba, la deseaba, no podía poseerla. Tales circunstancias no presagiaban una cena agradable.

Mientras el sirviente colocaba platos en el aparador, la bruja escocesa sonrió con admiración.

—La cena huele de maravilla. Las batallas en el mar abren el apetito.

Él casi se rió por la incongruencia de su palabras.

—Sí, en efecto.

El criado les sirvió (pollo estofado en vino tinto era el plato principal) y se fue. Cuando volvieron a estar solos, Nikolai preguntó:

—¿Qué hacía en Marsella? Me alegra que los ancestros la pusieran en mis manos, pero fue toda una sorpresa.

—Fui a dos bodas. —Ella probó el pollo—. ¡Delicioso! ¿Tiene un cocinero francés?

—Sí. Pierre pasó ocho años trabajando como esclavo en las cocinas del *dey* de Argel. El *dey* lo hizo castrar, pensando que así Pierre se contentaría con ser un esclavo. Pero no fue así.

Ella dejó su tenedor con nerviosismo.

—No cabe duda de que todos los hombres de este barco tienen una historia igual de horrible.

—Algunos no tanto, y otros peor. —Nikolai tomó un bocado de *pilaf* de arroz—. Nunca ha pensado mucho en la esclavitud, ¿verdad?

—No —reconoció ella—. He visto algunos esclavos negros en Londres, pero de lejos, vestidos con la librea de sus señores. No muy distintos a los lacayos ingleses, aparte del color de su piel.

Comenzó de nuevo a comer.

—Nunca ha pensado que, para que usted tenga azúcar en el té, hay mujeres que trabajan en las plantaciones hasta caer rendidas, y hombres que mueren quemados en los cobertizos de refinado. —Apuró su clarete de un trago y se sirvió más—. Las plantaciones de azúcar necesitan una provisión inagotable de esclavos porque mueren muchos. Y muchos más aún mueren antes de alcanzar las islas donde se produce el azúcar.

»La parte más peligrosa del viaje hacia la esclavitud es la marcha a través de las selvas africanas, donde son presa del hambre, las enfermedades y el látigo. Cuando los cautivos llegan a los puertos esclavistas, son vendidos a capitanes que los hacinan en barcos como arenques en un tonel. Los tratantes de esclavos asumen que una parte de ellos morirá y lo tienen en cuenta al hacer el cálculo de sus beneficios.

—Está empeñado en hablarme de esos horrores. —Ella dejó cuidadosamente su tenedor sobre el plato—. Tiene razón en que no he reflexionado en profundidad sobre la esclavitud. Hábleme de ella, pues, para que nunca más pueda alegar ignorancia.

Él hizo exactamente lo que le pedía, escupiendo las palabras como una maldición al contarle las historias más horrendas que conocía. No escatimó nada al hablarle de la brutalidad de la vida en las plantaciones de las Antillas que producían el azúcar que a los europeos gustaba tanto. Aunque no lo había visto con sus propios ojos, había hablado con personas que sí lo habían visto. Le habló de los tratantes de esclavos de Berbería, cuya crueldad llevaba inscrita en la carne. Le contó historias de niños arrancados de los brazos de sus madres, de maridos y mujeres separados, de amos sádicos que violaban a sus esclavas, y cosas incluso peores.

Mientras duró aquella rabiosa disertación, Jean Macrae no dejó de mirarlo. Tenía los ojos enormes y la cara blanca como la tiza. Nikolai nunca había visto a nadie escuchar con tanta intensidad. Cuando se le agotaron las palabras, ella dijo en voz baja:

—Es suficiente. Me ha convencido de que la esclavitud es una de las mayores atrocidades que la humanidad se inflige a sí misma. Ahora, si me perdona…

Se apartó de la mesa y se levantó, dio dos pasos hacia la puerta y luego cayó de rodillas y comenzó a sufrir violentas náuseas. Tenía tan poco en el estómago que no podía vomitar mucho, pero su cuerpo, indignado, se sacudía dolorosamente.

Maldiciendo, Nikolai sacó dos toallas de debajo de su lavamanos. Una se la dio a ella. La otra la mojó primero en el agua de la jarra. Ella le dio las gracias en voz baja antes de limpiarse la cara y la boca con la toalla húmeda.

Nikolai se arrodilló a su lado, a medias satisfecho, a medias enojado consigo mismo. Había querido impresionarla y hacerle pensar en lo impensable, pero no esperaba una reacción tan violenta. Aunque ella era una Macrae, descubrió que su aflicción no le hacía disfrutar.

Jean se incorporó y se puso en cuclillas. Luego limpió el suelo con la toalla seca.

—Tiene mucho talento para las maldiciones.

—Estaba hablando *malti*. ¿Cómo sabe que estaba maldiciendo? preguntó él distraído.

—Por su voz. Aunque estuviera diciendo «dulces lilas blancas» en persa, habría salido como un exabrupto por culpa de lo que sentía.

Él arrugó el ceño.

—No me gusta que me lea el pensamiento.

—Pues debería procurar que no fuera tan fácil de leer. —Volvió a limpiarse la cara usando la toalla húmeda—. No puede reprocharme que me haya mareado. Quería impresionarme y escandalizarme. Y lo estoy. Ha hablado con gran elocuencia. Lo felicito por su éxito.

El barco se meció cuando intentó ponerse en pie. Nikolai la agarró de la muñeca para sujetarla. Por un instante, una descarga de acerba lucidez los conectó.

Ella apartó la mano y se irguió a duras penas. Alargó el brazo hacia el pomo de la puerta.

—Le diré a mi criado que le prepare caldo y pan. Tiene que comer algo o volverá a marearse —añadió él.

—Me alegra que trate a sus esclavos mejor que la mayoría de los negreros. —Había un destello de humor malicioso en sus ojos cuando salió del camarote.

Nikolai se quedó mirando la puerta con el ceño fruncido, exasperado por lo fácilmente que aquella mujer lo enfurecía con sus comentarios acerca de cómo la tenía esclavizada. Pero sus palabras no le escocerían tanto si no hubiera parte de verdad en ellas.

¿Qué demonios iba a hacer con aquella condenada mujer? Habría hecho mejor secuestrando a un tigre.

De vuelta en su camarote, Jean cerró la puerta con la llave que le habían llevado a la habitación poco antes. Luego se acurrucó en la cama y cruzó los brazos sobre el estómago, temblando todavía por los horrores que se había visto obligada a afrontar.

Poco a poco se fue dando cuenta de que lo que sentía no era únicamente el efecto de las historias del capitán, a las que su imaginación hacía cobrar vida de forma escalofriante; también estaba experimentando las emociones de él. La furia del capitán Gregorio era una llama viva dentro de él, una llama que él había usado para prender la suya. Aquel extraño vínculo entre ellos era… inconveniente.

Nikolai Gregorio podía tener, quizá, el alma y la destreza en el combate de un pirata, pero vivía conforme a sus ideales de un modo que parecía más propio de un pastor presbiteriano. Jean recordaba la maravillada alegría de los galeotes al ser liberados. Gregorio les había hecho el mayor regalo imaginable, y con no pequeño riesgo para él y su tripulación.

Jean envidiaba en él aquel idealismo apasionado y sin embargo práctico. Cuando había partido para unirse al ejército del buen príncipe Charlie, ella también había sentido aquella pasión. El sueño de liberar Escocia de la opresión inglesa era un premio por el que merecía la pena correr cualquier riesgo.

La libertad seguía siendo preciosa, pero de regreso a Dunrath Jean habría sido capaz de cortarle el cuello al Joven Pretendiente de haber tenido la oportunidad. Su idealismo se había extinguido, convertido en furia y cenizas, con la muerte de Robbie y la terca estupidez del príncipe. Después de Culloden, el príncipe se había escabullido abandonando a sus seguidores escoceses a la represión desencadenada por su lealtad a la causa de los Estuardo. Habían luchado por la libertad y habían sido traicionados.

La lucha contra la esclavitud era también la lucha por la libertad. Jean se avergonzaba de lo poco que había meditado sobre aquello. La perversidad de los hombres que se creían propietarios de otros quedaba tan lejos de su experiencia como las bestias salvajes que merodeaban por las llanuras africanas.

En su ignorancia, había gozado de los frutos de la esclavitud. Pensó en los panes de azúcar que había molido al hacer tartas y pasteles. Tenía fama de ser una buena repostera. ¿Cuántos hombres y mujeres habían sufrido para producir el azúcar que endulzaba sus bollos?

Resultaba irónico que aquella dulzura fuera el producto de una maldad inefable. Tal vez Gregorio no fuera capaz de cambiar el mundo, pero estaba haciendo todo lo que podía hacer un solo hombre, y mucho más de lo que soñaban con hacer la mayoría de los hombres. En el curso de su vida, cientos, tal vez miles de esclavos serían liberados.

Jean deseó poder decir que su vida tenía tanto sentido.

Capítulo 13

Jean se había puesto su blusón suelto de marinero y sus pantalones y se disponía a acostarse cuando la puerta de su camarote se abrió y entró Gregorio. Ocupaba tanto espacio… Se movía envuelto en una nube de energía en la que se mezclaban su autoridad natural y un poder mágico imponente. Jean frunció el ceño.

—Creía que me había concedido intimidad.

—Le he dado libertad para moverse por el barco. No he dicho que sólo hubiera una llave de este camarote. Como capitán, tengo que poder ir a todas partes. Nadie más la molestará.

—Usted es ya suficiente molestia —dijo ella lacónicamente.

—Tiene que comer algo. —Le dio un tazón de caldo caliente y un pedazo de pan—. Estaba… preocupado por usted.

En vista de que no se iba, ella se sentó en el camastro y no le quitó ojo mientras se bebía la sopa. El caldo de pollo caliente la templó y le dio fuerzas.

—Ándese con cuidado, capitán, está mostrando signos de debilidad. ¿O es que quiere cebarme para la venta? He oído decir que, en los países de Berbería, prefieren a las mujeres con más carne en los huesos.

—Siga tan flaca como guste. —Se apoyó en la puerta cerrada, con los brazos cruzados sobre el pecho y expresión severa—. Si he venido ha sido principalmente para hablar de magia.

—Un tema siempre interesante. —Ella bebió más caldo, adivinando que el capitán quería saber más sobre los poderes de los Guardianes, mientras que ella deseaba aprender acerca de sus habilidades—. Su magia tiene cualidades a las que no estoy acostumbrada. La única persona que conozco que podría dejar a alguien sin sentido tan bien como usted es un africano.

Él pareció intrigado.

—Mi abuela era africana. Quizá sea de ahí de donde procede esa habilidad.

—¿Podría enseñar a alguien a hacerlo?

—Lo dudo. —Nikolai arrugó el ceño—. Y, aunque pudiera, no la enseñaría a usted, desde luego.

Ella sonrió, regodeándose en su habilidad para exasperarlo.

—Descuide. No tengo poder suficiente para tumbar a un buey como usted, o ya lo habría hecho.

—Imagino que tiene otra clase de poderes, y no sólo el de mantener su ropa limpia. Seguramente habrá heredado parte de la famosa magia de los Macrae para controlar el tiempo.

—Los grandes magos del tiempo son siempre hombres. Ha habido un par de mujeres de la familia que trabajaban con sus maridos, y juntos eran más poderosos que el hombre solo, pero las mujeres muy rara vez se convierten en grandes magas del tiempo por derecho propio. —Y ella no era una de las pocas elegidas.

Mojó un pico del pan en el caldo y lo masticó lentamente. Su estómago parecía dispuesto a aceptar comida sólida.

—Siento las sutilezas del clima un poco mejor que un Guardián cualquiera, pero eso es todo. Un mago del tiempo verdaderamente poderoso puede sentir una tormenta sobre Rusia o convocar a los vientos de los mares occidentales.

Él ladeó la cabeza.

—¿Qué siente ahora?

—Si de verdad quiere saberlo… —Dejó la taza en el lavamanos y cerró los ojos. Ese día el tiempo había sido agradable y soleado, pero estaba a punto de cambiar—. Se acerca un temporal. Una tormenta considerable, en realidad. Llegará antes de mañana.

—El tiempo está cambiando —reconoció él—. Casi todos los marineros desarrollan un sexto sentido para esas cosas. Pero yo pensaba en un poco de lluvia, más que en una gran tormenta.

Ella se encogió de hombros y volvió a coger la taza.

—Puede que me equivoque. No hago mucho honor a la familia Macrae. Pero, si tengo razón, debería pensar en hacer lo que haga el capitán de un barco cuando hay tormenta.

—Lo tendré en cuenta. —La observó intensamente—. Pronosticar el tiempo sería de gran ayuda en el mar, si es buena.

—No he dicho que lo sea. —Sus deficiencias mágicas la habían salvado de la vanidad—. Recibí una buena formación, así que sé manejar el poder básicamente, pero no tengo grandes aptitudes. El verdadero prodigio era mi hermano.

Al ver que la expresión de Gregorio cambiaba, deseó no haber mencionado a Duncan. El capitán parecía indeciso a la hora de cobrarse venganza en una mujer, pero no tendría tales escrúpulos tratándose de Duncan. Su hermano se las arreglaba bien en cualquier circunstancia, pero Gregorio podía ser un adversario formidable.

Quizá sirviera de algo que Gregorio empezara a pensar en Duncan como una persona de carne y hueso, y no como un blanco sin rostro para su venganza.

—Cuando conoció a su mujer, Duncan se sintió tan cautivado que atrajo tormentas de truenos. En su noche de bodas, estuvo a punto de destruir una aldea por accidente. La magia es peligrosa cuando no se controla. ¿Qué clase de entrenamiento recibió usted?

Le vio fruncir el ceño.

—Ninguno, después de la traición de vuestro padre. Todo lo que he aprendido desde entonces, he tenido que deducirlo yo solo.

El interés de Jean se avivó. Era difícil aprender a usar bien el poder sin orientación.

—¿Le fue difícil aprender?

—Hubo… momentos complicados. Por suerte, no causé daños graves. —Vaciló antes de continuar—. A decir verdad, tuve que reprimir mi poder para no correr riesgos. Puede que así haya destruido buena parte de mi potencial.

—Que yo sepa, es imposible destruir el potencial mágico, al menos entre los Guardianes —dijo ella—. Creo que todavía tiene todas sus capacidades mágicas, aunque las haya sofocado.

Un anhelo doloroso cruzó fugazmente el semblante de Nikolai antes de que lograra dominarse.

—¿Puede enseñarme más, Jean Macrae?

—Ha descubierto mi debilidad. Me gusta enseñar. —Su gusto por la enseñanza era la causa de su amistad con los antiguos cautivos, y la había llevado a fundar escuelas en todas las zonas del señorío de su hermano, hasta en las más remotas. Si podía ayudar a Gregorio, tal vez le sería más fácil tratar con él—. ¿Pagarán mis lecciones la deuda que cree que tiene mi familia?

—Nada puede saldar esa deuda. —Se volvió y salió del camarote dando un portazo.

Qué mal genio tenía. Jean cerró la puerta con llave, aunque de poco serviría si él quería volver.

¿Qué haría si él decidía seducirla? El camarote estaba cargado de lujuria, y era mutua. Podían ser antagonistas, pero entre ellos había también una intensa atracción. Preocupada, se metió en la cama. ¿Abandonaría él la idea de vengarse de su familia si se convertía en su amante? Posiblemente, pero Jean tenía la sombría sensación de que salvar de aquel modo a su familia le costaría el alma.

Nikolai subió a cubierta. Necesitaba calmarse. Hablar con la bruja escocesa siempre lo sacaba de sus casillas. Habían mantenido una conversación bastante agradable hasta que recordó que era una Macrae, su enemiga jurada. Ansiaba las enseñanzas que ella pudiera ofrecerle, pero convertirse en su pupilo le daría poder sobre él, y eso era inaceptable.

Por lo que ella había dicho sobre lo limitado de su poder, seguramente no sería muy buena maestra. Nikolai apoyó las manos sobre la barandilla y aspiró el aire del mar. Sin embargo, ella tenía razón, se acercaba un tiempo más fresco y húmedo. Nikolai sentía el cambio en la textura húmeda y sedosa del aire.

¿Sería una tormenta de grandes proporciones? El Mar Medio no sufría las furiosas tempestades del Atlántico, pero sus tormentas podían ser mortíferas. ¿Sería aquélla de las malas, o sería un chaparrón corriente?

Ella había hablado de su percepción de las sutilezas del tiempo. Nikolai afinó sus sentidos e intentó sentir los vientos y la lluvia que se avecinaban, sin éxito. En aquel campo no tenía más talento que un marinero con experiencia. Así pues, a pesar de lo que afirmaba, la bruja escocesa tenía algún poder sobre el tiempo atmosférico.

Nikolai dio orden de aprestarse para una tormenta y bajó luego a su camarote. Por la mañana sabría hasta qué punto eran certeras las intuiciones de Jean.

La tempestad se desató con tal fuerza que sacudió el barco y estuvo a punto de arrojar a Jean de su camastro. La violencia de la sacudida la despertó. Había vivido dos tormentas durante el viaje a Marsella, pero no eran nada comparadas con aquélla.

Utilizando su sensibilidad para el tiempo, que parecía haber mejorado, intentó estudiar las fuerzas internas de la tormenta. Nunca había sentido una tan fuerte, pero quizás estuviera sintiendo aquel poder únicamente porque su capacidad para pronosticar el tiempo había mejorado.

El barco se levantó y cayó tan bruscamente que por un momento Jean quedó flotando sobre el camastro. ¡Santo Dios, ojalá Duncan estuviera allí! Él podría dispersar aquellos vientos. Ella, en cambio, no podía.

Se agarró a la barandilla de la cama al volver a chocar con el colchón. Algo se cayó y se rompió.

Aunque era un buen marinero, tenía el estómago revuelto por los nervios. El aire fresco la ayudaría a calmarse, pero, con el agua que se estrellaba contra el casco, si abría el ojo de buey se inundaría el camarote. Por el bien de su estómago, se sentó en el camastro y se acurrucó en un rincón, agarrándose a los asideros que pudo encontrar. El violento cabeceo del barco la hizo preguntarse si el *Justicia* se mantendría a flote.

Quizá la tormenta no fuera tan fuerte como pensaba. Ella era un marinero de agua dulce. Seguramente calibraba mal el poder de la tempestad. Rezaba a Dios por estar equivocada.

Creó una esfera de luz mágica y la puso en la pared, junto a ella. La luz hacía que todo pareciera más normal. La jarra del agua del lavamanos se había roto al caer del entrante que la sostenía. La palangana, que estaba más abajo, seguía a salvo en su sitio. Al menos, eso esperaba Jean. No iba a cruzar el camarote para moverla.

Mientras el viento y las olas azotaban el barco, rezó con un fervor con el que no había vuelto a rezar desde el Levantamiento. Entonces había implorado el auxilio divino para que sus hombres y ella volvieran a casa sanos y salvos. Esa noche, rezó por que Gregorio fuera tan buen marino como pensaba, y por que su tripulación y él pudieran mantener el barco a flote durante el temporal.

¡Bum! Todo el barco se estremeció y se escoró a babor. Jean dedujo que uno de los mástiles había cedido. Ya podía despedirse de la esperanza de que sus miedos fueran injustificados.

Con un miedo gélido, oyó correr agua dentro del barco. Unos momentos después, se oyó el tétrico retumbar de las bombas. El mástil caído debía de haber dañado el casco, pues el barco seguía escorado a babor y se estremecía bajo el embate del viento y las olas.

Jean se levantó con esfuerzo del camastro y cruzó el suelo inclinado para abrir la puerta del camarote. La aterrorizaba la idea de ahogarse en un camarote cerrado con llave, aunque sabía que correr a cubierta no la salvaría la vida si el barco estaba hundiéndose. Seguramente sería arrojada por la borda antes de que diera tres pasos. Pero aquélla le parecía mejor muerte que ahogarse como una rata en un barril de lluvia.

Encontró sus babuchas, que habían sido arrojadas al otro lado del camarote, y se las puso para protegerse los pies de la jarra rota. Luego regresó a su rincón en el camastro y se agarró con todas sus fuerzas.

Debía confiar en Dios o en Gregorio. Cualquiera de los dos serviría.

La puerta se abrió de pronto y Gregorio irrumpió en el camarote. Estaba empapado y llevaba la cabeza descubierta. El agua chorreaba por su manto.

—¡Maldita seas, mujer! ¡Tenías razón! Nunca me había topado con una tormenta así. Eres una Macrae. ¡Ponle fin!

—¡No puedo! —respondió ella con un grito sofocado—. ¡No soy una maga del tiempo!

—Pues eres lo más parecido que tenemos. —La agarró del brazo y la levantó del camastro de un tirón—. Si no haces algo moriremos todos, así que vive Dios que vas a hacer algo.

Ella respiró hondo, preguntándose qué diablos podía hacer. Aunque conocía la teoría, eso no significaba que tuviera el poder de controlar la tempestad.

—Lo intentaré. Pero voy a necesitar tu ayuda, y tendré que ver la tormenta.

—Como quieras. —Tiró de ella hacia la puerta—. ¡Y apaga esa lámpara! ¿Qué clase de loca tiene fuego en su camarote en medio de una tormenta?

—Es una luz mágica, no una lámpara —replicó ella.

Por un instante, él se concentró en la luz con vivo interés.

—Luego puedes enseñarme a hacer eso, si pasamos de esta noche.

La llenó de moratones cuando la arrastró por un pasillo inclinado demasiado estrecho para que cupieran ambos. Nikolai subió primero por la escalerilla y la sujetó cuando Jean salió a la cubierta y el viento, que aullaba, estuvo a punto de derribarla. Un instante después estaba empapada hasta los huesos.

El mundo era un caos de viento y agua. Los elementos azotaban el barco y los marineros luchaban por salvarlo. Un oficial gritaba órdenes que apenas se oían, mientras allá arriba algunos hombres se esforzaban por arrizar las velas. Algunas se habían soltado ya, pero la mayoría estaban plegadas.

Mientras Jean observaba la escena, uno de los marineros perdió pie y cayó. Logró asirse a una cuerda. Por un instante, su cuerpo osciló al viento como un bandera. Luego, dos marineros lo agarraron y lo pusieron a salvo. Uno de ellos estaba casi desnudo. Jean supuso que era uno de los galeotes liberados, que estaba trabajando junto a los tripulantes del *Justicia*.

Tal y como pensaba, el barco había perdido un mástil. El palo mayor había aplastado una pequeña parte del casco por el lado de babor, y sus restos, que el barco arrastraba por el mar, eran responsables de la peligrosa escora de la nave. Algunos hombres estaban cortando las cuerdas que lo sujetaban al barco. Las velas actuaban como un ancla gigantesca. Mientras Jean observaba, cortaron los últimos cabos y el barco volvió a enderezarse, aunque seguía cabeceando y sacudiéndose en medio del oleaje.

Gregorio la enlazó con un brazo y la llevó a la caseta del timón, donde podía refugiarse. Dentro, dos hombres luchaban con el gobernalle, intentando mantener el barco derecho y contra el viento.

—¿Podrás trabajar aquí?

Ella asintió con la cabeza y se volvió para mirar hacia el lado abierto de la caseta del timón.

—No soy lo bastante fuerte para hacerlo sola. Tendré que usar parte de tu poder.

—Toma lo que necesites. —Sus ojos oscuros tenían una expresión atormentada. Jean comprendió que no temía por sí mismo, sino por sus hombres y su causa.

Nikolai la vio estremecerse de frío y se quitó el manto para envolverla en él. La tela pesada y mojada arrastraba por la cubierta, pero la protegía en parte del viento.

Jean se apoyó con la mano izquierda en el marco de la caseta y con la derecha asió la muñeca de Nikolai. Cuando se tocaban, había siempre entre ellos un chisporroteo de energía, y esta vez Jean siguió aquella chispa para adentrarse en el espíritu de Nikolai y explorar su poder.

Era profundo y enrevesado, como un laberinto en el centro de la tierra. Jean ni siquiera podía adivinar cuánto poder tenía; sus raíces se extendían hasta África. Aunque tal vez Nikolai no fuera capaz de usarlo, aquel poder estaba allí, oscuro y palpitante.

—Esto no va a ser cómodo —lo advirtió ella—, pero no te resistas. Es el único camino.

Ella punzó implacablemente su magia. Nikolai sofocó un gemido al establecerse el contacto, pero logró dominar su reacción instintiva de defensa. Obligándose a no perder tiempo explorando sus cautivadoras profundidades, Jean fijó su atención en la tormenta. Enorme y salvaje, sintió que había nacido muy al norte.

—La tormenta se extiende en todas direcciones. Hay que destruirla, porque no podemos sobrevivir a ella.

Los dientes de Nikolai eran un peligroso destello blanco en la oscuridad.

—¡Entonces, destrúyela!

Aunque no tenía el don de la magia atmosférica, Jean aprendió en su más tierna infancia la técnica de controlar el tiempo. Primero, conectó con la energía que, como un torbellino, arrastraba el viento y la lluvia. Si la desequilibraba, tal vez aquella poderosa espiral se deshiciera o tomara un nuevo curso.

Mientras escudriñaba la tormenta, se dio cuenta de que quizá pudiera cambiar las cosas. Era un proceso muy peligroso, pero más peligroso aún era retorcerse las manos y confiar en que el barco sobreviviera.

Tras respirar hondo tres veces, lentamente, cerró los ojos y arrojó su conciencia de su cuerpo, dirigiéndola como una flecha hacia la tormenta. El poder de aquella energía turbulenta estuvo a punto de hacerla pedazos. Se agarró frenéticamente al poder de Gregorio, aferrándose a él como a un salvavidas mientras intentaba estabilizarse. Por suerte, él tenía fuerzas para sostenerla, aunque Jean lo sintió estremecerse cuando recurrió a sus reservas.

Sintiéndose más fuerte, Jean se dejó llevar por la tormenta, buscando un punto flaco. Encontró una zona en la que la presión del aire era distinta. Se zambulló en ella con sus fuerzas y las de Gregorio.

¡Cielo santo, aquello era maravilloso! Se sentía como un águila en vuelo. Con razón Duncan nunca acertaba a describir cómo era trabajar con el tiempo. No había palabras para describir aquella unión salvaje con la naturaleza en su forma más primitiva.

Jean buscó fuera de la tormenta el aire cálido y seco del Sáhara. Cuando lo encontró, llevó su sólida quietud a la abertura que había creado en medio de la turbulenta borrasca. Cuando tuvo el airea sahariano en su sitio, comenzó a expandirlo.

Era un trabajo arduo, y sentía el esfuerzo en cada fibra de su ser. Pero lo estaba consiguiendo. Lo estaba consiguiendo. La tormenta se había alimentado de sí misma, y ahora había perdido fuelle. Como la peonza de un niño, comenzó a tambalearse al ceder su centro.

Jean también se tambaleó, demasiado débil para mantener el flujo de aire desértico. Inmediatamente, la tormenta comenzó a cobrar fuerzas de nuevo. Ella ahondó dentro de sí con decisión. Adam Macrae, uno de sus antepasados, había estado a punto de morir al intentar conjurar un huracán que detuviera a la Armada Invencible, y era infinitamente más poderoso que ella. Si moría, que así fuera, pero por Dios que se llevaría consigo aquella maldita tormenta.

Extrajo más poder de Gregorio, pero no fue suficiente. En un último intento desesperado, buscó mil millas al norte con la esperanza de conectar con su hermano. Debería haber sido imposible y, sin embargo, se dio cuenta de que, como por milagro, había logrado establecer un contacto tenue. El poder de Duncan fluyó hacia su interior. No era mucho (había demasiado distancia), pero era poder de los Macrae, y entonaba la canción de los vientos.

Consciente de que sólo tenía una oportunidad, Jean hizo acopio de todo el poder del que disponía y atravesó el corazón de la tempestad, presionando hacia todos los puntos cardinales para resquebrajar su estructura.

La tormenta perdió su coherencia y se desmoronó. Las nubes se dispersaron en todas direcciones, llevando la lluvia siempre bien recibida a las orillas del Mar Medio. Cuando los vientos se extinguieron, convirtiéndose en brisa corriente, el *Justicia* dejó de sacudirse. Dejó de entrar agua por la parte dañada del casco. Aunque las olas seguían siendo altas, el barco podría con ellas.

La tormenta estaba rota, y también lo estaba Jean. Cuando le cedieron las rodillas, dijo con un murmullo ronco:

—Dijiste que sería libre si salvaba a toda la tripulación. Recuérdalo, mi demoníaco capitán.

Estaba inconsciente antes de caer al suelo.

Muy al norte, Duncan Macrae se incorporó bruscamente en la cama. Las sienes le ardían de dolor.

—¡Dios mío! —exclamó.

Su mujer se despertó al instante y le cogió una mano.

—¿Qué ocurre?

—Espera. —Se concentró en la energía que le estaba siendo extraída. El flujo duró sólo unos minutos; luego se disipó—. Jean ha recurrido a mí —dijo cuando el dolor desapareció—. Creo que ha descubierto que tiene parte de la habilidad de los Macrae para controlar el tiempo, porque necesitaba ayuda urgentemente.

—¿Ha habido una tormenta en Marsella? ¿O es que intentaba poner fin a una sequía?

—Era una tormenta, una muy fuerte, pero no en Marsella. —Duncan volvió a recostarse en las almohadas y rodeó a su mujer con un brazo—. Creo que estaba en el mar. Puede que haya decidido volver antes de lo previsto.

—Así la podremos ver antes —dijo Gwynne tranquilamente.

Duncan no contestó. No era vidente y no podía, por tanto, leer el porvenir, pero tenía la fuerte sensación de que su hermana pequeña no estaba teniendo un viaje normal de regreso a casa.

Capítulo 14

Era mejor tener un marido a tiempo parcial que no tener ninguno, pero Adia echaba terriblemente de menos a Daniel durante sus meses de separación. Era además más difícil tener familia. La señorita Sophie, que vivía con su marido, consiguió tener tres hijos en los años que tardó Adia en tener sólo uno. Una bella hija, Mary Monifa (un nombre cristiano, otro africano), a la que llamaban Molly.

Con la ayuda de una esclava de los Watson que era mayor y estaba enferma, Adia logró tener a su hija con ella en Charleston. La señorita Sophie se mostraba tolerante cuando Adia llegaba un poco tarde, siempre y cuando no sucediera a menudo. Pero aquella situación engendró en Adia otro deseo. No sólo ansiaba la libertad, sino también poder vivir libremente con su familia.

Algún día, le susurraba su abuela. *Algún día*.

Entre tanto, Daniel y ella compartían las pocas y preciosas horas de que disponían.

Una revuelta es sangre, violencia y miedo. Es también una oportunidad. Cuando las colonias se rebelaron contra el gobierno británico en 1776, eran mucho más fuertes que los esclavos que se levantaron en Jamaica. Adia leía los periódicos con avidez siempre que podía, intentando entender lo que pasaba. Al parecer, los colonos querían la emancipación, aunque sólo para sí mismos, por supuesto. John Watson, el cabeza de la familia Watson, despreciaba la rebelión porque sería mala para el negocio.

Es decir, la odió hasta que los británicos se ofrecieron a liberar a cualquier esclavo que luchara en su bando. Aquello empujó a Watson a unirse a los rebeldes. ¿Cómo iba a gobernar su plantación si los británicos amenazaban su trabajo? Decidió apoyar a los rebeldes para que la vida en la colonia volviera a la normalidad.

La noticia de que los británicos ofrecían la libertad a los esclavos que se unieran a ellos se extendió entre la comunidad negra como un fuego sin control. Muchos rostros familiares desaparecieron de Charleston. Los Watson perdieron a su cochero y a dos jóvenes lacayos. Uno de los lacayos fue capturado, azotado y enviado a la plantación, donde trabajaría como peón.

Mientras se libraba la batalla por Charleston, las mujeres, los niños y los esclavos domésticos de la familia Watson fueron enviados a Magnolia Manor, donde estarían a salvo. Joseph, el marido de Sophie, se quedó en el campo para proteger a la familia mientras su padre regresaba a la ciudad para velar por los intereses comerciales de los Watson.

Cuando llegaron a la plantación, Adia tuvo que pasar el resto del día deshaciendo maletas y acomodando a la señorita Sophie y a sus hijos. Era casi medianoche cuando por fin se vio libre para ir en busca de Daniel. Medio loca de anhelo, corrió a los barracones de los esclavos.

Él la estaba esperando frente a la casa grande. Adia sofocó un gemido cuando su figura grande y oscura salió de entre las sombras. Luego se arrojó en sus brazos.

—Mi querida esposa —susurró él—. Mi amada.

Se besaron frenéticamente, intentando fundir sus cuerpos. Cuando Daniel la tumbó entre los matorrales, ella pensó, aturdida, que aquello era lo único bueno de sus largas separaciones; cuando volvían a encontrarse, el placer era arrollador.

Después, se quedaron abrazados, iluminados por la luz plateada de la luna.

—Tenía que esperar hasta volver a verte —dijo Daniel con voz ronca.

Ella se puso rígida, comprendiendo lo que quería decir.

—¿Vas a unirte a los ingleses?

Él asintió con la cabeza.

—Es nuestra oportunidad, cariño mío. Los británicos ganarán, y seremos libres.

—O moriremos. —Adia comenzó a sentarse—. Voy a buscar a Molly. Tenemos que irnos enseguida.

—No. —Él también se sentó, atrayéndola de nuevo a su abrazo—. Debo ir solo. Mandaré a buscaros cuando pueda. —Se rió suavemente—. Me preguntaba por qué decías que tenía que aprender a leer y escribir. Y ahora puedo mandarte una carta.

—¿Y si te vas y nunca vuelvo a saber de ti? —dijo ella, con las lágrimas corriéndole por la cara.

—Eso significará que habré muerto, mi querida niña. —Daniel trazó con los dedos sus facciones, como si intentara memorizarlas—. Cuando tenga un lugar seguro para mi familia, mandaré a buscarte. Y, si muero, mi espíritu velará por Molly y por ti.

Ella lo cogió de la mano, llorando, pero no le pidió que se quedara porque Daniel tenía razón; aquélla era su oportunidad de ser libres, y viajaría más rápido si iba solo. *Abuela, ¿volveré a ver a mi marido?*

Sí, hija. Ten fe.

—Ten cuidado. —Se quedó pensando—. Quédate un día más. Te haré un hechizo para protegerte y una piedra que te guíe en el camino, y así podrás ver a Molly. Un día más no importará.

Él vaciló; luego asintió con un gesto.

—Tu magia me ayudará, y quiero ver otra vez a nuestra niña. Tal vez sea ya lo bastante grande para recordarme si... si ocurre lo peor.

—Yo le diré lo fuerte y valiente que era su padre, y cuánto la quería. —Adia se inclinó para besarlo, y luego volvieron a hacer el amor. El retraso de su partida significaba no sólo que Adia podría ofrecerle su magia y que él podría ver a Molly, sino también una última oportunidad para compartir el cuerpo y el espíritu. Adia había ansiado durante meses sus caricias y su olor, y ahora Daniel se marcharía pasado un día.

El hechizo de protección lo hizo ella misma. La piedra para guiarlo en el camino, pequeña y pintada, procedía de una mujer sabia que vivía en la plantación vecina, y la pintura usada para marcar los símbolos de su superficie clara estaba coloreada con la sangre de Daniel. Cuando Daniel estuviera listo para que Adia y Molly se reunieran con él, podía mandarle la piedra guía, y ésta las llevaría hasta él.

Mientras le enseñaba a usar la piedra guía, Adia se resistía a creer que no volverían a estar juntos.

Tras tres días de libertad, Daniel fue capturado y devuelto a Magnolia Manor. El capataz lo ató entre dos árboles y le desolló la espalda.

Pero tal vez el hechizo de Adia funcionó, porque no murió. Con ungüentos y plegarias a la abuela, más los cuidados de la mujer sabia de la plantación, Daniel se recuperó con sorprendente rapidez, aunque su espalda quedó desfigurada por las cicatrices. Adia no comprendió cuánto amaba el tacto de su piel suave y tensa hasta que desapareció. Pero las ásperas cicatrices eran estimulantes en otros sentidos: siempre le recordaban el valor de su marido.

En cuanto se recuperó lo suficiente, Daniel volvió a huir. Esta vez, no lo capturaron. Adia trabajaba en silencio y parecía obediente. Cuando el capataz le preguntó por Daniel, ella contestó con amargura que le había pedido a su marido que no huyera, así se lo llevara el diablo. Era tan fácil mentir a los amos…

Un mes después, recibió un mensaje escrito en un trocito de papel hecho jirones. «Estoy a salvo. Os quiero a la niña y a ti. D.» Adia dio gracias por haber enseñado a Daniel a escribir, y porque la red que los esclavos habían tejido en secreto pasara aquellos mensajes.

Hubo otros mensajes de cuando en cuando, pero pasaron dos años antes de que recibiera la pequeña piedra pintada. Iba envuelta en un trapo andrajoso en el que Daniel había escrito: «Sigue el norte. Te quiero. Daniel Adams.»

La piedra guía estaba inactiva cuando Adia se la dio a Daniel, pero él la había llevado consigo durante dos años, y antes de enviarla la había activado invocando la presencia de Adia. Ahora, refulgía llena de poder. Adia la sostuvo en la mano y caminó en distintas direcciones. La piedra se calentó cuando se dirigió hacia el norte. Si seguía aquel rumbo, encontraría a Daniel. Le gustaba la idea de tener un apellido. Cuando volvieran a estar juntos, le preguntaría a Daniel por qué había elegido el de Adams.

Consultó a la mujer sabia y a un viejo del molino de azúcar que sabía algo de magia, y con su ayuda hizo unas bolsitas que su hija y ella se colgarían del cuello. Con aquellos hechizos, la gente se fijaría menos en ellas durante el viaje. Adia había usado un conjuro parecido para impedir que la molestaran los hombres, pero aquél era más fuerte porque la mujer sabia tenía más poder que ella. Hizo un par de ensalmos más, por si acaso le eran útiles. Metió la piedra en su bolsita, que era de algodón fino para que pudiera sentir su calor en el pecho.

Hizo algunos otros preparativos. En un pequeño bolso que podía colgarse a la espalda metió algo de ropa y comida. Ocultó una navajita afilada en la cinturilla de su falda. Todo lo demás, se lo dejó a la mujer sabia para que lo repartiera después de su marcha, suponiendo que no la capturaran. Tenía algunos vestidos buenos que le había regalado la señorita Sophie. Otras esclavas se alegrarían de poder usarlos. Tenía también un poco de dinero que le habían dado algunos huéspedes por hacer alguna tarea singular. Usarlo para huir la llenaba de satisfacción.

Eligió una noche sin luna para marcharse. El señor Watson se había ido a Charleston a pasar unos días, lo que significaba que tardarían en perseguirla. Antes de salir de su cuarto en el desván, pequeño y caluroso, pasó unos minutos hablando con su abuela. *Protégenos, abuela. Deja que vuelva a abrazar a mi marido*. Nadie contestó, pero Adia sintió un calor que le infundió ánimos.

Bajó las escaleras pensando en lo extraño que era que, si tenía suerte, no volvería a ver aquel lugar, ni a aquellas gentes. Se le encogió el corazón al pensar que no volvería a ver a los hijos de la señorita Sophie, pero se resignó a ello. Al llegar a la primera planta, torció impulsivamente a la derecha para entrar en el cuarto de los niños, en lugar de continuar por la escalera de servicio.

Una lámpara ardía suavemente en la habitación; a la pequeña Amy le daba miedo la oscuridad. Su hermano mayor y ella pronto tendrían habitaciones separadas, por cuestiones de decoro. Pero, de momento, disfrutaban estando juntos. El hermano mediano, Henry, había muerto de unas fiebres. Adia había abrazado a la señorita Sophie mientras ésta lloraba la muerte de su hijo. En ese momento no eran ni blancas ni negras, sino sólo dos mujeres afligidas.

Amy estaba abrazada a su maltrecha muñeca de trapo, que tenía la tela rasgada de tanto andar de un lado para otro. Adia sintió la tentación de acariciar la suave curva de su mejilla, pero no quiso correr el riesgo de despertarla. El pequeño Joseph estaba arrellanado en la cama, pero parecía listo para salir corriendo en cualquier momento. Dios, cuánto iba a echarlos de menos... Eran casi tan hijos suyos como Molly. Confiaba en que crecieran en un mundo mejor, en un mundo en el que no hubiera esclavitud, pero era bastante improbable.

Tras despedirse de ellos en silencio, salió de la habitación. Llena de arrojo, se dirigió hacia la gran escalera curva que usaba sólo la familia, jamás los esclavos, que tenían que usar la de servicio, oculta a la vista. Apoyó una mano en la barandilla de caoba, se levantó la falda con la otra mano y se dispuso a descender majestuosamente a la planta baja.

Acababa de dar un paso cuando una mano tocó su brazo.

—¿Addie?

Adia se volvió, sacando instintivamente el cuchillo mientras se maldecía por haberse parado en el cuarto de los niños.

Si no lo hubiera hecho, ya estaría fuera de la casa. Pero ahora nadie la detendría.

A la luz de la luna, vio a la señorita Sophie, que miraba aterrada el cuchillo.

—Addie… —dijo otra vez con voz temblorosa. Su mirada voló hacia el bolso que colgaba del hombro de Adia—. ¡Vas a huir!

—Sí. —Adia sostenía con firmeza el cuchillo mientras se preguntaba frenéticamente qué debía hacer. Podría matar a un desconocido o a cualquiera que amenazara a Daniel o a Molly, pero ¿podría matar a la señorita Sophie?

Su ama seguía mirando el cuchillo.

—¿Serías capaz de matarme, Addie?

Adia bajó un poco el cuchillo, pensando en cómo la señorita Sophie la había enseñado a escribir y en los momentos de sinceridad que habían compartido, a pesar de ser ama y esclava.

—No, no podría. Pero puedo atarla y amordazarla si es necesario, y lo haré. —Si eso ocurría, sus oportunidades de escapar serían escasas. Pero ya no podía desistir de su huida. Ansiaba respirar el aire siendo una mujer libre tanto como ansiaba los brazos de Daniel.

—¿Por qué? —susurró la señorita Sophie, menos tensa al dejar de temer por su vida—. ¿Es que no te he tratado bien? Pensaba que éramos amigas, Addie.

—Ha sido usted una buena ama, señorita Sophie. Y se lo agradezco. —Adia bajó el cuchillo, aunque no volvió a guardarlo en su funda—. Pero una esclava y su ama no pueden ser amigas. Usted no puede entenderlo, en realidad. ¿Cómo se sentiría si la obligaran a trabajar y la amenazaran con el látigo o la muerte si se negara? ¿Y si supiera que cualquier hombre blanco puede violarla cuando quiera? ¿Y si sólo pudiera pasar unas pocas horas a la semana con sus hijos? ¿Ha pensado en esas cosas, señorita Sophie?

—No. —La otra mujer se quedó muy quieta—. ¿Vas a reunirte con Daniel?

—Sí. Volveremos a ser una familia, o moriré en el intento. —Impulsada por una sensación que procedía de su abuela, añadió—: Si me promete que no le dirá a nadie que me he marchado hasta mañana, no la ataré. ¿Me da su palabra?

La señorita Sophie vaciló. Luego asintió con la cabeza. Quizá se daba cuenta de que, después de esa noche, nada volvería a ser igual entre ellas.

—Prometo no dar la alarma. Que Dios os proteja a ti y a tu familia, Addie.

—Gracias. —Adia envainó el cuchillo—. Y me llamo Adia. —Se volvió y bajó con sigilo las escaleras.

De camino a los barracones de los esclavos, se preguntó de pronto cuánto habría ganado si le hubieran pagado por su trabajo todos aquellos años. Sería bastante dinero. Suficiente para comprar una mula, desde luego. Se desvió para sacar y ensillar a Daisy, la plácida mula que montaba a veces. De nuevo, su deseo de aprender le era útil.

Colgó un hechizo del cuello de la mula para que pasara desapercibida. Luego recogió a su hija dormida, abrazó a la mujer sabia y emprendió su largo viaje hacia la libertad.

La señorita Sophie debió de cumplir su promesa, porque la persecución no dio comienzo enseguida. Aunque el viaje fue largo y cansado, nadie prestó atención a las huidas. Los hechizos de Adia parecían cada vez más eficaces. Ahora que era libre, tal vez pudiera encontrar un maestro en artes mágicas.

La piedra estaba más caliente cada día. Viajaban por caminos secundarios, avanzando lentamente hacia el norte. Sólo pedía indicaciones a los negros. Desde las Carolinas, pasaron a Virginia, cruzaron Maryland y entraron en Nueva Jersey. Adia no imaginaba que Daniel hubiera llegado tan lejos.

Tras varias semanas de viaje, alcanzaron el río Hudson y divisaron, al otro lado, la gran ciudad de Nueva York. Pasaron todo el día escondidas entre los juncos y esa noche cruzaron el río en un barco de remos que Adia encontró y cuya amarra cortó. La fiel mula nadaba tras ellas mientras Adia aprendía a remar desmañadamente, luchando contra la corriente. *¡No nos abandones, abuela!*

Llegaron a la isla de Manhattan cuando amanecía. Un Pionero Negro que estaba cortando leña para el ejército británico les indicó cómo llegar al campamento militar. La piedra mágica parecía a punto de quemar la piel de Adia cuando ésta entró en el extenso campamento guiando a la mula. Molly iba montada en la silla empapada, cansada, pero alegre. Había toda una sección ocupada por soldados negros. Adia detuvo la mula, agotada, y se preguntó qué debía hacer a continuación.

Entonces se oyó un grito que recorrió el campamento y Adia vio una figura fornida y familiar que corría hacia ella. Vio que su Daniel era sargento. Y que su rostro brillaba con la misma felicidad que amenazaba con hacerla estallar a ella. Adia se deslizó en sus brazos y, mientras Daniel las estrechaba, dijo con voz temblorosa:

—Nunca más volveremos a separarnos.

—No, nunca más —dijo él, llorando. Sus brazos amenazaban con romperle las costillas—. Nunca más.

Capítulo 15

La bruja escocesa cayó a cubierta. Aunque sus uñas habían dejado en las muñecas de Nikolai heridas que todavía sangraban, parecía frágil como una niña.

Sin embargo, lo había conseguido. El viento había amainado hasta casi desaparecer, y su barco maltrecho surcaba las olas en paz.

Nikolai alargó los brazos hacia abajo y estuvo a punto de caer. Se sentía muy débil; apenas era capaz de sostenerse en pie. Agarrándose al marco de la puerta, logró arrodillarse. Al buscar a tientas el pulso en la garganta de Jean, no lo encontró.

—¿Qué ha pasado, capitán?

Nikolai levantó la mirada y vio a Tano, empapado y magullado, pero de una pieza. Tano hacía las veces de cirujano del barco cuando era necesario, y tenía un don misterioso para aparecer cuando se lo necesitaba. Entendía también de magia, pues él mismo tenía algunos poderes.

—Esta mujer es una maga del tiempo —contestó Nikolai hoscamente—. Ha salvado el barco, pero puede que haya perecido en el intento. ¿Puedes hacer algo?

Tano frunció el ceño al arrodillarse junto a la muchacha inconsciente. Tras tomarle el pulso, frunció aún más el ceño. Sacó su cuchillo y sostuvo la hoja delante de su boca. Se formó una fina película de vaho.

—Está viva, pero por poco. Un gran acto de magia agota el cuerpo y el espíritu. Se ha consumido como una vela. —Levantó la mirada—. Usted tampoco tiene buen aspecto, capitán. ¿Ha estado ayudándola?

Nikolai asintió con la cabeza. Incluso aquel esfuerzo le pareció excesivo.

—Dijo que no tenía mucho poder y que necesitaría parte del mío. Mientras luchaba contra la tormenta, entró en mi mente y... tomó fuerzas de mi alma.

—Para vencer una tormenta tan grande hace falta una magia inmensa. Necesita mucho descanso y alimento.

Confiando en que pudieran salvarla, Nikolai se inclinó para tomarla en brazos y de nuevo estuvo a punto de caer de bruces. Tano masculló un juramento en su lengua materna.

—No sea tonto. Usted necesita tanto descanso como ella. Yo la atenderé. Cuando ella haya tomado un poco de caldo, iré a verlo a su camarote. —Entornó los ojos—. Va a acostarse, ¿verdad?

Nikolai ni siquiera rechistó, lo cual era señal de lo agotado que estaba. En aquel momento, el gato del barco podría haberlo tumbado. Apoyándose en el marco de la caseta del timón, logró ponerse en pie.

Tano levantó cuidadosamente a la pequeña bruja, la llevó hacia la escotilla y la sujetó con habilidad al bajar por la traicionera escalerilla que llevaba a las bodegas. Jean estaba en buenas manos, pero Nikolai sentía que era responsabilidad suya y que era él quien debía ocuparse de ella.

Mientras seguía a Tano, pensó que no había estado tan cansado desde que escapó a la esclavitud. Sin embargo, estaba también eufórico. Había utilizado la magia todo lo bien que sabía desde que Macrae le abrió los ojos a las posibilidades que ofrecía. Pero nunca había tomado parte en una manifestación de poder tan inmensa. Había estado merodeando por la orilla, y Jean Macrae le había enseñado las profundidades del océano.

Ahora que había probado el verdadero poder, quería más.

Jean pasó una eternidad soñando cosas extrañas y sofocantes, y al despertar tuvo la sensación de haber estado mucho tiempo de viaje. Ya no estaba en la goleta. Yacía en una cama confortable, en una habitación de blanquísimas paredes encaladas. La luz dorada del sol entraba por una ventana con los postigos entornados, y fuera se veían flores. Una puerta parecía invitarla a salir al sol, mientras que otra conducía al interior de la casa.

Se sentó con cuidado. La cabeza le daba vueltas. Llevaba una camisa que le estaba grande. ¿Se hallaba en Santola? La mesa, las sillas y el arcón eran de madera sencilla, pero había una sencillez elegante que le recordaba la de las pequeñas granjas de las Tierras Altas. Un jarrón de barro contenía flores de colores brillantes, y la cama estaba cubierta con una colcha de retales confeccionada con cuadrados de tela suave y colorida. El efecto era modesto, pero alegre.

Por el contrario, la intrincada alfombra oriental que cubría el suelo de baldosas era suntuosa. Un botín pirata, quizá.

Jean se levantó y descubrió un vestido de guinga azul, muy sencillo, colocado sobre una silla. Era casi tan informe como una camisa, pero se sintió más vestida al ponérselo. Debajo del vestido estaban su navaja y su cristal de escrutar, todavía guardados en su bolsita. Sacó el cristal y lo sostuvo en la palma un momento. Al parecer, ningún extraño lo había tocado, y se alegró de ello. Pensó en usarlo para averiguar algo acerca de su situación, pero se sentía demasiado escasa de poder para intentarlo.

Tras guardarse el cristal mágico y la navaja, inspeccionó la jarra y el cuenco que había sobre la mesa. No eran para lavarse, sino para comer; en la jarra había leche fresca, y un paño cubría media hogaza de pan. Puso leche en el cuenco y mojó el pan. Su boca reseca agradeció la humedad, y su hambre feroz le dejó claro que no había comido mucho últimamente.

Al oír el leve crujido de la puerta, levantó la vista y vio al africano que acompañaba a Gregorio en Marsella. Era difícil calcular su edad. Tenía la cara tersa, pero sus ojos no eran jóvenes.

—Está despierta —dijo—. Me alegro. Por momentos no estaba seguro de que fuera a despertarse otra vez.

—¿Cuánto tiempo he dormido?

—Tres días y medio. Como sólo ha tomado agua y caldo, tendrá hambre, pero conviene que no coma muy deprisa.

¡Tres días y medio! Con razón se sentía como si hubiera hecho un largo viaje. Notaba ya el estómago lleno y apartó el cuenco.

—Soy Jean Macrae, pero eso ya lo sabe, creo.

Él asintió con un gesto.

—Yo soy Tano. A bordo sirvo como cirujano cuando hace falta, pero aquí, en la isla, tenemos mejores médicos, si necesita cuidados.

—Estoy cansada, pero bien, por lo demás. —Observó su semblante tranquilo—. Habla muy bien inglés.

—Lo aprendí en Jamaica. Como hablaba bien, me sacaron del molino de azúcar y me educaron para ser el secretario del capataz.

Ella lo miró con fijeza, acordándose de las historias horrendas que Gregorio le había contado sobre la vida en las plantaciones de las Antillas.

—Me alegro de que ya no esté allí.

—Yo también. —Sus ojos negros tenían una mirada profundamente irónica.

Ignoraba qué podía decirle a un hombre que había sobrevivido a varias temporadas en el infierno.

—¿El barco y la tripulación salieron sanos y salvos de la tormenta? —Pensó en cuánto poder había tomado de Gregorio—. ¿Y el capitán?

—Todos están bien. El palo mayor se rompió, y el capitán estaba casi tan cansado como usted, pero se recuperó lo suficiente para llevar el *Justicia* a casa. ¿Aún no ha visto Santola?

Cuando Jean negó con la cabeza, Tano cruzó la habitación y abrió la puerta que daba al exterior, dejando al descubierto una terraza iluminada por macetas rebosantes de flores.

—Contemplad nuestro santuario.

Jean, que se sentía algo más fuerte después de haber comido, salió y se paró en seco, cautivada por el círculo de luz que se abría ante ella. Al mirar más atentamente, vio que aquel círculo era en realidad una inmensa cuenca de agua azul turquesa, rodeada por una aserrada corona de islas oscuras.

El panorama era tan asombroso que tardó un momento en comprender lo que estaba viendo.

—Santola es el cráter de un antiguo volcán, ¿verdad? He visto ilustraciones de Santorini, en las islas griegas, y se parece a esto. Un volcán entró en erupción y dejó un círculo de islas alrededor del borde. Se llama… una caldera, creo.

—Muy bien, señorita. —Tano asintió con aprobación—. El volcán que creó Santola hizo el suelo muy rico y formó bajíos que nos protegen de visitas indeseables.

Los bajíos y también la magia, adivinó Jean, pues sentía el zumbido lejano de un campo protector. La terraza le recordó los patios de la casa de los Fontaine, con macetas de flores brillantes y una zona techada para cobijarse del sol abrasador.

Cruzó la terraza hasta la pared y contempló un pueblo grande y hermoso, a la manera del Mediterráneo. Las casas enlucidas, cuya blancura acentuaban las pinceladas de vivos colores de la madera pintada y las flores, trepaban por la empinada falda de la colina.

Aquella casa en particular se hallaba en lo más alto del pueblo; tan alta, que se asomaba a muchos otros edificios. Jean veía a gente trabajando en los patios y caminando por las veredas empedradas. Había recios asnos que, cubiertos con sombreros de paja, subían pacientemente por la colina acarreando sus cargas, mientras los chiquillos se perseguían jugando cerca de los muelles. Sus caras eran de todos los colores, desde el blanco nórdico hasta el ébano profundo.

Lo empinado de las colinas de la caldera significaba que los campos que se veían más allá del pueblo se componían de bancales. Más arriba, en las laderas, pastaban cabras y ovejas. Santola parecía ser no sólo autosuficiente, sino también próspera.

—He llegado al paraíso.

—A nosotros nos lo parece. —Tano se marchó discretamente.

Contenta de estar sola, Jean se sentó en un banco, bajo la marquesina. En pleno verano, aquella isla sería un horno, pero al atardecer de un día de invierno el calor era agradable.

Allá abajo, muy lejos, distinguió el *Justicia* en un muelle. Lo estaban reparando. El tocón dentado del palo mayor había desaparecido, y los hombres pululaban por el barco haciendo reparaciones. Jean se hizo sombra con la mano sobre los ojos y se preguntó dónde estaría Gregorio.

Pronto aparecería. Contempló la caldera siguiendo ociosamente el curso de un pequeño velero. Se sentía vacía y ajena al mundo, como resultado de la tremenda descarga de magia de la noche de la tormenta. El pozo de su poder tardaría en volver a llenarse, aunque el proceso había empezado ya.

Al luchar contra la tempestad, había empleado un poder mucho mayor del que creía poseer. Diversos maestros y magos le habían dicho, a lo largo de los años, que tenía muchísimo poder, pero que no sabía cómo usarlo. Y era enojosamente cierto.

Aunque había sentido cómo crecía el poder dentro de sí, había tenido poco éxito a la hora de emplearlo. Incluso con la magia más sencilla se sentía como si forcejeara con un cerdo engrasado: su poder podía salir despedido en cualquier dirección. Pero más a menudo aún era incapaz de ponerlo en marcha. Al final, había dejado de torturarse por sus fracasos y se había dedicado a administrar la finca de la familia.

Después de la boda de su hermano, había estudiado un poco con la mujer de Duncan, Gwynne, que había aprendido tarde a manejar su poder. Había mejorado un poco en algunas de las habilidades esenciales, como escrutar el presente, pero Gwynne la había aventajado enseguida en todos los campos.

Excepto cuando Jean había llevado de vuelta a los rebeldes supervivientes del clan de los Macrae, después de Culloden. La huida había sido angustiosa porque las compañías de soldados hannoverianos perseguían a cualquier jacobita que hubiera escapado del campo de batalla. Los Macrae no habrían podido regresar a Dunrath si ella no hubiera logrado de algún modo proteger a sus hombres usando hechizos para crear espejismos y despistar a los soldados. Entonces la impulsaba la desesperación; en circunstancias normales, no habría podido crear encantamientos tan poderosos.

Después de Culloden, había experimentado en secreto con sus habilidades y se había sentido defraudada al descubrir que seguía siendo tan torpe como antes. Así pues, había viajado a Londres para complacer a su familia y había dejado a un lado la magia, excepto los hechizos más insignificantes y cotidianos. Así habían sido las cosas hasta la noche de la tempestad. De nuevo, la desesperación le había brindado la posibilidad de ahondar en su poder. Aunque tal vez la razón fuera, en parte, que había trabajado codo con codo con Gregorio: parecían encenderse el uno al otro con una intensidad alarmante.

¡*Scriii!* Una forma enorme y oscura pasó por encima de su cabeza con un grito desgarrador. Jean agachó la cabeza instintivamente, preguntándose si habría murciélagos monstruosos en la isla. Parpadeó de asombro al ver un gigantesco loro azul. Mientras lo miraba, el animal extendió las alas y se posó con ligereza en la barandilla que remataba el muro. Era una criatura deslumbrante, pero ¿había loros tan grandes y azules? Sus plumas eran casi de color cobalto, y medía más de un metro de envergadura.

—*Bonjour!* —canturreó el pájaro alegremente.

—*Bonjour* —dijo Jean, divertida—. Es un placer conocerte.

—*Bonjour!*

Mientras el pájaro repetía el saludo, Gregorio dijo detrás de ella:

—Te presento a la reina *Isabelle*. Es un guacamayo. Proceden de las selvas del Nuevo Mundo.

Jean intentó refrenar un respingo instintivo al oír su voz.

—¿Has estado allí?

Él negó con la cabeza al sentarse al otro extremo del banco. En una terraza inundada de sol, era una presencia oscura e intensa.

—*Isabelle* era del capitán de un barco negrero. Con su último aliento, me pidió que cuidara del pájaro. Y eso he hecho. —El guacamayo saltó de la barandilla a su hombro y restregó el pico contra su mejilla. Encaramado sobre un humano, parecía aún más enorme.

—He visto loros en Londres, pero solían ser verdes y mucho más pequeños. Supongo que *Isabelle* es prima de los loros. —Estudió más atentamente al guacamayo. A pesar de las marcas amarillas que tenía en la cara, y que le daban una expresión parecida a la de un payaso, su pico parecía capaz de arrancar el dedo de una persona sin ningún esfuerzo—. Los loros que he visto tenían las alas recortadas. ¿Qué impide huir a este?

—Un conjuro rodea la casa. —Nikolai sacó unas nueces de su bolsillo y las ofreció en la palma de la mano. El pájaro cogió aquellas golosinas con asombrosa delicadeza—. Cuando *Isabelle* llega al borde, como este muro, decide que es hora de volver atrás.

—Así que hasta tu mascota está esclavizada —dijo ella con sorna.

Él entornó los ojos, pero se negó a morder el anzuelo.

—Serás liberada y devuelta a Marsella. Te lo has ganado por salvar mi barco y a mis hombres.

—No pensaste que eso podía ocurrir, desde luego —dijo ella, divertida—. Pero me alegra que seas hombre de palabra. ¿Cuándo puedo marcharme?

—Dentro de quince días, más o menos. —Señaló hacia los muelles—. El *Justicia* necesita reparaciones, y es el único barco grande que hay en el puerto ahora mismo.

Así pues, tenía otros barcos.

—¿De qué vive esta gente? Tiene que haber cientos de personas aquí, y todas parecen bien alimentadas.

—Nuestros ingresos proceden en su mayor parte de la navegación. Ahora tenemos media docena de barcos, varios de ellos apresados a tratantes de esclavos y convertidos en mercantes. Van mucho más armados que la mayoría de los mercantes, y siempre andan al acecho de barcos negreros que liberar. Tengo un don para encontrar esos barcos.

—Entonces ¿no fue casualidad que nos atacara ese corsario?

—Lo sentí desde muy lejos, y sabía que el patrón era un viejo enemigo. —Su semblante se ensombreció—. Espero que la galera sobreviviera a la tormenta. Algunos de mis hombres estaban a bordo, y también los miembros de la tripulación que sobrevivieron a los juicios. El plan era desembarcar a los prisioneros cerca de Argel y regresar luego aquí para equipar el barco.

Ella habló sin pensar.

—El barco sobrevivió.

—¿Lo sabes? —se apresuró a preguntar él—. ¿Eres vidente?

—No, pero tengo una sensación muy fuerte de que el barco está bien.

—¿Puedes decirme algo más? ¿Han llegado ya a Argel?

Pensando que, ya que estaba, podía poner a prueba su poder, Jean sacó su cristal de escrutar y lo miró con atención. En la oscura obsidiana, imaginó la galera corsaria apresada. Mientras retenía aquella imagen en la mente, comenzó a recibir más información.

—El borde de la tormenta rozó el barco, pero con mucha menos fuerza, porque estaba muy al sur de nosotros. —Arrugó el ceño—. No han llegado a Argel. Mañana, quizá. Los han retrasado los cautivos, que intentaron recuperar el barco en la confusión de la tormenta, pero fracasaron.

Las cejas oscuras de Nikolai se juntaron.

—¿Murió alguno de mis hombres en el motín?

Ella intentó ver algo más, pero la imagen se desvaneció.

—Lo siento, no veo con tanto detalle. Pero no creo que hubiera bajas graves.

—Ese disco de cristal ¿es mágico? —Lo miraba con avidez.

—No exactamente. Un cristal de escrutar es más bien un utensilio para concentrarse. —Abrió la mano para mostrárselo, pero no se lo ofreció—. Cuanto más se usa, más se amolda a los poderes de su dueño. Pero se puede escrutar en un vaso de vino o en una palangana de agua, o en cualquier otra superficie reflectante.

El guacamayo se inclinó hacia delante y abrió el pico para coger el cristal. Jean lo apartó rápidamente y volvió a guardarlo en su bolsita mientras Gregorio sonreía y ofrecía más nueces al pájaro.

—Cuidado, Jean Macrae. A *Isabelle* le gustan las cosas que brillan.

—Intentaré mantenerme alejada de ella. —De pronto la asaltó una idea—. Sin duda los galeotes son siempre hombres. ¿De dónde proceden las mujeres de Santola?

Se oyó una ronca voz de mujer a sus espaldas.

—Somos todas putas, desde luego.

Jean se volvió y vio a una mestiza alta y llamativa, con la tez oscura, el cabello negro y reluciente y los ojos almendrados. Tenía una mirada curiosa y no muy cordial cuando cruzó la terraza camino de la pérgola.

—Louise exagera —dijo Gregorio—. Las mujeres de Santola tienen orígenes muy distintos.

—Pero muchas éramos putas. —Louise extendió el brazo y el guacamayo voló hacia ella con otro chillido ensordecedor. Parecía incluso más contento con ella que con el capitán—. Las prostitutas suelen ser esclavas de sus chulos, aunque supongo que una dama como usted no sabe nada de eso. —Consiguió que la palabra «dama» sonara como un insulto.

Estaba claro que la bella Louise intentaba escandalizar a la invitada. Quizá fuera la amante de Gregorio y estaba celosa por que él mostrara interés por otra mujer.

No. Con un destello de certeza, Jean comprendió que Louise no era la mujer del capitán, aunque probablemente habían sido amantes en el pasado. Qué interesante.

Ella, que había viajado con el ejército jacobita, al que acompañaban muchas prostitutas, no se dejaba impresionar fácilmente.

—Dado que los hombres no pueden ser felices sin mujeres, rescatar prostitutas es matar dos pájaros de un tiro.

Gregorio, que no perdía detalle de la escena entre las dos mujeres, dijo:

—Ha funcionado bien. Aquí nadie habla del pasado, a no ser que quiera hacerlo.

La expresión de Louise se suavizó.

—Santola es la isla de las segundas oportunidades. Voy a prepararte la cena, Nikolai. —Cruzó la terraza contoneando las caderas mientras el gran guacamayo picoteaba su lustroso cabello oscuro.

El capitán se levantó.

—Ya que Louise se ha hecho cargo de la reina *Isabelle*, ¿te gustaría ver el pueblo, Jean Macrae?

—Sí, me gustaría. —Jean se levantó—. ¿Por qué siempre me llamas Jean Macrae?

Él se quedó pensando.

—Señorita Macrae es demasiado formal, y Jean demasiado íntimo.

—He estado dentro de tu mente. ¿Puede haber mayor intimidad entre dos personas?

Se dio cuenta de lo estúpido de su comentario cuando él le lanzó una mirada que la abrasó hasta la médula.

—Hasta una recatada doncella escocesa debería saber la respuesta a esa pregunta.

—Llámame Jean —dijo ella en voz baja—, que no soy tan recatada.

Él desvió la mirada, muy serio, y Jean comprendió que entendía tan poco como ella la energía que había entre los dos.

Al entrar en la casa, se preguntó si lo quería como amante. El lado físico y apasionado de su naturaleza ansiaba unirse con él, absorber aquella feroz energía, pero Jean no veía que una relación así pudiera llevar a nada bueno. Él daría forma a su alma de tal manera que le haría imposible regresar a casa siendo la Jean Macrae de siempre. Lo que había vivido hasta ese momento era una aventura emocionante (a veces demasiado), pero aún no había cambiado su vida.

La cama de Nikolai Gregorio, eso sí la cambiaría. Jean había rehecho su alma rota después del Levantamiento. No quería tener que volver a hacerlo.

No volvería a hacerlo.

Capítulo 16

Adia, Nueva York

Los británicos habían perdido. A Adia aún le costaba creerlo, pero la noticia había cundido por toda Nueva York. Algunos soldados británicos se alegraban de saber que pronto volverían a casa; otros estaban amargados por la rendición ante un puñado de rebeldes andrajosos. Si hubieran tenido armas y hombres suficientes, se lamentaban, habrían ganado.

Pero ningún inglés estaba tan preocupado como los miles de ex esclavos que habían buscado refugio en Nueva York. Todos estaban angustiados por cómo les afectaría la rendición. ¿Cuánto tiempo pasaría hasta que la ciudad, controlada por los británicos, fuera entregada a los americanos? ¿Tendrían ánimo vengativo los rebeldes triunfantes?

—¿Qué será de nosotros ahora? —le preguntó Adia a Daniel en voz baja para no despertar a Molly. Él había pasado varias semanas patrullando por las afueras de la ciudad. Ahora que había vuelto, Adia tenía la necesidad compulsiva de volver a hablar del futuro.

—No volveremos a ser esclavos —dijo él con firmeza—. El mayor Blaine dice que Carleton, el comandante en jefe británico, cree que la exigencia de los americanos de que se les devuelvan todas sus propiedades no incluye a los esclavos liberados, puesto que ya no somos bienes. —Daniel sonrió—. Creo que Carleton cree sinceramente que sería un deshonor para Inglaterra incumplir la palabra que nos dieron… pero, además, le gusta fastidiar a los americanos. Hasta el general Washington quiere que le devuelvan sus esclavos huidos. Carleton puede negarse noblemente en nombre del honor.

Adia sonrió.

—No me importan las razones de Carleton, siempre y cuando no nos abandone. —Sirvió el té a la luz del alba. Muchos negros vivían en chozas con el techo de lona, en las zonas de Manhattan que los patriotas habían quemado, furiosos, al perder la ciudad, así que Daniel y ella eran afortunados por tener aquella acogedora casita—. Ya están llegando a Nueva York cazadores de esclavos para atrapar a los huidos. —Se estremeció—. John Watson es de los que hacen esas cosas. ¿Crees que mandará a alguien detrás de nosotros? Me gusta esta ciudad, pero ¿cómo vamos a vivir aquí siempre con miedo a que nos atrapen y nos lleven de vuelta a Carolina del Sur?

—El señor Watson no sabe que estamos en Nueva York. —Daniel vaciló—. No se lo digas a nadie, pero el mayor me ha dicho que se está hablando de evacuar a los legitimistas y a los esclavos liberados a Nueva Escocia. Podrían darnos tierras para cultivarlas.

—¿Nueva Escocia? —Ella se quedó pensando—. Por lo que sé, es una tierra fría y dura, pero está muy lejos de Charleston.

—Allí estaremos a salvo, amor mío. —Le dedicó una sonrisa cálida e íntima para recordarle cómo habían celebrado su regreso esa noche—. Cuando estemos establecidos, será hora de tener otro bebé.

Aunque Adia ansiaba tener más hijos, había tomado medidas para impedirlo durante los años que llevaba en Nueva

York. La guerra hacía la vida demasiado incierta para arriesgarse a tener otro hijo. Pero pronto llegaría el momento.

—Tendremos un niño —dijo, sintiendo que una premonición se agitaba dentro de ella—. Será fuerte y guapo, como tú, y yo le contaré historias sobre lo valiente que fue su padre cuando luchaba contra los americanos, porque tú eres demasiado modesto para cantar tus propias alabanzas.

Daniel se rió y se despidió con un beso, dándole una palmada en el trasero cuando ella se fue a trabajar. Poco después de llegar a Nueva York, el comandante de Daniel, el mayor Blaine, la había contratado para que fuera su ama de llaves. El mayor era un hombre alto y austero cuyas raras sonrisas resultaban extrañamente cálidas. Trataba a Adia con gravedad y respeto, y a veces le hablaba de su esposa y de sus hijos en un tono que no usaba nunca cuando había hombres a su alrededor. Le tenía mucho cariño a Molly, que a menudo acompañaba a su madre a los aposentos del mayor. Blaine tenía una hija de edad parecida.

¿Sentía el mayor Blaine afecto suficiente por Adia y su familia para protegerlos de la esclavitud? Tal vez, pero aunque sus intenciones fueran buenas, tal vez no se hallara en situación de ayudarles. Era hora de empezar a planear un modo de escapar a Canadá.

Aunque Daniel había combatido con una compañía de ex esclavos negros, éstos no formaban parte del ejército regular británico, y su grupo pronto se disolvería. Podrían dejar la ciudad en cuanto eso pasara, pero tal vez debieran esperar a ver si los británicos cumplían las promesas hechas a los esclavos que habían combatido a su lado. Si los evacuaban en barcos británicos, su viaje sería mucho más seguro que si huían por su cuenta.

Adia se preguntó amargamente cuántas veces tendría que abandonar su hogar y sus amigos para empezar de cero. Daniel y ella habían hecho su vida allí, en Nueva York. Poco después de su llegada, los casó formalmente un sacerdote metodista ciego que había escapado de la esclavitud y se había llevado consigo a casi toda su congregación. Aunque Adia siempre había sentido que Daniel y ella eran marido y mujer, estaba orgullosa de que el mundo y la ley reconocieran su unión.

Daniel también le había explicado por qué había elegido el apellido Adams.

—Uno de los líderes rebeldes se llama John Adams, y dicen que no quiere tener esclavos. —La besó en la punta de la nariz—. Y quedaba bien con Adia. Adia Adams.

Ella se había reído y había estado de acuerdo. Tener un apellido de su elección era un símbolo de libertad. Ahora tenían una casa y un trozo de jardín. Molly estudiaba en una pequeña escuela para señoritas y ya sabía leer. Si podían quedarse en Nueva York a salvo, Daniel usaría sus habilidades como carpintero para encontrar trabajo y seguramente ella podría emplearse como sirvienta en alguna otra casa cuando el mayor Blaine se marchara.

Pero tendrían que escapar de nuevo a un lugar frío e inhóspito. Por suerte, Adia había ahorrado casi todo su salario, de modo que tenían algún dinero. Mientras Daniel, Molly y ella estuvieran juntos y fueran libres, estarían bien.

Estaba en una calle tranquila, a medio camino de la casa del mayor, cuando un blanco alto apareció delante de ella.

—¿Eres Addie Watson?

Ella se paró y el miedo corrió por sus venas.

—No conozco a nadie con ese nombre.

—Decían que eras guapa y bien hablada —dijo él mientras otro hombre la agarraba desde atrás—. Todos los huidos mentís sobre vuestros nombres. Pero te he estado siguiendo, Addie Watson. Sé quién eres. Ahora volverás con tu amo, junto con tu mocosa y tu carpintero. —Sonrió gélidamente—. Y a mí me darán una buena recompensa por todo el lote.

Ella luchaba frenéticamente con el hombre que la sujetaba. Era alto, flaco, negro, y su cara le era conocida. Había también algo conocido en los fríos ojos azules del blanco. Adia sofocó un gemido al reconocer al capitán del barco negrero que la había llevado a las Antillas. Debía de ser muy joven por entonces, porque ahora no tenía más de cuarenta años. Su malvado compañero, Kondo, no había envejecido en absoluto.

—¡Capitán Trent! ¡Cerdo!

Él pareció interesado.

—¿Te traje yo al Nuevo Mundo? Deberías darme las gracias por haberte sacado de la barbarie de África. —Hizo una seña a Kondo. A juzgar por su rica vestimenta, el comercio de esclavos le había ido muy bien—. Encadénala y llévala a la celda. Luego iremos a buscar a la cría. Con suerte, el carpintero también estará allí.

La idea de que aquellos brutos tocaran a Molly enloqueció a Adia. *¡Ayúdame, abuela!* Recurriendo a la magia que nunca había dominado del todo, se desasió de Kondo antes de que pudiera encadenarla. Al apartarse, un fogonazo violeta brilló a su alrededor.

¡Corre, niña! Mientras se oían gritos tras ella, Adia corrió hasta el final de la manzana y tomó una calle mucho más transitada. Había allí muchos negros, y era probable que la ayudaran a escapar si Trent iba tras ella. Se arriesgó a mirar atrás y vio a Trent y Kondo tambaleándose, ciegos,

donde los había dejado. No parecían quemados. Adia sintió que el fuego violeta los había desconcertado, más que causarles heridas.

Dando gracias a su abuela, hizo corriendo el resto del camino hasta la casa del mayor Blaine. Entró cuando el mayor salía de su dormitorio, listo para desayunar.

—¡Adia! —exclamó—. ¿Ha intentando alguien robarte?

Ella miró su ropa descompuesta.

—Peor aún, un cazador de esclavos ha intentado atraparme para llevarme al sur, y dijo que iría a buscar a Molly y a Daniel. ¿Permite la ley que un cazador de esclavos se apodere de mí y de mi familia?

El mayor frunció el ceño.

—La ciudad está cambiando de manos y la ley es incierta. Gobernará la fuerza.

Eso era lo que ella temía.

—Daniel me ha dicho que el ejército británico estaba haciendo preparativos para evacuar a antiguos esclavos y a legitimistas a Nueva Escocia. ¿Puede usted ayudarnos a entrar en ese barco?

—Daniel y tú cumplís los requisitos, pero los primeros barcos hacia Nueva Escocia no saldrán hasta dentro de unas cuantas semanas. Todavía estamos negociando el procedimiento con los americanos. Quieren tener derecho a investigar a todos los negros de la ciudad, hombres, mujeres y niños. Habrá registros y listas y certificados.

—¡Señor, necesitamos ayuda ahora! —Miró al mayor a los ojos—. ¿Puede hacer algo por nosotros?

Él entornó la mirada mientras pensaba.

—Aunque el transporte a Nueva Escocia no está listo, hay un navío británico que parte hacia Inglaterra esta tarde.

Conozco al capitán, y creo que puedo conseguir pasaje para tu familia y para ti. ¿Podéis marcharos tan rápidamente?

—¿A Londres? —Adia recordó la fría maldad de los ojos de Trent y dijo rotundamente—: Sí.

—Entonces, ve a buscar a Molly y a tu marido. Sólo podréis llevar lo que podáis cargar fácilmente. Voy a mandar a dos soldados para que os defiendan. Cuando estéis listos, venid aquí. Me encargaré de que os lleven al barco. —Bajó la voz—. Y que Dios os ampare.

El mayor Blaine cumplió su palabra. Sus hombres acompañaron a Adia a casa por un camino distinto al que solía seguir. Daniel quedó horrorizado al saber que habían intentado apresarla. Con la boca tensa, comenzó a recoger el poco equipaje que podían llevarse. A los dos se les daba muy bien marcharse. Adia le dijo a una vecina que se iban, y por qué, pero no dónde. Luego abandonaron para siempre su acogedora casita.

Ocho horas después, zarparon del puerto de Nueva York aprovechando la marea. Se encontraban en la parte de atrás del barco, y Daniel sujetaba en brazos a Molly mientras veían empequeñecerse la ciudad tras ellos. La niña tenía una expresión melancólica.

—No me ha dado tiempo de despedirme de mis amigas.

—Lo siento, tesoro —dijo Daniel—. Pero en Inglaterra tendrás amigos nuevos.

—¡Mira! —La tristeza de Molly se desvaneció, y señaló hacia la proa—. ¡Mira cómo saltan esos peces tan grandes!

—Vamos a mirarlos. —Daniel la dejó en el suelo y la tomó de la mano.

—Yo voy enseguida —dijo Adia.

Su marido asintió con un gesto, consciente de que quería despedirse a solas de la ciudad que tanto amaba y que tan bien les había acogido. Cuando estuvo sola, Adia se apoyó en la barandilla e intentó contener las lágrimas. No podía decir que lamentara no tener que cultivar las tierras vírgenes de Nueva Escocia. Le gustaban las ciudades, y la idea de Londres la atraía. Daniel y ella eran muy trabajadores, y el mayor Blaine les había dado veinte libras para ayudarles a comenzar su vida en Inglaterra. La familia Adams sobreviviría, y Molly tendría una vida mejor.

Se disponía a reunirse con su familia para mirar a los peces cuando un joven marinero negro pasó cerca de ella. Movida por un impulso, le preguntó:

—¿Es usted libre, señor?

Él se detuvo y su mirada cálida la recorrió.

—Sí, señora. ¿Va usted a Londres?

—Sí. —Ella señaló hacia la proa—. Con mi marido y mi hija.

Él pareció desilusionado porque no estuviera libre.

—Londres le gustará. Hay muchos africanos viviendo allí.

Ella notó que llevaba una sarta de abalorios alrededor del cuello y adivinó que de ella colgaba una bolsita medicinal. Bajando la voz, preguntó:

—¿Hay algún sacerdote africano?

Él tocó instintivamente la bolsita oculta bajo su camisa.

—Sí, señora. —La observó con los ojos entornados—. ¿Es usted bruja?

—No, pero tengo algún poder, y me gustaría aprender a usarlo.

—En Londres encontrará sacerdotes y sacerdotisas que la guíen. Que usted y su familia tengan suerte, señora. —Inclinó la cabeza y volvió a su trabajo.

Adia se volvió hacia el mar. La costa americana era sólo una línea fina y oscura. Dentro de ella se agitaban sentimientos profundos y poderosos, y por primera vez sintió que no estaba huyendo de algo, sino avanzando hacia algo mejor. *¿Encontraré lo que busco en Londres, abuela?*

Sí, niña. Libertad, maestros y destino. Todo lo encontrarás allí.

Sobre todo, el destino.

Capítulo 17

Nikolai se preguntaba qué pensaba Jean Macrae de su casa, con sus frescas baldosas, sus paredes blancas y sus telas de colores. La sencillez le parecía sedante, pero el estilo de la casa era el de los campesinos, no el de la nobleza.

Mientras se decía que le importaba muy poco lo que ella opinara, la condujo a la calle empedrada. Ella lo observaba todo con interés mientras bajaban la cuesta.

Los aldeanos la observaban a ella, a su vez. Aunque en Santola había muchas nacionalidades, el cabello rojo era muy raro, y todo el mundo la reconocía como la forastera que no había sido esclava. Al acercarse a los muelles, Nikolai tomó nota de que debía conseguirle un sombrero para que no se quemara la cara. Luego recordó que ella se iría unos días después.

Se iría, llevándose consigo su feroz independencia, su atractiva figura... y sus conocimientos de magia.

Cuando se detuvieron en la terraza que se asomaba al muelle en el que estaban reparando el barco, Nikolai dijo con aspereza:

—No te vayas, Jean. Todavía no. Quiero aprender más magia. Mi educación ha sido errática. Tengo que aprender a utilizar todo mi poder. Así cumpliré mejor mi labor.

—Seguramente también quieres aprender por tu propio bien. —Ella lo miró pensativa—. El talento suele ir acompañado de una poderosa necesidad de usarlo. Necesitas adiestramiento, pero dudo que yo sea la mejor maestra. Hay demasiadas cosas entre nosotros.

—Tú eres la mejor porque eres la única que hay —dijo él sin rodeos. Un recua de asnos pasaba por allí, y Nikolai le quitó a uno el sombrero de paja y lo dejó caer sobre la cabeza de Jean—. Si no tienes cuidado, esa piel tuya tan fina y blanca se pondrá colorada.

Ella se rió y se ajustó el sombrero para que no le cayera sobre los ojos.

—Voy a oler a burro. Pero supongo que es preferible a quemarse.

—Te quiero sana para que contestes a mis preguntas, no moribunda por culpa de una insolación.

—Ya que lo mencionas, estoy cansada. Quisiera volver ya.

Nikolai recordó que había pasado varios días inconsciente y se volvió para conducirla de nuevo colina arriba.

—Cuando luchaste con la tormenta, ¿qué ocurrió?

Ella pareció pensativa.

—No estoy del todo segura, pero la tormenta demostró que he heredado una buena porción de la sensibilidad de los Macrae para controlar el tiempo atmosférico. Me he vuelto más sensible a él desde que partí de Londres. Puede que mi talento funcione mejor ahora que estoy mucho más al sur.

»Pero aunque siento qué patrones sigue el tiempo, no tengo el poder bruto que hace falta para controlar grandes frentes. Por eso tuve que recurrir al tuyo. —Frunció las cejas—. Siento que no hubiera tiempo para prepararte. Me han dicho que es perturbador y a menudo doloroso que se apropien del poder de uno tan bruscamente. Normalmente, el poder sólo se comparte después de una conversación minuciosa y de una preparación gradual. Y sólo entre amigos.

Aunque había sido doloroso, Nikolai no dio importancia a sus palabras.

—Hiciste lo que había que hacer. Pero, al final, sentí también otra energía, como si hubiera presente otra persona. ¿Fueron imaginaciones mías?

—Eres muy sensible —dijo ella con un gesto de aprobación—. Estaba a punto de perder el control sobre el centro de la tormenta, y sabía que no tenía fuerzas para volver a dominarla. Así que, por pura desesperación, intenté conseguir la ayuda de mi hermano, que es el mago del tiempo más poderoso de Inglaterra.

—¿Tu hermano se unió a nosotros? —preguntó él, indignado. Había hecho hasta cierto punto las paces con Jean Macrae, pero su hermano era otro cantar.

—Sin él, el barco se habría hundido y nos habríamos ahogado todos —repuso ella—. Yo no habría podido contactar con él desde tan lejos si no hubiera sido por el vínculo entre nosotros. Así que él también fue esencial para salvarnos de la tormenta. Seguramente eso implica que deberías abandonar tu deseo de vengarte utilizándolo a él.

—Maldita sea, Jean Macrae, ¿es que ningún miembro de tu familia va a pagar por las faltas de tu padre? —estalló él, furioso por aquella petición hecha con tanto descaro.

—Si mi padre viviera, yo os metería a los dos en una habitación para que hablarais de lo que pasó cuando te apresaron. Tal vez descubrieras que la verdad es muy distinta a lo que recuerdas. Pero aunque mi padre te traicionara... —Entornó los ojos—. Duncan y yo no te hemos hecho ningún daño. Ninguno. Salvamos de la tormenta tu barco, tu tripulación y todas tus futuras batallas contra la esclavitud; por no hablar de tu preciado cuello. Eso salda cualquier deuda de sangre de la que te creas acreedor.

La rabia se apoderó de Nikolai. Sintió ganas de golpear con los puños las paredes enlucidas de la casa más cercana, o de matar a un tratante de esclavos con sus propias manos. Cualquier cosa con tal de desfogar la violencia de su furia contenida.

Había vivido para la venganza, se había aferrado a ella como a un salvavidas cuando yacía ensangrentado por culpa del látigo en una galera, o agonizaba de sed en el desierto. Quería matar a Macrae, que le había prometido un hogar seguro y luego había roto su promesa sin más. Y sentía los mismos deseos de destruir a Duncan Macrae, el niño mimado, el hijo verdadero, que había tenido sin esfuerzo lo que Nikolai había deseado tan fervientemente.

Pero no podía negar que lo que decía la bruja era cierto. Su hermano y ella no le habían hecho ningún daño, y juntos habían salvado el *Justicia* y a su tripulación. Habían hecho falta los tres: no habría bastado con Jean Macrae y él.

Se obligó a recordar el contacto de la mente de su hermano al final de la pugna con la tormenta. ¿Qué clase de hombre era Duncan Macrae? Reconoció para sus adentros, sombríamente, que en su energía no había nada que pareciera odioso. En otras circunstancias, tal vez se hubieran hecho amigos.

Aunque ansiaba justicia, Nikolai valoraba también el honor. Aceptó amargamente que Macrae, el verdadero traidor, ya no estaba a su alcance. La justicia que recibiera el lord escocés estaba en manos de Dios, si es que tal ser existía y creía en la justicia.

—Muy bien —dijo con repugnancia—. No me vengaré de tu hermano, ni de su familia. Pero tampoco voy a perdonar, ni a olvidar.

—Como quieras. Ódianos, si tienes que hacerlo, mientras no hagas daño a mi familia. —Se detuvo, tambaleándose, y alargó la mano hacia una pared para apoyarse—. Necesito... necesito descansar.

La maldita mujer parecía a punto de desmayarse. ¿Por qué había sugerido él que recorrieran el pueblo cuando acababa de despertar tras pasar tres días inconsciente? La levantó en brazos y pensó que debía de haber quemado mucho peso al usar su magia, porque apenas pesaba.

Ella se resistió débilmente.

—¡Suéltame!

Tenía razón, no debería haberla tocado. El contacto entre ellos era profundamente perturbador. Él no debía estar sintiendo aquel deseo por una mujer que estaba tan débil. Una mujer por la que tenía sentimientos tan complicados. Pero cuanto más tiempo pasaban juntos, más difícil le resultaba mirarla con distancia.

Si la dejaba en el suelo, seguramente se desplomaría. Un asno sin carga bajaba por la colina, y Nikolai hizo una seña al conductor. El hombre acercó obedientemente el asno para que Nikolai pusiera a la bruja sobre su grupa.

Ella se agarró a la desaliñada crin del animal.

—Gracias. —Sonrió calurosamente al conductor, haciendo caso omiso de Nikolai. El conductor, un bereber norteafricano con muy mal genio, la miró con embeleso. Decididamente, aquella mujer era una bruja.

Cuando el pequeño grupo llegó a casa de Nikolai, ella pudo apearse del burro y dar las gracias a su dueño con otra sonrisa. Al entrar en el edificio, miró con desaliento las escaleras que llevaban a su cuarto.

—¿Puedes subir los escalones o te llevo en brazos?

Ella arrugó el ceño y empezó a subir, apoyándose en el pasamanos. Nikolai se quedó dos peldaños por detrás de ella hasta que Jean llegó arriba. Una vez seguro de que estaba a salvo, dijo:

—Tienes que comer más. Y tomar quizás una taza de té. Es un remedio muy británico, según creo.

Ella se volvió y sonrió torciendo la boca por encima del hombro.

—Me gustaría, sí.

Mientras bajaba a la cocina, Nikolai pensó que, cuanto antes se fuera ella de su isla, tanto mejor.

No soportaba la idea de que se marchara.

El té hirviendo, endulzado con miel y servido con pan y queso, sirvió en gran medida para que Jean se repusiera. A la tercera taza, pudo pensar en Gregorio con ecuanimidad. Él había aceptado renunciar a vengarse de Duncan, de modo que su familia y ella estaban a salvo. Pronto ella estaría en Marsella y podría contarles a sus amigos las aventuras que había corrido, antes de regresar a casa. De momento, se hallaba sentada en una de las sillas de su cuarto; sentarse en la cama habría sido demasiado sugerente.

Naturalmente, estaba también la cuestión de que el capitán quería que le enseñara a utilizar la magia.

—Podría buscar a un Guardián que te enseñe a usar tu poder. Seguro que en Marsella habrá hombres dispuestos a hacerlo.

—Sería más fácil trabajar con un hombre que con una mujer. —Él frunció el ceño por encima de su té—. Pero tú ya estás aquí.

Jean se puso a juguetear con su daga. Curiosamente, aunque había demostrado tener parte del talento de los Macrae para el tiempo, no parecía ser tan sensible al hierro como los magos de la familia. La magia era tan compleja que uno nunca llegaba a entenderla por completo.

Pero... podía intentarlo.

—¿Quieres que intente evaluar tus capacidades? —preguntó—. Necesito tu permiso para entrar en tu mente, aunque no será doloroso. No como la noche de la tormenta.

Él arrugó más aún el ceño mientras sopesaba su ofrecimiento.

—¿Podrás leerme el pensamiento o ver cosas del pasado?

—Los pensamientos muy rara vez pueden leerse, aunque percibiré tus emociones, claro. —Jean se acabó su té—. Tampoco es probable que vea con detalle cosas que han pasado; sobre todo, porque no voy a buscarlas. Mi único objetivo sería calibrar las dimensiones de tu poder. Si lo consigo, tendremos una idea más clara de tu potencial.

—Quiero ser capaz de utilizar el poder que reprimí para sobrevivir. —Sus cejas oscuras volvieron a fruncirse. Odiaba admitir que necesitaba a otra persona—. Y no puedo hacerlo solo.

—No estoy segura de que yo pueda ser el maestro que necesitas, pero al menos puedo evaluar tu poder. —Le tendió las manos—. ¿Estás dispuesto?

Él vaciló.

—No es fácil confiar en ti.

Pero quería cualquier información que ella pudiera darle.

—¿Y crees que a mí me es más fácil confiar en ti? —replicó ella—. Me secuestraste, amenazaste con violarme y convertirme en una esclava, amenazaste la vida de mi familia… Estoy dispuesta a ayudarte porque tu misión es noble, pero si no confías en mí, márchate y déjame tranquila.

—Bruja —dijo él con la boca crispada, pero la agarró de las manos.

La energía se inflamó de nuevo entre ellos. En lugar de resistirse a ella, Jean se zambulló en aquella corriente poderosa y dejó que la arrastrara al laberinto de la mente de Nikolai.

A pesar de sus complejidades, la llama de pasión, de idealismo y de rabia que ardía dentro de él era hasta cierto punto fácil de interpretar.

—Eres un rastreador natural. La capacidad de encontrar cosas, como barcos corsarios, puede fortalecerse. Hay grandes reservas de poder en tu naturaleza, incluida la capacidad para dejar a otros inconscientes por pura energía mental. Pero gran parte de ese potencial está… Supongo que «amurallado» es la palabra que mejor lo describe.

Jean indagó un poco más, sin éxito.

—Esto no se limita al hecho de que reprimieras tu poder para defenderte cuando crecías; es algo que va más allá. Hay otro elemento, un elemento con el que no estoy familiarizada. Siento poder al otro lado de la barrera. Incluso absorbí parte de esa energía durante la tormenta, cuando estaba desesperada. Pero ahora no puedo calibrarla.

—¿Cómo se derriba ese muro?

—No lo sé. Nunca había visto algo así. —Dejó que su mente fluyera alrededor de aquel misterioso pozo de energía—. Creo que la barrera está relacionada con tus orígenes africanos. La naturaleza de la magia africana es algo distinta a la magia de los Guardianes que yo conozco. Te convendría más buscar un mago africano.

—¿Y cómo demonios se hace eso? —masculló él.

—Uno de mis amigos de Marsella es africano. Su familia tiene, además, un negocio naviero, así que mi amigo encargó a sus capitanes que buscaran un sacerdote africano. El sacerdote visitó Marsella y se quedó el tiempo necesario para enseñar a Moses lo que necesitaba saber. Puede que Sekou esté dispuesto a venir aquí. Seguramente Moses sabe cómo encontrarlo.

—Eso suponiendo que tu amigo Moses quiera ayudar a un hombre que te ha secuestrado. —Nikolai le soltó las manos, ceñudo—. Cuando te hablé de la esclavitud, te pusiste enferma. ¿La odias lo suficiente como para ayudarme a combatirla?

Ella enarcó las cejas.

—Quizá no puedas poner fin a la esclavitud tú solo, pero has demostrado que puedes cambiar la vida de muchas personas. Yo ni siquiera puedo hacer eso. Aunque simpatizo con tu causa, no sirvo para nada.

—Tus enseñanzas pueden ser muy útiles. Buscaré un mago africano, pero eso puede llevar años. Todo lo que aprenda ahora me hará más eficaz mientras espero el tutor adecuado.

Nikolai ardía de pasión por su causa, y Jean lo envidiaba por ello. Nunca había sido tan feliz como cuando había luchado por la libertad de Escocia. En el alma de todo escocés había una necesidad ardiente de libertad, y esa pasión hacía que la causa de Gregorio encontrara eco en su interior. Sin embargo, lo que ella podía hacer tenía un límite.

—Yo no soy africana, y quiero irme a casa. Pero mientras esté aquí, te enseñaré lo que pueda.

Los ojos de Nikolai ardían.

—¿Estás dispuesta a jurarlo con sangre?

—¿Es necesario? Si mi palabra no te sirve, jurarlo con sangre no cambiará nada. —Un vago recuerdo afloró de pronto—. A no ser que haya en la sangre una magia que yo desconozco.

—Hay magia en el ritual, aunque vosotros, los protestantes del norte, no parecéis reconocerlo. —Sacó su navaja y se hizo un corte en la palma de la mano izquierda; luego le ofreció el arma por la empuñadura—. Y sí, siento que esto es necesario, aunque no puedo explicar por qué.

Jean sabía que no era prudente cuestionar la intuición de un mago, aunque fuera un mago atrofiado.

—Usaré mi navaja. —Dio media vuelta y se inclinó para levantarse el bajo del vestido; luego se volvió con el cuchillo.

Armándose de valor para no dar un respingo, se hizo un corte pequeño y limpio en la palma izquierda. Le tendió la mano. La izquierda, la más cercana al corazón. Se preguntaba si Gregorio era consciente de por qué había elegido la mano izquierda.

Mientras empezaba a hablar, un torrente de energía pura y trascendente la atravesó.

—Juro que combatiré la esclavitud de cualquier modo que esté a mi alcance, aunque me cueste la vida. —No estaba segura de dónde procedían aquellas palabras, pero su origen se hallaba por encima de su mente consciente. Miró a Gregorio a los ojos—. También me comprometo a compartir contigo todos los conocimientos que poseo que puedan ayudarte en tu justa cruzada.

Se estrecharon las manos, sangre con sangre... y el mundo se volvió del revés. El poder retumbó en la habitación como una tormenta de truenos, cegando sus sentidos y sumiéndolos en el caos. Jean cayó de la silla, de rodillas. Estaba en un túnel de energía que comunicaba, rugiendo, el pasado desconocido con el futuro indiscernible. A través de ella resonaban gritos de almas y acontecimientos que no podía imaginar y que desgarraban su mente y su cuerpo. Su mano se aferró a la de Gregorio, y, aturdida, no supo quién estaba salvando a quién.

Se oyó el eco de un golpe sordo y la energía se disipó. Cuando su visión se aclaró, Jean se descubrió arrodillada en el suelo, con los dedos todavía entrelazados con los de Gregorio. Él estaba acurrucado a su lado, con el rostro demacrado.

Y a su lado, surgida de la nada, había una mujer africana. Aunque llevaba un pulcro vestido al estilo europeo y un pañuelo blanco en la cabeza, las sartas de abalorios que llevaba alrededor del cuello y las muñecas le daban una apariencia exótica. Tenía algo más de cuarenta años, la piel tersa y negra y un cuerpo fuerte y bien torneado, y yacía de espaldas, tan inerme como si estuviera muerta. De su hombro colgaba una bolsa de piel bordada.

Preguntándose de dónde diablos había salido aquella mujer, Jean recorrió a gatas los pocos pasos que los separaban y le buscó el pulso con manos temblorosas.

La mujer tosió; luego inhaló y abrió unos ojos grandes y asombrados. Su mirada pasó de Jean a Gregorio y allí se quedó. Con expresión de alivio, preguntó:

—¿En qué tiempo estoy?

—Estás en la isla de Santola —respondió Jean.

—No pregunto dónde —dijo la mujer con esfuerzo—. Sino cuándo.

Capítulo 18

¿Cuándo?

Jean contestó mientras Nikolai la miraba fijamente.

—Estamos en el año del Señor de 1753.

—La magia funcionó —Susurró la mujer. Cerró los ojos y se quedó quieta. Su pecho subía y bajaba suavemente.

Desconcertada, Jean miró a Nikolai.

—¿Sabes quién es?

—Es la primera vez que la veo. —Nikolai logró ponerse en pie sin caerse, aunque estuvo a punto. Le habían arrebatado hasta la última chispa de energía, como cuando había ayudado a la bruja escocesa a combatir la tormenta—. Lo cual es interesante, porque en Santola conozco a todo el mundo. Es una extraña en una isla en la que no hay extraños.

Le tendió la mano a Jean.

Ella aceptó su ayuda para ponerse en pie. Aunque parecía tan agotada como lo estaba él, una chispa zumbó entre ellos cuando se tocaron.

—Parece que acabara de ejecutar un gran acto de magia y que haya estado a punto de morir —dijo Jean mientras observaba a la mujer inmóvil—. El hecho de que sintamos lo mismo sugiere que, para llegar aquí, ha tenido que usar energía de los dos.

Dado que la mujer no era de la isla, sólo cabía una posibilidad, aunque pareciera increíble.

—¿Podría haber viajado hasta aquí desde otro lugar por arte de magia? —preguntó Nikolai.

—He oído decir que algunos magos muy poderosos pueden viajar de un lugar a otro, aunque nunca he conocido a nadie que pudiera. Es una de esas habilidades mágicas que tal vez sean leyenda, más que realidad. Pero no encuentro otra explicación. —Jean frunció el ceño—. Deberíamos intentar llevarla a la cama.

—No sé si podremos, en nuestro estado. La alfombra servirá, de momento. —Nikolai arrancó una manta de la cama y tapó con ella a la mujer.

Jean puso una almohada bajo la cabeza de la desconocida.

—No creo que sea sólo de otro lugar. Mira el corte de su vestido. Nunca he visto uno igual. Puede que venga de otro tiempo. Del futuro.

Nikolai silbó suavemente.

—Eso explicaría por qué ha preguntado en qué año estamos. ¿Es posible un viaje así?

—Nunca he oído hablar de viajes en el tiempo, pero eso no significa gran cosa. No soy una entendida en la materia. —Jean volvió a arrodillarse junto a la mujer y miró el brazalete que ésta llevaba en la muñeca izquierda. Eran grandes abalorios negros, con extraños dibujos, ensartados entre cuentas más pequeñas de piedra negra y transparente—. Esto es un brazalete mágico. Si se mira con visión mágica, arde de poder. ¿Lo ves? Relaja los ojos y no mires su superficie, sino su energía.

Él miró el brazalete e intentó relajar los ojos. Al ver que fruncía el entrecejo, Jean dijo:

—Intenta atravesarlo con la mirada, más que verlo.

Nikolai siguió su consejo y dejó que su mirada se desenfocara. Y de pronto se dio cuenta de que, en efecto, el brazalete ardía, lleno de poder. Lo vio con una luz brillante y blanca, y las cuentas más grandes eran las que más brillaban.

Había también un resplandor leve y llamativo alrededor de la mujer desmayada. Y un fulgor más fuerte rodeaba a Jean Macrae. Miró su propia mano y vio un pálpito de color transparente alrededor de su cuerpo; pero su tono era más oscuro, más rojo.

—Dios mío —susurró—. Sí, lo veo. ¿Visión mágica? Para ser la primera lección, no está mal.

Se inclinó y alargó la mano hacia el brazalete. Jean lo agarró con fuerza de la muñeca.

—¡No lo toques! No, hasta que sepamos algo más. Está hechizado. —Señaló una abertura del brazalete. El cordel que ensartaba los abalorios parecía ligeramente chamuscado—. Parece que una de las cuentas grandes se ha quemado. Puede que eso sea parte del conjuro que la ha traído hasta aquí. Tampoco toques su bolsa. —Frunció el ceño mientras estudiaba a la mujer dormida—. ¿Cuál es su historia, señora?

—Supongo que nos la contará cuando despierte. Por ahora, necesita descanso y alimento. —Nikolai tuvo fuerzas suficientes para servir lo que quedaba del té frío en una taza. Levantó la cabeza de la mujer y le acercó la taza a los labios. Ella se bebió la mitad del líquido sin abrir los ojos. Nikolai tomó nota de que debía pedirle a la cocinera que hiciera más caldo.

Cuando se incorporó, Jean lo miró con ironía.

—¿Seguro que quieres aprender más magia? Los grandes magos no lo tienen fácil.

—Oh, sí —dijo él en voz baja—. Quiero saber más. —Observó a aquella mujer misteriosa, que descansaba apaciblemente—. Y puede que los ancestros me hayan mandado una maestra.

Cuando Adia despertó, la cabeza le resonaba como un tambor, pero se alegró al ver que, efectivamente, había ido a parar a otro tiempo y a otro lugar. Su paso fantasmal a través de otros mundos no había sido en balde. Se incorporó con cuidado, apoyándose en un codo. Estaba tumbada sobre una mullida alfombra oriental, bien arropada con una manta; tenía una almohada bajo la cabeza y con un brazo rodeaba la bolsa de sus amuletos.

Oyó una voz suave.

—Buenos días. Soy Jean Macrae. ¿Te apetece beber algo?

Jean Macrae era la guapa muchacha pelirroja a la que Adia había visto al llegar a aquel lugar. Parecía muy joven, pero tenía aspecto de ser muy competente.

—Sí, por favor. —Adia tenía la garganta tan seca que apenas podía hablar.

La chica le llevó un vaso de zumo de fruta fresco. Tras beber un largo trago que le supo delicioso, Adia se quitó el pañuelo de la cabeza y sacudió las pequeñas trenzas que confinaban su cabello largo. Su peinado parecía haber sufrido menos estragos en el viaje que el resto de su persona. Acabó el zumo de fruta.

—Soy Adia Adams.

—¿Vienes del futuro?

Mientras estudiaba la cara de la chica, Adia comprendió que Jean Macrae no era tan joven como parecía a primera vista.

—Eres lista. Eres una hechicera poderosa, claro.

La muchacha se rió.

—No tan poderosa. Pero he vivido entre grandes magos.

Sintiéndose más fuerte, Adia se puso en pie.

—Tengo muchas cosas que explicaros. ¿Quieres llamar a tu marido para que os cuente mi historia enseguida?

—El capitán Gregorio no es mi marido —dijo la chica con énfasis.

—¿No? —preguntó Adia, sorprendida—. Cuando os miré, había un vínculo visible.

—Puede ser, pero no es el vínculo de los amantes, o de los esposos. Puede que sea el de los adversarios. O, a veces, el de amigos mal avenidos. —La chica se dirigió a la puerta—. Mientras voy a buscarlo, diré que te suban algo de comer. —Sacudió la cabeza al salir—. ¡Mi marido!

Divertida por la resistencia de la muchacha a aceptar lo evidente, Adia inspeccionó la habitación. Sofocó una exclamación de sorpresa cuando salió a la terraza y vio el mar y el anillo discontinuo de las islas. ¿Dónde estaba aquel lugar? Las dos personas que había visto eran blancas y hablaban inglés, pero mucha de la gente que veía en el pueblo era de origen africano.

Aquella isla le recordaba un poco a las Antillas, pero la luz era distinta. ¿Estaría en el Mediterráneo? Ella, desde luego, no había visto nunca aquel lugar. Una oleada de aturdimiento se apoderó de ella, y se sentó en un banco para no desmayarse. Estaban en 1753. Aunque ella misma había elegido aquel camino, la convicción de que seguramente no volvería a ver su casa, ni a su familia, desgarraba cada fibra de su ser. Se dobló sobre sí misma, abrazándose mientras se sacudía, presa del dolor y del asombro.

Lentamente, el aturdimiento pasó. Sus motivos para arriesgarse a una magia tan peligrosa seguían siendo tan poderosos como siempre, y al menos parecía haber llegado a un lugar acogedor. Sobreviviría, como hacía siempre.

Confiaba en que la comida no tardara mucho en llegar. Estaba muerta de hambre.

Nikolai levantó la vista cuando se abrió la puerta de su despacho. Aunque había intentado trabajar en las cuentas con Louise, le costaba trabajo concentrarse y Louise estaba enojada con él.

Jean entró en el despacho. Saludó a Louise inclinando educadamente la cabeza.

—Nuestra invitada, Adia Adams, se ha despertado y quiere hablar contigo y conmigo, capitán.

Él se levantó casi de un salto. Las veinticuatro horas transcurridas desde la llegada de aquella misteriosa mujer habían pasado con penosa lentitud.

—Bien. Louise, tus cuentas parecen estar bien, así que ya no me necesitas.

—Me sorprende que un hombre capaz de luchar con los tratantes de esclavos a puñetazo limpio, aproveche cualquier excusa para huir de un libro de cuentas —dijo Louise agriamente.

—Quizá, si el libro de cuentas devolviera los golpes, sería más interesante —repuso él mientras cruzaba la habitación.

Isabelle voló de su percha y fue a posarse en su hombro. Nikolai le acarició el cuello.

—Quédate y haz compañía a Louise, *ma belle.* —Devolvió el pájaro a su percha, donde se meció temerariamente de una pata a otra.

—*Isabelle* será mejor compañía que tú —dijo Louise al inclinarse de nuevo sobre el libro de cuentas—. Mademoiselle Macrae, tengo una loción que protege la piel delicada del sol. Le mandaré un poco.

—Gracias. Se lo agradecería —dijo Jean, un poco sorprendida por el ofrecimiento.

Nikolai la hizo salir delante de él y subir las escaleras. Mientras subía, Jean preguntó mirando hacia atrás:

—¿Louise es tu ama de llaves?

—Entre otras cosas. Tiene talento para los números, así que su trabajo consiste principalmente en cuidar de las cuentas del negocio naviero que sirve de sustento a casi toda la isla. Vive dos casas más abajo, así que viene a menudo. Cuida de *Isabelle* cuando yo no estoy. A ese pájaro majadero le gusta más ella que yo, creo.

Al entrar en la habitación y no ver a su invitada, se acercó a la terraza. Adia estaba junto al muro, contemplando la isla y la caldera.

Cuando Jean y Nikolai salieron a la terraza, se volvió para saludarlos. Era una mujer alta y de presencia imponente.

—Este lugar es muy hermoso —dijo. Hablaba inglés con un levísimo acento—. Creo que lo llaman Santola, capitán Gregorio.

Él asintió con la cabeza.

—La isla es un refugio para quienes han escapado de la esclavitud. Se encuentra en el Mediterráneo occidental.

—¿Un refugio para esclavos liberados? No me extraña que me hayan traído aquí.

Nikolai tuvo una intuición.

—Yo fui un esclavo. ¿Tú también?

Ella asintió.

—Puesto que estamos en el Mediterráneo y eres blanco, debieron de apresarte piratas berberiscos.

—Sí. Pero no soy del todo blanco. Mi abuela era africana, como tú.

Los ojos de Adia se agrandaron al oír aquello.

—Me pregunto si será por eso por lo que la magia me ha traído aquí.

—¿De qué lugar y de qué época vienes, madame Adia? —preguntó Jean—. Me muero de curiosidad.

—Sentaos, por favor. La conversación va a ser larga. —Adia se acercó a la zona techada y se sentó en una silla, frente al banco. Nikolai y Jean tomaron asiento en el banco, lo más lejos posible el uno del otro—. Vengo de Londres, del año 1787.

Sus palabras cayeron en un completo silencio. Aunque Jean y él habían deducido que Adia había viajado a través del tiempo, oírselo decir resultaba chocante. De pronto surgieron tantas preguntas que Nikolai se sintió mareado. En primer lugar…

—¿Por qué has venido?

La mirada de Adia era penetrante.

—Mi misión consiste en encontrar guerreros que se unan a la lucha contra la esclavitud.

Sus palabras traspasaron a Nikolai como un rayo.

—Dios mío, ¿en tu época se combate la esclavitud?

—Creo que podemos estar presenciando el principio del fin, aunque la lucha será larga. —Se quedó absorta—. Pero me parece que será mejor que empiece por el principio. Nací en África occidental, no muy lejos de la Costa de los Esclavos. Cuando era pequeña, me apresaron unos tratantes de esclavos y me llevaron a América. Primero a las Antillas; luego, a las Carolinas. —Se detuvo—. ¿Dicen que estamos en 1753? ¡A mí acaban de esclavizarme!

—Me cuesta entender la idea del viaje en el tiempo —dijo Jean—. ¿Puedes estar en dos sitios al mismo tiempo?

—Debe ser así —dijo Adia con pesar—. Pero yo tampoco lo entiendo, en realidad.

Nikolai estaba impaciente por escuchar el resto de su historia.

—Fuiste esclava en América, pero ¿vienes de Londres? ¿Cómo escapaste?

Adia jugueteó con sus brazaletes de cuentas. Sus largos dedos no paraban ni un instante.

—Es una historia complicada. Trece de las colonias americanas se rebelaron contra Inglaterra en 1776. Querían emanciparse. Se hicieron muchos discursos llenos de nobleza, pero, naturalmente, querían la libertad para los blancos, no para los esclavos africanos. —Su voz era amarga—. Así pues, los británicos ofrecieron la libertad a los esclavos que se pusieran de su lado y combatieran contra los rebeldes.

Nikolai silbó suavemente.

—¿Fueron muchos los que aceptaron la oferta de los británicos?

—Muchos, muchos. Algunos fueron apresados y castigados; unos pocos acabaron en la horca, pero nada pudo impedir que siguieran intentándolo. Hasta los esclavos de Washington, el gran general americano, de quien dicen que en muchos sentidos era un buen hombre, huyeron buscando la libertad.

Adia se levantó de su silla y comenzó a pasearse por la terraza con pasos tensos.

—Mi marido y yo pertenecíamos al mismo amo, pero yo estaba en la ciudad y Daniel en la plantación, así que nos veíamos muy poco. Él huyó con los británicos y mandó avisarme cuando pudo darnos un hogar a nuestra hija y a mí. Siete largos años, duró la rebelión.

La experiencia de Nikolai le procuraba imágenes muy vívidas para acompañar la descarnada narración de Adia. Su marido y ella eran muy valientes, y muy fuertes.

—Entonces, ¿conseguisteis la libertad cuando los británicos derrotaron a los colonos?

—No. —Adia tenía una expresión irónica—. Los rebeldes ganaron, y los británicos se marcharon.

—¿Inglaterra perdió? —Jean sofocó una exclamación de sorpresa—. ¿Cómo les derrotaron los colonos?

—Para ellos, la guerra era más importante. Luchaban por sus hogares y sus propiedades, y las batallas se libraban en el umbral de sus casas. —Adia se recostó en la barandilla con mirada distante—. Naturalmente, los amos consideraban a los esclavos parte de su propiedad. Les interesaba tanto que volviéramos que el tratado de paz exigía el derecho a recuperar a los esclavos. En cuanto los británicos se rindieron, los propietarios de esclavos americanos empezaron a mandar cazadores de esclavos a Nueva York para apresarnos y volver a ponernos las cadenas.

—¿Cómo escapasteis de América? —preguntó Jean en voz baja.

El semblante de Adia se iluminó.

—Muchos oficiales británicos pensaban que estaba mal incumplir la palabra que nos habían dado, aunque no fuéramos más que africanos, así que hicieron preparativos para evacuar a antiguos esclavos y a legitimistas. Casi todos fueron enviados a Nueva Escocia, pero unos pocos, como Daniel y yo, embarcamos hacia Inglaterra.

—¿Habéis vivido en Londres desde entonces? —preguntó Jean.

Adia asintió con un gesto.

—El primer año casi nos morimos de hambre porque no había trabajo, pero al menos éramos libres y estábamos juntos. Daniel es un buen carpintero y por fin encontró trabajo fijo. Yo trabajo en una panadería. Tenemos una casa y otro hijo, un varón. —Su voz se endureció—. Pero no hemos olvidado la esclavitud.

—Entonces, ¿tu marido y tú fundasteis un movimiento antiesclavista? —preguntó Nikolai.

—Nosotros no. Ésta es una batalla que los africanos no podemos librar solos, porque no tenemos poder. Muchos nos consideran animales. —Escogió sus palabras cuidadosamente—. Los blancos tienen que implicarse para que las cosas cambien. De hecho, deben liderar el cambio, porque los blancos escuchan mejor a otros blancos. En la primavera de 1787, una docena de ingleses, la mayoría de ellos cuáqueros, fundaron un movimiento antiesclavista, pero es muy frágil. Nuestra mejor vidente dice que la muerte de un solo hombre podría acabar con el movimiento por espacio de una generación o más.

—Entonces, has venido a buscar aliados para luchar contra la esclavitud —dijo Nikolai lentamente—. Pero ¿por qué has viajado hasta aquí? Sin duda en tu tiempo tiene que haber personas que estén tan dispuestas a dar su vida como lo estoy yo.

—No basta con estar dispuesto a morir. Hace falta algo más.

—Entonces, ¿buscáis magos para que os ayuden? —preguntó Jean con el ceño fruncido.

—Tenemos magia —contestó Adia—. Hay varios miles de africanos viviendo en Londres. Procedemos de muchas tribus distintas. La tribu de los iskes, de la que procedo, es pequeña; tenemos a un lado a los yoruba y a otro a los ife, pero somos famosos por nuestra magia. Aunque pertenezco a un linaje de sacerdotes, me robaron de mi casa cuando era tan pequeña que no estaba adiestrada para utilizar mi poder. Podía hacer pequeños hechizos (la magia nos ayudó a mi hija y a mí a escapar para reunirnos con mi marido), pero no era una verdadera sacerdotisa.

Jean la miró con curiosidad.

—Yo he descubierto que mi magia funciona mejor en momentos de crisis. ¿A ti te pasó lo mismo?

—En efecto. La desesperación es muy eficaz —dijo Adia con un asomo de sonrisa—. Pero desde entonces he aprendido mucho, porque nuestra comunidad, en Londres, tiene la suerte de contar con varios sacerdotes y sacerdotisas. Ellos me iniciaron en mi poder, y entré en el círculo de los ancianos. Dada la debilidad del movimiento antiesclavista, los ancianos decidieron apelar a los ancestros para encontrar a quienes puedan proteger y nutrir el movimiento. Ahí es donde entráis vosotros.

—Haré todo lo que pueda —dijo Nikolai con vehemencia—. Pero ¿por qué yo?

—Eres de mi misma sangre, Nikolai Gregorio. —Cerró los ojos como si escuchara una voz interior—. Los dos somos iskes. Creo que mi abuela era sobrina de la tuya, así que somos primos.

—¿Cómo lo sabes? —preguntó él, sorprendido.

—Mi abuela acaba de decírmelo —contestó ella con sencillez—. Cuando los ancianos hicieron la gran invocación, en Londres, no sabíamos si tendríamos éxito, ni estábamos seguros de en qué consistiría el éxito. Creo que he sido arrastrada hasta aquí porque somos parientes consanguíneos y los ancestros necesitaban ese vínculo para hacer que la magia funcionara.

Jean la miró.

—¿Podrás regresar a tu época, con tu familia?

El semblante de Adia se ensombreció.

—Espero que sí, pero no lo sé. —Dijo a Nikolai—: Creo que los ancestros te eligieron porque eres iske, pero también porque tienes suficiente sangre europea para moverte entre blancos. Puedes andar por las calles de Londres, por barrios en los que un negro sería secuestrado o apaleado.

—Cumplirá admirablemente su cometido —comentó Jean—, pero dudo que yo pueda serviros de algo. No soy una gran maga, y menos aún una guerrera.

Adia volvió hacia ella toda la fuerza de sus ojos oscuros.

—Tú eres esencial, Jean Macrae.

—¿Por qué? —preguntó ella, perpleja—. Estoy de acuerdo en que la esclavitud es abominable, pero no tengo la experiencia personal que os impulsa a vosotros. Dado que no soy una maga poderosa, ¿en qué puedo contribuir?

—La magia africana es un equilibrio entre energías masculinas y femeninas —explicó Adia—. Para pequeños encantamientos, los hombres y las mujeres pueden obrar solos, pero para grandes hechos de magia, como la protección de este movimiento, los defensores deben ser dos: un hombre y una mujer. Los dos han de ser magos poderosos. Los dos deben odiar la esclavitud y estar dispuestos a arriesgar sus vidas para acabar con ella. —Su mirada hipnótica retenía las de ellos—. Y para ayudar en esta gran causa, deben ser compañeros.

Capítulo 19

—¿Compañeros? —dijo Jean, incrédula. Miró a Gregorio, que parecía tan desconcertado como ella. Los dos desviaron la mirada inmediatamente—. ¿Para qué?

—La unión de las energías masculina y femenina crea un poder mayor que el de cada una de ellas por separado. —Adia los observó pensativamente—. Además, procedéis de tradiciones mágicas muy distintas. Esos poderes se reforzarán si se mezclan armoniosamente, pero para que eso suceda los lazos han de ser muy fuertes. —Sonrió—. Entre un hombre y una mujer, el vínculo más fuerte posible es el más íntimo. Si estáis dispuestos a arriesgar vuestras vidas para acabar con la esclavitud… En fin, sin duda es más fácil celebrar la vida que ponerle fin.

—Más sencillo, quizá —dijo Gregorio con expresión agria—, pero no más fácil.

Jean se miró los puños. Le ardía la cara. Aunque había tenido desvaríos pensando cómo sería tener al capitán por amante, aquello sólo era deseo y fantasías. Que les dijeran que debían convertirse en pareja por el bien de una causa honorable era algo bien distinto. Se sentía aturdida. Aterrorizada.

Excitada.

Intentó sofocar aquella idea.

—Adia, has dicho que necesitabas gente con grandes poderes mágicos, y creo que parte de la energía que te trajo hasta aquí la extrajiste de Gregorio y de mí. Pero ninguno de los dos es un mago fuerte. Yo procedo de los Guardianes, familias europeas con una tradición de poder y servicios a los demás. Pero aunque fui educada como tal, soy de las más débiles de mi especie. —Señaló a Gregorio—. Él tiene un gran potencial, pero sus habilidades están bloqueadas, así que no puede usarlas. ¿Cómo vamos a ser los guerreros que necesitáis? Aunque fuéramos pareja, dudo que tengamos el poder que se necesita para abolir una institución tan inmensa y aborrecible como la esclavitud. La servidumbre existe en gran parte del mundo, aunque se llame de distintas formas. ¿Qué podemos hacer nosotros?

—Vosotros no aboliréis personalmente la esclavitud —contestó Adia, con la mirada vuelta hacia dentro—. Eso sucederá cuando una gran masa de gente se levante y grite: «¡Ya basta!». Vuestra labor consiste en proteger el germen del movimiento abolicionista y en contribuir con él a que esa masa se levante.

—Dices que ese movimiento es reciente en tu tiempo. ¿Tendríamos que viajar en el tiempo para protegerlo? —La idea no atraía a Jean.

—Creo que sí. —Adia sonrió con desgana—. Veréis, no tengo todas las respuestas. Los ancestros me han traído aquí, y me han dado una idea de lo que debe hacerse. Pero sus métodos son… No son tan claros como a uno le gustaría. Incluso mi abuela, cuya presencia me ha reconfortado desde que me raptaron los tratantes de esclavos, suele darme sólo sensaciones, no directrices claras.

—La magia es así con frecuencia —dijo Jean—. Ofrece un esbozo. Luego, nos toca a nosotros encajar las piezas que faltan. Y en lo que nos has contado faltan demasiadas piezas. ¿Qué haríamos nosotros en otro tiempo? ¿Podríamos volver? ¿Hasta qué punto es peligroso?

—Lo único que sé es que la magia logró traerme hasta este año sin matarme. Aparte de eso, no puedo daros ninguna respuesta. Lo siento.

Jean frunció el ceño; se daba cuenta de que Adia hablaba con sinceridad. Si Nikolai y ella decidían seguir aquel camino, lo harían casi a ciegas. Pero ¿qué sabía uno del futuro? Ni siquiera los videntes acertaban siempre. Por conseguir un gran objetivo, merecía la pena correr un gran riesgo.

—Cuéntame más cosas de los Guardianes —dijo Adia—. ¿Cómo obra vuestra magia? ¿Entráis en trance y os unís a los ancestros? ¿Usáis raíces y hierbas y rituales? —Tocó la bolsita que colgaba de su hombro—. ¿Lleváis una bolsa de amuletos?

Jean movió la cabeza de un lado a otro, preguntándose cuántas formas había de acercarse a la magia.

—Para nosotros, la magia suele venir a través de la mente. Se visualiza el resultado deseado y se utiliza el poder para hacerlo realidad. Hay ejercicios mentales que ayudan a canalizar ese poder. Algunos Guardianes trabajan con pociones y rituales mágicos, pero la mayoría acude directamente a las fuerzas de la naturaleza.

—El camino de tu gente es distinto al de la nuestra. Pero supongo que tenéis que pasar por una iniciación para dominar por completo vuestro poder.

Jean frunció la frente.

—No estoy segura de qué entiendes por iniciación.

—Uno se inicia cuando pasa de la infancia a la edad adulta —explicó Adia—. Los ritos varían según las tribus, pero el fin es siempre mostrar a los jóvenes lo que hay más allá del mundo que vemos.

La mente de Jean se remontó al pasado.

—Aunque no usamos el término «iniciación», cuando un joven Guardián alcanza la madurez, hay un ritual que incluye ayunos, pruebas y meditación profunda. Con frecuencia, el joven descubre la dimensión completa de su talento durante ese proceso. Al final, hay una ceremonia en la que uno pronuncia el juramento de los Guardianes y se compromete a utilizar su poder para servir a un bien mayor. —Su propio ritual de paso había sido muy poco dramático. Aunque había hecho el juramento con gran fe e intensidad, sus meditaciones no habían producido ninguna visión especial. Ni tampoco, ay, un súbito aumento de su poder.

—Entonces tenéis una iniciación. —Adia se volvió hacia Gregorio, y su expresión se volvió preocupada—. Pero veo que tú no has sido iniciado. Esa carencia es lo que te impide usar por completo tu magia.

—Sé cómo usar el poder —contestó él con dureza—. Puedo dejar inconsciente a un hombre con sólo tocarlo. —Miró a Jean—. O a una mujer. Puedo encontrar un barco de esclavos a muchas millas de distancia, en el mar. Sin duda puedo hacer lo que sea necesario para tu misión.

Ella sacudió la cabeza.

—Lo que haces no es más que una parte mínima de lo que podrías hacer si hubieras recibido un adiestramiento adecuado y te hubieras iniciado. No es sólo que necesites habilidades mágicas concretas, sino que tienes que vivir con una visión mágica del mundo. Eso no puedes hacerlo.

—¿Estás diciendo que es demasiado tarde para iniciarme? —preguntó él con aspereza.

El ceño de Adia se intensificó.

—En teoría, no, pero a tu edad sería mucho más peligroso. Incluso con chicos de trece años hay peligro. Se sabe de muchachos que han muerto durante la iniciación. Con el paso de los años, has ido dejando partes de tu alma en muchos sitios. Esas piezas tienen que recuperarse para que sobrevivas a los rituales.

—¿Tu alma estaba fragmentada por tu vida dispersa? —preguntó Nikolai.

—Sí, así es. A los ancianos les preocupaba que no sobreviviera, y con toda razón. La iniciación fue el trance más difícil de mi vida, mucho más peligroso que escapar a la esclavitud. —Vaciló mientras buscaba palabras—. La iniciación conlleva… ir a otros mundos. Ver otras realidades. No conozco un modo mejor de describirlo. El proceso es doloroso, desconcertante, aterrador… y peligroso.

—Esto es lo que le faltaba a mi vida. —Gregorio se inclinó hacia delante, sentado en el banco. Vibraba de tensión—. Haré lo que sea preciso para convertirme en un maestro. Enséñame lo que tengo que saber.

La mano de Adia se posó con ademán defensivo sobre la bolsa que colgaba de su hombro.

—Puedo enseñar, pero el peligro reside en cómo vives la iniciación. Tú eres un hombre fuerte, con el carácter formado. Temo que seas demasiado autoritario, un hombre que da órdenes y elige su camino, para fluir con los ancestros. Tu muerte sería una tragedia. —Su rostro se contrajo—. Y peor aún sería que… te perdieras en otros mundos.

—Me he arriesgado a morir muchas veces. Estoy dispuesto a correr ese riesgo otra vez. —Miró a Jean y sus ojos se entornaron—. ¿Vas a impedirme intentarlo?

Sorprendida, ella soltó una risa.

—¡Como si yo pudiera impedirte algo! Descuida, si puedes persuadir a Adia de que te deje intentarlo, yo no me opondré. —Su buen humor se disipó al recordar las advertencias de Adia—. Aunque por extraño que parezca me resisto a ver cómo te matas.

—Eso es muy generoso de tu parte. —Él volvió a mirar a Adia—. ¿Cómo me preparo para la iniciación?

—Primero, medita sobre si debes hacerlo. Pregúntale a lo más hondo de tu ser si estás preparado para semejante desafío. —Sonrió con ironía—. ¿Puedes estar callado el tiempo suficiente para meditar, capitán? No lo pregunto en broma. Hay que vaciar el alma para oír las voces de la naturaleza y de los ancestros.

—Puedo aprender —dijo él con terquedad.

—Entonces practica, capitán, mientras yo medito sobre si debo exponerte a ese peligro. No intentaré iniciarte a no ser que crea que hay una posibilidad de que lo consigas. —Volvió a acariciar la bolsa de los amuletos—. También debo buscar a otros de sangre africana, porque necesitaré ayuda para dirigir la iniciación. En esta isla hay africanos, creo.

—Sí, y algunos mestizos. Te mandaré a Tano. Él sabrá. —El capitán se levantó con la boca torcida—. Ahora me voy, a ver si encuentro la quietud.

Adia frunció el ceño cuando el capitán se fue.

—Es un hombre muy valiente, pero todavía no se da cuenta de a qué se enfrenta.

—En la vida, casi siempre se emprenden las cosas sin saber lo suficiente. Si no consigue pasar la iniciación, ¿tendrá poder suficiente para ayudar al movimiento abolicionista?

—Es probable que no. —Adia lamentaba no saber más—. No sé qué es peor: permitirle que pruebe la ceremonia de iniciación, para la que no está preparado, o mandarlo a una misión en la que quizá muera porque le falta poder para hacer lo que es preciso. Puede que lo mejor sea no hacer ninguna de las dos cosas.

—Ahora que le has hecho vislumbrar el fin de la esclavitud, quitarle esa esperanza lo destrozaría —dijo su compañera en tono práctico—. Lo mejor es enseñarle lo que necesita saber para sobrevivir. Tiene una voluntad de hierro. Quizá tanto que hasta pueda aprender a estarse quieto y a resignarse.

—Cuando el fuego se convierta en agua —dijo Adia con pesimismo—. Eso podría hacerlo un sacerdote poderoso, pero dudo que tu capitán pueda dominarse hasta ese punto. La sumisión y la resignación son contrarias a su naturaleza.

Jean ladeó la cabeza.

—¿Te habrían mandado aquí los ancestros si fuéramos incapaces de llevar a cabo esta misión?

—Puede que seáis los únicos que tengáis una oportunidad. Pero eso no significa que vayáis a conseguirlo. —Adia abrió las manos en un gesto de frustración—. La invocación de los ancianos de Londres fue poderosa y desesperada. Pedimos a los ancestros una oportunidad, una sola, por muy remota que fuera. Yo confiaba en que los ancestros nos eligieran a Daniel y a mí. Uno de los otros miembros del consejo se habría hecho cargo de nuestros hijos si moríamos, y nosotros estamos dispuestos a hacer cualquier cosa para acabar con la esclavitud, aunque la probabilidades sean de diez mil contra uno.

—Está claro que eres una sacerdotisa muy poderosa, y que estás dispuesta a comprometerte todo lo necesario. ¿Tienes idea de por qué no os encomendaron la misión a tu marido y a ti?

—Ahora que me han traído aquí, la respuesta es obvia —dijo Adia lentamente—. Daniel tiene muy poca magia. No es un sacerdote, desde luego. Además, es un ashanti, y no hay ashantis entre los ancianos de Londres. Si hubiera habido un lazo de sangre, tal vez nos habrían elegido. Ahora, en cambio, yo estoy aquí y él allí, a una eternidad de distancia. —Había considerado la posibilidad de que ambos se marcharan o se quedaran, pero no se había dado cuenta de que sólo uno de ellos viajaría en el tiempo. Al menos, Daniel estaba todavía con los niños.

—Entonces, es posible que los ancestros hayan tenido que conformarse con Gregorio y conmigo por ser, dentro de lo malo, lo mejor —comentó Jean—. ¿Aumentará mi poder si yo también me someto a la iniciación? Como al capitán Gregorio, me han dicho que tengo habilidades que no he aprendido a utilizar.

—Tú ya has sido iniciada, según tu tradición. Estaría mal emprender un camino tan distinto —dijo Adia, escandalizada—. Pero es cierto que no te has realizado del todo como sacerdotisa. Si quieres, veré qué puedo descubrir.

—Sí, por favor. —Jean le tendió las manos.

Adia tomó sus manos pequeñas y finas y sintió al instante una corriente de poder. Se sumió lentamente en la conciencia de Jean, hasta los niveles en los que moraba la magia.

—Es curioso. Hay una... una maraña en tu mente que impide que tu poder conecte con tu voluntad. Se sabe de casos parecidos. Hay quienes no pueden hablar con claridad, y la familia que me esclavizaba tenía un hijo que no podía aprender a leer, aunque no le faltaba inteligencia. Tienes una maraña mental en lo que se refiere a usar la magia.

Jean frunció el ceño.

—Eso tiene sentido. A menudo he sentido que tengo mucho poder, pero que sencillamente no puedo invocarlo de forma eficaz. ¿Cómo desenredo era maraña? ¿Es posible hacerlo?

Adia chasqueó la lengua.

—No tengo ni idea. Hay tantas cosas que no sé… Pero al menos tú has sido iniciada. Tienes más posibilidades que el capitán de resolver tus problemas. —Ladeó la cabeza pensativamente—. ¿Hay algún tipo de magia que se te dé especialmente bien? ¿Algún momento en el que el poder consiga traspasar esa maraña?

—En momentos de gran peligro, he podido realizar grandes hechos de magia. Sobre todo, cuando los hombres de mi clan y yo intentábamos escapar, después de la batalla de Culloden. Había tropas del gobierno por todas partes, buscando rebeldes para matarlos, pero fui capaz de ocultar a mis hombres lo suficiente para llegar a casa.

Adia empezaba a comprender por qué la magia la había llevado hasta Jean.

—Entonces, ¿eres una guerrera?

Jean pareció divertida.

—Tal vez. Soy demasiado pequeña para servir de mucho con una espada, aunque no se me dan mal las armas de fuego. Mi talento más útil durante el Levantamiento fue la magia, que funcionó bastante bien porque estaba desesperada. Hubo otra ocasión hace sólo unos días. Una gran tempestad sacudió el barco del capitán Gregorio y estuvo a punto de hundirlo. Entonces descubrí que tengo parte de la habilidad de mi familia para controlar el tiempo. Tomando prestado parte del poder del capitán y de mi hermano, conseguí disipar la tormenta.

—Así que te las arreglas bien en los momentos críticos, y has trabajado con Gregorio con buenos resultados. Las dos cosas son buenas —dijo Adia, asintiendo con la cabeza—. ¿Hay alguna otra magia que te resulte fácil?

Jean se encogió de hombros.

—Puedo escrutar un poco el presente, pero casi siempre me ocupo sólo de pequeños asuntos domésticos, como mantener limpios y en orden mi ropa y mi aspecto. Una magia muy trivial en la que casi no pienso.

—¿Puedes hacer eso? Me gustaría saber el truco. En situaciones de peligro, la necesidad atraviesa la maraña y permite que accedas a tu magia. Con la ropa y el aspecto físico… —Adia observó la apariencia pulcra y elegante de Jean con franca admiración—. Tienes un pelo precioso, y dices que lo haces sin pensar. Seguramente eso significa algo.

—¿Crees que mis problemas surgen cuando intento acceder a la magia de forma consciente y no hay suficiente peligro para que esté desesperada? —Jean se quedó pensando—. Es posible. Me pregunto cómo puedo usar esa idea para impedir que se forme una maraña dentro de mí.

—Dices que los Guardianes trabajáis usando visualizaciones mentales. ¿Puedes visualizar canales diáfanos, que fluyan libremente entre las profundidades de tu poder y tu mente consciente?

Jean entornó los ojos, pensativa.

—Merece la pena intentarlo. Gracias, Adia.

—Si lo consigues, tal vez entonces el resultado te conduzca a la muerte —dijo Adia en voz baja.

—Puede ser —repuso Jean, y ya no parecía en absoluto joven o frágil—. Pero la muerte nos llega a todos. Gregorio y yo podríamos haber muerto en el mar la semana pasada, junto a decenas de personas, algunas de ellas esclavos recién liberados que apenas habían tenido tiempo de respirar como hombres libres. Morir ahogados no habría tenido ningún sentido. Luchar contra la esclavitud, eso sí tiene sentido. —Vaciló—. Cuando me llevaba a mis hombres de Culloden, con miles de soldados ingleses dando caza a los rebeldes, le pedí a Dios que nos condujera a casa sanos y salvos. Incluso hice un trato con él, ofreciéndole mi vida a cambio de las de mis hombres. Le prometí hacer cualquier sacrificio que me pidiera.

Aquellas palabras, dichas con llaneza, subrayaban la desesperación que debía de haber sentido la joven.

—Yo también he intentado hacer tratos con Dios. Pero no parecen funcionar.

Jean sonrió levemente.

—Puede que entonces sí funcionara. Mis hombres y yo llegamos a casa sanos y salvos. Durante años, pareció que no se me pediría nada más. Así que pasaba la mitad del tiempo en Londres, yendo de un baile a otro. Esos años me enseñaron que mi vida ha de tener un sentido. Creo que, a través de ti, Dios está aceptando mi ofrecimiento de arriesgarlo todo por una causa elevada.

Así que la joven escocesa había tomado una decisión, y no lo había hecho a la ligera.

—Eres una mujer valiente, Jean Macrae.

—¿Más valiente que tú? Yo creo que no. —Titubeó—. Antes de que vaya en busca de Gregorio, ¿podrías ayudarme a contactar mentalmente con mi hermano y mis amigos de Marsella? Quiero avisarles de que estoy bien, pero no tengo poder suficiente para llegar hasta ellos, dado que no estoy en apuros.

Adia pensó melancólicamente en cuánto le habría gustado tranquilizar a su familia en África.

—Claro. ¿Qué tengo que hacer?

—Dejar que te tome de las manos y prestarme sólo un poco de tu poder.

Adia le dio las manos y se relajó premeditadamente. Sintió el leve y rápido toque de la mente de Jean cuando la joven estableció una conexión energética entre ellas. Hubo un largo silencio durante el cual notó cómo Jean absorbía su poder. Luego, Jean exhaló un suspiro de alivio y le soltó las manos.

—Gracias. He podido comunicarme con ellos con bastante claridad para tranquilizarlos y decirles que no se preocupen.

—Aun así se preocuparán, señorita Macrae.

Jean sonrió.

—Sí, pero no tanto. —Se levantó e inclinó la cabeza con respeto—. Llámame Jean. Estoy cansada de oír mi nombre completo todo el tiempo. Ahora, me voy a buscar al capitán Gregorio. Él y yo tenemos que hablar.

Cuando Jean se marchó, Adia cerró los ojos. *Gracias, abuela, por traerme con dos personas tan fuertes. ¿Serán suficientes para alcanzar nuestras metas?*

Con el paso de los años, a medida que la vida de Adia se había hecho más cómoda, su abuela le había ido hablando cada vez con menos frecuencia, aunque Adia todavía sentía su presencia. Ese día, su voz sonó clara, pero insegura. *No lo sé, niña. Sólo sé que no hay nadie mejor.*

Capítulo 20

Cuando salió de la casa, los pensamientos de Nikolai se agolpaban tumultuosamente. Debía, por fuerza, bajar a los muelles a ver cómo iban las reparaciones del *Justicia*. Pero en lugar de hacerlo dio media vuelta y se encaminó hacia las colinas. Su lugar de paseo favorito era un camino de cabras que atravesaba una vaguada al borde de la caldera y descendía luego por la empinada ladera opuesta, hasta el mar.

Una sacerdotisa había viajado en el tiempo para reclutar sus servicios en la lucha contra la esclavitud, a una escala que superaba todo cuanto él pudiera hacer con sus barcos. Y debía hacerlo como compañero de Jean Macrae. La idea le daba escalofríos y fiebre al mismo tiempo. La fiebre era fácil de entender, puesto que la tensión sexual había ardido entre ellos desde el principio. Si sólo fuera una cuestión física, se la llevaría a la cama en un instante.

Pero hasta las personas más lujuriosas se llevaban la cabeza a la cama, y entre la bruja escocesa y él las cosas nunca serían sencillas. ¿La temía? En cierto sentido, sí. No se trataba de un miedo físico: era el doble de grande que ella, y su magia era igual a la suya, aunque distinta. Pero Jean tenía sobre él un poder emocional que lo mantenía a distancia por miedo a... ¿a qué? Adia había dicho que él había dejado trozos de su alma en muchos sitios. Unirse a Jean Macrae le

233

arrancaría un buen pedazo de alma, y quizá nunca lo recuperara.

Anduvo por la senda, ladera abajo, hasta que llegó a una cala apartada. Se preguntaba cómo podía quedarse lo bastante quieto para meditar. En su mente se mezclaba el recuerdo de Adia, la idea del movimiento antiesclavista y la imagen de Jean Macrae. Había demasiadas incógnitas, demasiadas posibilidades. ¿Qué suponía la iniciación? ¿Podía estar preparado para ella? ¿Podría ayudar a abolir la esclavitud?

La cala era uno de sus lugares preferidos, casi invisible desde el mar, pero con una playa apacible de arena negra. Se acomodó en un tosco muro de piedra que limitaba la estrecha franja de arena y contempló el ir y venir de las olas mientras intentaba meditar.

Pudo obligar a su cuerpo a relajarse, músculo a músculo, pero tuvo menos éxito con su mente, y con el paso de las horas su concentración fue disminuyendo. No bien alejaba de sí una idea cuando otra ocupaba su lugar. Intentaba concentrarse en la cuestión de si debía probar suerte con la iniciación. El corazón le decía que sí, pero ¿era el corazón su yo más profundo?

El sol había pasado el meridiano cuando oyó una voz.

—¿Haces algún progreso?

Dio un respingo, enojado consigo mismo por no haberse dado cuenta de que la bruja escocesa se acercaba. La joven se movía con tanto sigilo como un gato.

Nikolai levantó la mirada mientras ella se encaramaba al muro, a unos pasos a su derecha. El viento soplaba a su alrededor, pegando la tela ligera de su vestido a su cuerpo esbelto, femenino y elegante. La dolorosa turbación física que le producía destruyó la poca serenidad que había conseguido reunir.

Ahuyentó de su cabeza la idea de acostarse con ella.

—Estoy muy lejos de ser un experto en meditación, pero he cumplido el encargo de Adia. Creo que estoy destinado a someterme a su iniciación, a pesar del riesgo —respondió.

A juzgar por su mirada irónica, Jean no parecía sorprendida por su conclusión. Nikolai señaló la bolsa que llevaba ella.

—¿A ti también te ha dado por llevar una bolsa con amuletos, como a Adia?

—Adia me ha dicho que debía ser fiel a las tradiciones de los Guardianes —dijo Jean apaciblemente—. Así que, como soy escocesa y muy práctica, he traído comida, no utensilios mágicos.

Sacó una frasca de vino hecha de piedra y la puso sobre el muro, entre los dos; luego extrajo un trozo de queso envuelto en un paño ligero y una hogaza pequeña de pan. Partió el pan y le dio el trozo más grande; luego hizo lo mismo con el queso.

—Puede que ayunar sea bueno para el espíritu, pero yo casi siempre prefiero alimentarme.

Él sonrió y dio un bocado al queso.

—Para algo sirves, Jean Macrae.

—Si los ancestros quieren que seamos compañeros, deberías llamarme Jean. —Ladeó la frasca para tomar un sorbo de vino y los músculos de su blanca garganta se movieron mientras tragaba. Él era vivamente consciente de cada bocanada de aire que respiraba, de cada músculo que movía. De su olor, que era erótico y único y le hacía pensar en el brezo de Escocia, aunque nunca, en toda su vida, había visto u olido el brezo.

Jean le pasó la frasca.

—Mientras estaba en Marsella, me aficioné a estos vinos franceses de mesa, tan ligeros. Son mejores que la cerveza. ¿Los tuyos los traes de Francia?

—Sí, pero un labrador de la isla está plantando cepas. Con el tiempo, haremos nuestro propio vino. —¿Por qué estaba hablando de vino? Porque era más fácil que hablar de algo importante.

Ella observó con más atención la parte del muro que había entre ellos.

—Supongo que tu gente no construyó este muro sólo para que hubiera un sitio bonito donde sentarse.

—No. La isla estuvo habitada en el pasado. Muchas de las casas del pueblo están construidas sobre cimientos antiguos. Santola está salpicada de ruinas.

—Estas piedras son muy viejas. —Ella pasó la mano por el muro toscamente revestido—. ¿Sabes qué pueblo era ése?

—Griegos, quizá. O quizá fenicios. O ambas cosas. Es muy posible que fueran piratas de diversas razas. —Tomó un puñado de negra arena volcánica y dejó que los granos resbalaran entre sus dedos—. Los muchos y muy variados pueblos del Mediterráneo. Ancestros míos, sospecho. Malta es la encrucijada del Mar Medio, y la sangre de un centenar de naciones corre por las venas de los malteses.

—Adia ha dicho que tu abuela era familia suya. ¿Tú la conociste?

—Oh, sí. Mi abuela, Folami, fue quien me crió principalmente. —Tomó otro puñado de arena, mirando el negro brillo de los granos volcánicos—. Veo un parecido entre Adia y ella, en la cara y en el carácter. Las dos son mujeres africanas muy fuertes, leales y un poco misteriosas.

—¿Cómo llegó tu abuela a Malta?

—No hablaba mucho de su pasado, pero creo que era esclava en el norte de África cuando mi abuelo la conoció. Él era maltés, un marinero. —Nikolai sonrió un poco—. Seguramente también se dedicaba un poco al contrabando. Pero no de esclavos. Raptó a mi abuela y se casó con ella en Malta. Yo no lo conocí; murió en el mar cuando mi madre era pequeña.

—Entonces, tu abuela crió a tu madre y luego te crió a ti. Una mujer fuerte, sí.

—Sí. Mi madre era… más débil. —Había sido muy hermosa y había disfrutado de su vida como camarera en una taberna del puerto. Los marineros la halagaban, le hacían regalos. Uno le dio un hijo. Otro le dio la fiebre que se llevó su vida.

Nikolai cerró los ojos, pensando que, si la espiritualidad africana conllevaba un vínculo con los ancestros, le gustaría sentir que Folami estaba con él. Pero no sentía su presencia. Abrió los ojos y bebió otro sorbo de vino; después limpió la boca de la frasca antes de devolvérsela a Jean.

—La guardiana eres tú. ¿Crees en la historia de Adia?

Jean sonrió. La brisa hacía bailar algunos mechones de pelo lustroso alrededor de su cara.

—Su historia es imposible, pero sí, la creo, porque no hay otra explicación menos inverosímil. Estábamos allí cuando apareció como salida de la nada, en una isla en la que no hay forasteros. Creo que fue la mezcla de mi sangre con la tuya cuando hice el juramento lo que la trajo aquí. La sangre es muy poderosa. Tú y yo creamos un faro de energía antiesclavista que la trajo a través del tiempo. Es imposible, pero aquí está.

Nikolai se dio cuenta de que necesitaba que Jean confirmara lo ocurrido. Ahora que lo había hecho, le era más fácil permitirse creer.

—A pesar de lo mucho que deseo acabar con la esclavitud, siempre he sabido que mis esfuerzos son insignificantes en el gran orden del mundo. Yo corto un tentáculo cada vez, ayudo a unas pocas personas, pero nada más.

»Sin embargo, en cuanto Adia dijo que la esclavitud acabaría cuando la masa del pueblo gritara "¡Ya basta!", comprendí que así era. Tú eres una persona decente como otra cualquiera, que nunca ha pensado mucho en la esclavitud porque le quedaba muy lejos. Y sin embargo ahora te repugna.

Ella asintió con la cabeza.

—Los niños negros que sirven de pajes a la damas de Londres nunca me habían parecido esclavos. Eran más bien como mascotas mimadas. Pero ver a esos hombres encadenados a sus remos, con la espalda cubierta de cicatrices, hizo que la esclavitud se volviera algo real para mí. Creo que casi todos los ingleses estarían de acuerdo conmigo en que habría que abolir la esclavitud si comprendieran lo abominable que es.

—Si Gran Bretaña se levanta contra la esclavitud, eso cambiará muchas cosas. Los barcos que transportan esclavos entre África y el Nuevo Mundo son británicos en su mayor parte.

Ella lo miró con fijeza.

—No lo sabía.

Nikolai miró hacia el horizonte, preguntándose cuántos barcos negreros y galeras corsarias estarían surcando el mar en ese instante. Sentía la presencia de uno en el límite de su radio de percepción. Demasiado lejos para ir tras él, aunque el *Justicia* estuviera reparado.

—Gran parte de la riqueza de Liverpool y Bristol, e incluso de Londres, procede del tráfico de humanos. Si los barcos británicos dejaran de transportar esclavos, sería el principio del fin de la esclavitud.

Se detuvo para dejar que la euforia que le producía aquella idea lo recorriera.

—¡Es posible acabar con la esclavitud, Jean! Es posible, y yo puedo ayudar a que eso suceda.

—Acabar con la esclavitud estaría bien, pero sería muy perturbador —dijo ella con expresión preocupada—. El comercio de azúcar tiene una enorme potencia económica. Si se derrumba, la economía de Inglaterra y las Antillas resultaría gravemente dañada. Muchas vidas sufrirían un vuelco, y gran parte de las personas afectadas serían hombres y mujeres corrientes que no tienen esclavos. Algunos países podrían sumirse en la guerra civil. ¿Tenemos derecho a emprender algo cuyas consecuencias podrían ser aún más perversas que aquello a lo que esperamos poner fin?

Él sintió deseos de estallar de ira, pero se recordó que su conocimiento de la esclavitud era de índole racional; Jean no la había sufrido en sus propias carnes. Nunca había conocido el látigo, el cautiverio, la quiebra de la voluntad.

—¡Me importa muy poco que acabar con la esclavitud tenga consecuencias catastróficas! La esclavitud está mal, y ningún escrúpulo intelectual cambiará eso. Sí, acabar con ella causará problemas, pero el mundo ha sobrevivido a otras crisis. Si la gente quiere azúcar, los dueños de las plantaciones pueden pagar salarios y despedir a los capataces que llevan látigo. Si se pagan salarios decentes, habrá trabajadores. El azúcar costará más, pero es un lujo, no un artículo de primera necesidad.

»Si los marineros que trabajan en los barcos negreros pierden su trabajo, que se busquen barcos con una carga decente. Si los trabajadores europeos sufren el cambio, aun así están en mejores condiciones que la mayoría de los esclavos. No hay ninguna excusa para permitir que el mal prospere sencillamente porque no sabemos qué ocurrirá si desaparece.

—Ha de ser un consuelo estar tan seguro de lo que es justo —dijo Jean lacónicamente.

—Hay pocas cosas de las que esté seguro, pero la perversidad de la esclavitud es una de ellas —contestó él con voz afilada—. Si pudiera ponerle fin hoy mismo, lo haría, y al diablo las consecuencias. Confío en que superes tus dudas, porque, si Adia está en lo cierto, tenemos que trabajar juntos para ser eficaces.

—Se nos da mejor pelearnos que trabajar juntos. —Ella acabó su pan con queso sin mirarlo.

Compañeros. La energía masculina y la femenina unidas. Nikolai resolvió que era preciso hablar con franqueza.

—Hemos estado en desacuerdo muchas veces, pero desde el principio te he deseado. Y creo que tú también a mí. Así que ¿por qué desconfiamos el uno del otro?

Ella se rió un poco mientras lo miraba de soslayo.

—¿Has olvidado que al principio me despreciabas y me considerabas tu enemiga? Querías que sufriera horriblemente por las faltas que cometió mi padre. No es una actitud muy romántica.

¿Cuándo había dejado ella de ser su enemiga? Paso a paso, había desmontado su ira sirviéndose de la valentía y la lógica como herramientas.

—De algún modo nos hemos hecho amigos.

Jean se volvió hacia él. Sus ojos castaños ardían.

—Oh, no, capitán. Nosotros no somos amigos.

Tenía razón, la amistad tenía una naturaleza distinta. Pero podían ser (debían ser) amantes. Así pues, Nikolai se inclinó y la besó.

Ella sofocó un gemido de sorpresa. *Horror.* Tal vez podría haberse apartado, pero la mirada oscura de Nikolai la mantenía cautiva como un conejo hipnotizado por una serpiente. Toda su fuerza, su feroz voluntad, se concentraban en ella, y Jean ansiaba absorber esas cualidades y hacerlas suyas. Sentía, sin embargo, que acostarse con aquel hombre destruiría la esencia de su ser.

Pero había mucho en juego; mucho más que las vidas de ellos dos. Mientras aquella energía que ya conocía ardía entre ellos, se obligó a aceptarla, en lugar de replegarse. Besar a Gregorio era como sumirse en una hoguera, convertirse en llama sin consumirse. Sin pensarlo conscientemente, levantó los brazos y enlazó su cuello. Él dejó escapar un sonido ronco y la abrazó. Su cuerpo fibroso la aprisionaba y al mismo tiempo la protegía.

Con Robbie, Jean había sentido la dulzura del primer amor. Se conocían de toda la vida; habían correteado por las colinas, habían hecho travesuras juntos, siempre riendo. Cuando él murió, una parte de ella murió también.

Gregorio la llenaba de una vida ardiente que resultaba al mismo tiempo aterradora y estimulante. Él deslizó la mano hasta su pecho. Jean sintió el impulso de apretarse contra su palma, pero hacerlo habría sido saltar al abismo. Se apartó.

—No hay duda sobre el deseo —dijo, temblorosa—. Pero todavía no estoy preparada para llevarlo a la práctica, capitán Gregorio. No sé si lo estaré alguna vez.

Él comenzó a tenderle los brazos y luego bajó las manos y cerró los puños.

—Te deseo, pero temo que me vuelvas loco, Jean. Aunque no estoy seguro de que eso sea del todo malo.

Ella sonrió con ironía.

—El miedo es mutuo, capitán.

—Me llamo Nikolai. Si quieres que yo te llame Jean, debes llamarme por mi nombre. —Apartó la mirada hacia el mar, con expresión sombría e insondable—. Muy pocas personas me han llamado así desde que era pequeño.

—Muy bien, Nikolai. —Tocó levemente el dorso de su mano—. Es hora de volver al pueblo, ¿no?

Mientras una ola rompía vigorosamente a un metro de sus pies, él se volvió para mirarla.

—¿Te casarás conmigo, Jean Macrae? Eso nos obligará a acostumbrarnos el uno al otro.

Jean se apartó de él, sobresaltada. ¡Tenía que ser una broma! No, sus ojos oscuros parecían muy serios.

—¡No, por Dios! Adia dijo que teníamos que ser compañeros, no estar casados. No te conozco lo suficiente como para casarme contigo.

—¿Y sin embargo estás pensando en acostarte conmigo? —Su sonrisa era afilada—. Las damas de alta cuna pueden acostarse con bastardos mestizos, desde luego, pero no se casan con ellos.

Jean lo habría creído insensible a los insultos, pero vio que su rechazo instantáneo le había dolido. Observó su rostro de facciones fuertes y se preguntó si era posible llegar a conocer a un hombre compuesto por tantas capas.

—No quiero casarme contigo, pero no por esas razones. —Se puso a guardar la frasca vacía y el paño del queso en su bolsa—. Procedemos de mundos distintos, capitán. Nikolai. Espero que consigamos colaborar en el movimiento abolicionista. Fracasemos o tengamos éxito, creo que es probable que muramos en el intento. Pero, si hay una posibilidad, por leve que sea, de que sobrevivamos ambos, me gustaría regresar a casa. Y eso sería difícil si tuviera un marido cuya vida está en otra parte.

—No creo que seas tan pusilánime como para no abandonar a un marido si te cansas de él —repuso él con tranquilidad—. Podrías volver a Escocia y decir que eres viuda, si quisieras recuperar la vida cómoda y aburrida que llevabas antes.

—No voy a casarme con la idea de abandonar a mi marido si me canso de él —replicó ella—. Y, desde luego, no pienso caer en la bigamia. No es por ti, Nikolai. No he sentido deseos de casarme desde que murió Robbie. Y tampoco entonces tenía prisa por llegar al altar.

Él la recorrió con una mirada tan intensa que Jean se sintió desnuda.

—Entonces es el matrimonio mismo lo que te incomoda. Seguramente no te habrán faltado oportunidades de casarte.

Intentó no reaccionar al ardor de su mirada.

—¡Santo cielo, creo que eso es un cumplido!

Él casi sonrió.

—Ha sido un accidente.

—El matrimonio también puede ser una forma de esclavitud —dijo ella, más seria—. Puede que sea por eso por lo que no me gusta mucho.

—Pero estabas dispuesta a casarte con ese chico, Robbie.

—Entonces era más joven. —Ella sonrió—. Y él se cuidaba muy mucho de decirme lo que tenía que hacer.

Nikolai se rió.

—Entonces era un hombre sabio, desde luego. Pero creo que yo también lo soy. Me doy cuenta de que se te puede persuadir, pero no obligar. Si fuera tan tonto como para intentar forzarte a algo, me pararías los pies inmediatamente. Así pues, ¿por qué no te casas conmigo? Has demostrado que tus defensas son tan fuertes como mis asaltos.

Cuando se reía, estaba tan guapo, tan irresistible, que Jean estuvo a punto de arrojar la sensatez por la borda y aceptar su proposición. Pero no era una jovencita que sólo pensara en el deseo. Exhaló un largo suspiro.

—Ya no temo que me hagas daño, pero sí lo que harás con mi espíritu. No que me hagas daño conscientemente, sino que tu ímpetu destruya todo lo que soy.

—Puede que tú me hagas lo mismo a mí, Jean Macrae —dijo él con intensidad—. Quizá sea eso lo que quieren los ancestros.

—Es posible, pero abrirte mi cuerpo y mi alma por la posibilidad de que sea lo correcto es como saltar a un precipicio para descubrir si Dios quiere que me salgan alas. Si me equivoco, será demasiado tarde para salvarme.

—Qué punto de vista tan melodramático. —Él cogió su bolsa y se la colgó del hombro; luego le ofreció la mano—. Ven. El camino de vuelta al pueblo no es fácil.

Jean dejó que la ayudara a levantarse, contenta por que estuviera dispuesto a dejar correr el asunto de su boda.

Debería haber sospechado algo. Un destello de determinación apareció en los ojos oscuros de Nikolai y, agarrándola de la mano, tiró de ella y volvió a besarla con ímpetu y ardor. Sus cuerpos se amoldaron el uno al otro por completo, y los pechos de Jean se aplastaron contra el torso de Nikolai cuando le fallaron las piernas. Esta vez, Nikolai utilizó toda su fuerza de voluntad en un intento de reducirla a un deseo irracional.

Estuvo a punto de conseguirlo. Jean sintió que su cuerpo se derretía, y no protestó cuando él la tumbó sobre la arena negra. El cuerpo vibrante y duro de Nikolai la aprisionó contra la arena blanda cuando sus caderas se juntaron, buscando la unión a pesar de las ropas que los separaban. Más que nada en el mundo, Jean deseaba disolverse en el fuego de Nikolai y dejar que su pasión la refundiera.

—¡Dios mío, bruja! —Sus ojos ardían de deseo—. ¡No debemos esperar más! Apoyó todo su peso en una mano y deslizó la otra bajo la falda de Jean. El aire fresco rozó su piel acalorada, y el contacto leve de los dedos de Nikolai sobre su muslo casi la convenció de que se rindiera al fuego líquido que ardía dentro de ella.

Pero el núcleo de su espíritu, pequeño y terco, se negaba. Lanzó contra él un hechizo defensivo y al mismo tiempo se apartó rodando violentamente. Acabó agazapada en la arena, jadeando.

—No intentes imponerte a mi voluntad usando la pasión, o los dos lo lamentaremos.

La potencia de su hechizo había arrojado a Nikolai de costado. La miró con fijeza, con expresión fiera y mirada salvaje. Ella temió por un momento que su determinación de poseerla superara su repugnancia por la violación. ¿Serían sus defensas lo bastante fuertes como para protegerla?

La tensión se rompió cuando él ocultó la cara entre las manos; respiraba ásperamente y sus hombros se sacudían. Jean se levantó sin hacer ruido y se estaba retirando cuando él alzó la cabeza y se puso en pie. Su furia había desaparecido, pero parecía refulgir, amenazador.

—Tienes razón. Casarnos sería un error. Los dos estallaríamos si nos uniéramos en santo matrimonio. Pero ser amantes… Si viajamos juntos, seguramente ocurrirá con el tiempo. El fuego que hay entre nosotros es demasiado fuerte para sofocarlo.

—Puede ser. Pero ahora no es el momento adecuado. —De eso no tenía ninguna duda—. Refrena tu pasión, capitán Gregorio. No podemos trabajar juntos así.

—¡Entonces refrena tú también la tuya, condenada bruja! —La miró como si ella fuera un escorpión—. No puedes pretender que no reaccione, estando ahí, como el sueño febril de cualquier hombre.

Ella se sintió absurdamente complacida por surtir aquel efecto sobre él, pero no podía permitir que aquello continuara.

—Es lo más justo. —Cerró los ojos y sofocó conscientemente su energía, empezando por el deseo que todavía palpitaba en sus venas. Cuando su pasión estuvo bajo control, se concentró en sus emociones hasta que sintió que había recuperado por completo el equilibrio.

Cuando volvió a abrir los ojos, vio que Nikolai la estaba observando con intensidad y que su energía también se había serenado. El deseo feroz que ardía entre ellos había desaparecido, disuelto en el aire marino y la luz del sol. Por un momento, Jean lo lamentó. Pero sólo por un momento. Era mucho mejor que hubieran vuelto a su relación anterior, en la que habían alcanzado cierto grado de cordial relajación.

Nikolai recogió la bolsa, que había acabado arrugada sobre el muro de piedra y señaló con gesto cortés el estrecho sendero.

—¿Y ahora qué, señora bruja?

Ella respondía mientras empezaba a subir por la empinada cuesta de la colina.

—Los dos debemos convertirnos en mejores magos. Adia me ha sugerido una técnica que podría usar para usar mi magia con más eficacia, así que voy a ponerla en práctica.

Resbaló al pisar un poco de grava suelta. Rápido como una serpiente, Nikolai la cogió de un brazo e impidió que se cayera. Jean dio un respingo, pero el contacto de Nikolai era impersonal; no pasó nada, excepto la chispa que siempre saltaba cuando se tocaban. Aunque él no fuera un mago entrenado, había aprendido a controlar bien su energía.

—Agárrate a mi brazo —dijo con brusquedad—. Conozco este camino mejor que tú.

Jean tuvo que reconocer que él tenía razón, y al cogerse a su brazo intentó convencerse de que estaba apoyándose en un bastón y no en un cuerpo fuerte, musculoso y viril.

—Si nuestras habilidades no mejoran —dijo, hablando para distraerse—, puede que Adia se niegue a reclutarnos para su causa. En teoría, estaba dispuesta a pagar cualquier precio, pero después de conocernos en persona, se resiste a mandarnos a un posible desastre si no hay esperanza de éxito.

—Si no se sirve de nosotros, perderá la magia creada por los ancianos de Londres. Habrá venido hasta aquí para nada y seguramente no podrá volver a casa. —Nikolai apartó un momento la vista del camino traicionero—. Para mí es fácil decidir arriesgarlo todo por una causa, pero ¿qué me dices de ti, Jean Macrae? ¿Dudas si emprender una misión semejante para resolver un problema que no te concierne?

—En absoluto. —Dio una docena de pasos sin decir nada más mientras se preguntaba cuánto debía contarle—. Una vez hice un pacto con Dios, y ahora me toca pagar mi deuda. No será posible acabar con la esclavitud a no ser que mucha gente a la que le afecta directamente esté dispuesta a luchar por la libertad de hombres y mujeres a los que no conocen. Han de rugir tanta rabia que los reyes y los ministros no puedan ignorarlos. ¿Acaso no soy un buen ejemplo de lo que hay que hacer?

—Dicho así, sí. —Él juntó las cejas—. Si viajamos en el tiempo y el espacio hasta Inglaterra, necesitaré que me sirvas de guía. Soy un extranjero; si fuera yo solo a Londres, perdería mucho tiempo y quizá llamaría demasiado la atención. Aunque avancemos décadas, tú entenderás mejor Inglaterra que yo.

—Entonces formaremos un buen equipo —dijo ella, intentando no jadear demasiado. Creía estar en forma, pero la colina volcánica era muy empinada—. Yo me ocuparé de tratar con la gente y tú de sembrar el caos.

—Un buen equipo, sí. —Él frunció el ceño—. Pero, antes de que vayamos a ninguna parte, tengo que iniciarme, y no soporto esperar. Quiero empezar a cambiar las cosas ya.

—El movimiento tardará muchos años en empezar, así que tenemos tiempo de perfeccionar nuestras habilidades —repuso ella—. Puede que incluso haya años de sobra para que superes tu impaciencia. —Sonrió un poco—. Pero lo dudo.

Capítulo 21

Llegaron a lo alto del camino que pasaba por el borde de la caldera y se detuvieron. Jean se alegró al ver que hasta Nikolai respiraba trabajosamente. El camino corría entre dos picos afilados, compuestos de roca volcánica negra. Tras ellos, un viento inhóspito azotaba la parte exterior de la isla. Abajo se veía el mar abrazado por los islotes, de un asombroso tono de azul, los campos fértiles y los árboles del pueblo. Había bancales enteros dedicados al cultivo de la almendra y el olivo.

En el centro de la caldera había un islote; el cono de un volcán, supuso ella.

—No me fijé en todo esto cuando hice el camino de ida —dijo mientras se hacía sombra con la mano para proteger sus ojos del resplandor del sol—. Qué vista tan magnífica. Tu isla es muy hermosa, capitán.

—Yo nunca me canso de ella —dijo él quedamente—. Para alguien que ha vivido encadenado, la belleza es casi tan reparadora como la libertad.

Ella se dio cuenta de que seguía agarrada a su brazo, y lo soltó. Nikolai sonrió con un toque de malicia.

—Me pregunto cuál de los dos sucumbirá primero a la pasión. Seguramente yo, dado que las mujeres tienen por naturaleza buenos motivos para andarse con cuidado.

—Cierto, pero las mujeres Guardianas suelen estar mejor protegidas que la mayoría.

—Ya lo he notado. Todavía me pitan los oídos por culpa del golpe de energía que me has dado. —Volviendo a concentrarse en el paisaje que tenían ante sí, señaló a lo lejos—. Desde aquí se ven con más claridad que desde abajo los contornos de algunas ruinas. ¿Ves esas formas cuadradas en mitad de la colina? Allí hubo una vez un grupo de edificios. Una granja y establos, quizá.

—¡Ya lo veo! —exclamó ella, alborozada—. Se distingue el contorno de los edificios en algunos sitios. ¿Qué es ese hueco de allí, al este? Tiene una forma demasiado regular para ser natural, pero puede que sea una formación volcánica.

—Son los restos de un pequeño anfiteatro. Parece ser un espacio natural que se remodeló para reuniones y entretenimientos. —Su dedo se movió hacia la izquierda—. A este lado de la caldera hay huertos. Por la razón que sea, allí llueve más. Tenemos olivos, almendros, naranjos y limoneros. Me han dicho que los árboles son muy, muy viejos. Crecían salvajes cuando la isla estaba desierta, pero ahora que los cuidamos, producen para nosotros.

Emprendieron el descenso, que, aunque esforzado, era más fácil que la subida. Cuando se acercaban a su casa, Nikolai preguntó:

—¿Cómo me has encontrado?

—Usé mi piedra de escrutar. —Ella soltó una risilla—. Además, cuando Louise me dio una loción para no quemarme, dijo que había un camino detrás del pueblo que te gustaba especialmente.

—¿Habría bastado con esa piedra de escrutar?

—No estoy segura. A menudo veo a mis amigos o a mi familia, si los busco, pero no siempre sé dónde están, a no ser que reconozca el fondo. Te vi mirando las olas, pero no sabía dónde estaba la playa.

Frunció el ceño.

—¿Puedes verme?

—Sí, pero no uso la piedra muy a menudo. Es muy cansado.

Él no pareció tranquilizarse, pero estaban llegando a la cerca de madera labrada que daba entrada a su casa.

—Quiero ver a Adia y hacerle unas preguntas.

La encontraron dormitando en el patio, en el que había plantas, sillas y zonas de sol y de sombra, como en la terraza, pero sin vistas al mar. Adia se despertó y se incorporó al llegar ellos.

—Estaba disfrutando del calor —dijo—. Cuando me marché de Londres, llovía y hacía viento, y el viaje a través del tiempo fue largo y frío.

—Eso parece muy propio de Londres. —Jean se sentó a la sombra. La loción herbal de Louise podía ayudar a impedir que su piel se quemara, pero seguramente tenía límites—. ¿Cómo fue viajar en el tiempo?

Adia no pudo reprimir un estremecimiento.

—Como si te cortaran en mil pedazos, te arrastraran por un túnel lleno de demonios gritando y luego volvieran a ensamblarte. Me pareció que pasaba mucho tiempo, pero ¿cómo voy a saberlo? Puede que fueran segundos, o días. Me sentía arrastrada por el túnel. Tal vez fuera vuestra energía, como tú dijiste.

—No parece muy divertido —dijo Nikolai con sorna. Se sentó al otro lado de Adia—. ¿Nos contarás cómo funciona la magia? ¿O vas a esperar hasta que seamos más hábiles?

Adia se quitó de la muñeca el brazalete de extrañas cuentas de gran tamaño y lo sostuvo sobre la palma abierta.

—Las cuentas grandes las hizo un anciano con el don de la clarividencia. Pidió a los ancestros que lo ayudaran a crear un número de abalorios igual al número de puntos críticos en los que necesitaría ayuda el movimiento abolicionista en ciernes. Fue una magia grande y poderosa, y me parece que crear las cuentas le quitó doce años de vida.

Jean se inclinó un poco para mirar.

—Todas las cuentas grandes tienen formas distintas.

—Cada una está dedicada a una crisis en particular. Hay que usarlas consecutivamente, empezando desde aquí… —Señaló—… y siguiendo el orden. Eran siete, en principio. La primera se destruyó en mi viaje hasta aquí. Quedan seis. Creo que cada cuenta desaparecerá al usarla, pero no estoy segura.

—¿Y la última te llevará de vuelta a tu casa y a tu época? —preguntó Jean.

—Quiero pensar que sí, pero la verdad es que no tengo ni idea.

—¿Cómo apareció el brazalete, si todos trabajasteis juntos en el ritual? —preguntó Jean—. ¿Apareció en tu muñeca cuando viajabas por el tiempo?

Adia negó con la cabeza.

—Los siete ancianos teníamos un brazalete como éste, e invocamos juntos el poder. Creo que sólo yo viajé por el tiempo debido al vínculo de sangre entre el capitán y yo. —Hizo rodar una de las cuentas grandes entre sus dedos pensativamente—. Me pregunto si en los otros brazaletes también desapareció la misma cuenta cuando me fui. —Suspiró—. Puede que nunca lo sepa.

—¿Cómo sabremos qué hacer cuando hayamos usado la cuenta para viajar a un momento crítico? —preguntó Nikolai—. Aparecer en un lugar desconocido, sin saber en qué época estamos, será desconcertante. ¿Y si fracasamos por no saber qué tenemos que hacer?

La boca de Adia se torció con expresión irónica.

—Esperemos que los ancestros sepan lo que hacen.

Jean cambió con Nikolai una mirada llena de dudas.

—Hay un viejo dicho cristiano que afirma que Dios ayuda a quien se ayuda. Creo que lo mismo podría decirse de los ancestros. ¿Hay algo que podamos hacer para mejorar nuestras probabilidades de éxito?

—Nosotros también queríamos que mejoraran —contestó Adia—. Cuando estábamos preparándonos para la invocación, reunimos todo el conocimiento que teníamos sobre el movimiento abolicionista: los acontecimientos, las personas, las publicaciones… También incluimos información sobre la comunidad africana en Londres. —Sacó una gruesa carpeta llena de papeles de su sempiterna bolsa de amuletos—. Esto es un resumen de lo que pudimos averiguar. La mayor parte lo escribí yo. Quiero que lo copies, Jean, para que lo conozcas bien. También te contaré lo que sé del tiempo transcurrido entre el presente y el momento en que dejé Londres: la moda, las noticias, la política… Tú serás la fuente de conocimiento mundano durante vuestra misión.

Nikolai enarcó sus cejas formidables.

—¿Me consideras indigno de ese conocimiento?

—Tú tendrás que invertir tu tiempo y tus energías en la iniciación. —Adia volvió a ponerse el brazalete en la muñeca y le dio los papeles a Jean—. Ahora puedes irte. Tengo que hablar con el capitán. Tú tienes tus propias tareas.

Jean aceptó con cierto alivio que la despidiera. Estaba cansada del paseo, y le apetecía echarse una siesta. Además, necesitaba tiempo para pensar: para pensar en cómo iba a desenredar sus marañas mentales, y para pensar en Nikolai.

Nikolai se alegró de ver partir a Jean. Todavía estaba alterado por lo ocurrido entre ellos en la playa. Ni siquiera su sed de venganza podía compararse con la intensidad del deseo que sentía por ella. Había estado penosamente cerca de perder el control y comportarse de manera imperdonable. ¿Estaba su deseo de venganza entrelazado con su atracción por Jean, en un nivel profundo? No, aquella necesidad descarnada de hacerla suya nada tenía que ver con el odio, ya viejo, por su padre. Había algo en el espíritu de Jean que avivaba algo en el suyo. Esperaba que el momento adecuado para su unión no tardara en llegar.

Adia lo devolvió al presente.

—Tenemos que hablar de la iniciación.

—¿Qué he de hacer? —Intentó interpretar el campo de energía de Adia, con la esperanza de entender algo más. Los colores que la rodeaban eran profundos y puros: azul, amarillo, índigo. Nikolai sintió que representaba la verdad y el poder.

—He hablado con Tano y otros africanos de aquí —contestó ella—. Hay otros tres sacerdotes, una mujer y dos hombres. Aunque somos de tribus distintas, tenemos lo suficiente en común para trabajar juntos. Te pondremos en el camino de la iniciación.

—¿Hay sacerdotes en la isla? —preguntó él, sorprendido—. ¿Se formaron en África, antes de ser esclavos?

—Uno sí. Los otros dos aprendieron magia mientras eran esclavos. Aquí han mezclado sus caminos individuales para crear un tradición de magia santolana.

—Pero prácticamente todos los isleños son musulmanes o cristianos —dijo él, sorprendido—. Tenemos una mezquita y dos iglesias.

—Los africanos no olvidan lo que saben que es verdad —dijo ella con paciencia—. Para salvaguardarse, una mujer puede construir un altar dedicado a Oshún y decorarlo con una estatua de la Virgen María. Cuando reza a la Madre, no está invocando sólo a la diosa madre cristiana. Bajo el manto del cristianismo y el islam perviven las tradiciones africanas. Somos muy versátiles. —Sonrió un poco—. Mi ama, en Jamaica, creía estar haciendo la obra de Dios cuando forzaba a todos los esclavos de la familia a convertirse, pero, por debajo de los rituales cristianos, nuestro espíritu era libre, aunque no lo fuera nuestro cuerpo.

—Entonces ¿sólo fingíais convertiros?

—En absoluto. Jesús es un espíritu excelente al que rendir culto, y me han dicho que Mahoma también. Un africano puede reverenciar a muchos dioses. —Sus ojos brillaron con malicia—. Honrar a un solo dios parece tacañería.

Nikolai se echó a reír. Su formación religiosa era heterogénea, pero monoteísta. Había recibido el bautismo católico en Malta, y se había convertido de palabra al islam para salvar la vida. Ahora, de pronto, descubría que le gustaba la idea de que hubiera múltiples dioses. O quizá múltiples caras de un mismo dios.

—¿Qué me harán hacer los sacerdotes? ¿Cómo debo prepararme?

Adia se puso muy seria.

—He decidido que debes empezar lo antes posible. Cuanto más tiempo tengas para sopesar el asunto de la iniciación, más pensarás. Es mejor que experimentes, no que especules y analices. Esta noche asistirás a un ritual en el lugar de reunión de los africanos. Luego, los sacerdotes te llevaremos a Diábolo para empezar tu iniciación.

Diábolo era un lugar de la caldera, un islote deshabitado en forma de arco, frente al pueblo. Sólo las cabras pastaban en sus empinadas laderas.

—¿Qué voy a hacer allí?

—Te impondremos distintas tareas para que experimentes la naturaleza de manera nueva. Se trata de que aprendas a cobrar conciencia de otras formas de ver.

No sonaba mal.

—¿Cuánto tiempo durará la iniciación?

—Al menos dos semanas; seguramente más.

Nikolai titubeó.

—Tengo cosas que hacer aquí. Debo supervisar las reparaciones de mi barco, y tengo responsabilidades en la administración del pueblo.

—¿Se derrumba el pueblo cuando estás en el mar? —Ella enarcó las cejas—. ¿Qué es más importante, capitán? Elige.

Las preocupaciones de Nikolai se desvanecieron.

—Tienes razón. El pueblo funciona perfectamente sin mí cuando no estoy, y la misión que me has propuesto es la empresa más importante de mi vida. ¿Tienes alguna instrucción que darme?

—Unas cuantas. Esto no será fácil, capitán. Has vivido durante años en el mundo de la acción y la voluntad. Debes desprenderte de todo eso si quieres sobrevivir a la iniciación. —Suspiró—. Repito que esto es peligroso, capitán, sobre todo para un hombre adulto que no ha vivido entre africanos. Incluso en África siempre hay niños que mueren o se pierden entre mundos, un destino mucho peor que la muerte. No tienes por qué hacer esto.

—¿Me mandarás a través del tiempo si no estoy iniciado? —La expresión preocupada de Adia fue respuesta suficiente—. Entonces voy a intentarlo, y haré todo lo que esté en mi mano por no pensar.

—No pensar es una de las cosas más duras que uno puede intentar.

—Me di cuenta esta tarde —dijo él lacónicamente—. ¿Dónde está ese lugar de reunión al que debo ir para la ceremonia de esta noche?

—Tano vendrá a buscarte aquí al anochecer y te acompañará hasta allí. —Adia se recostó en su silla—. Yo voy a dormir un poco. La noche será agotadora.

Nikolai se levantó. Si cabía la posibilidad de que muriera en la iniciación, primero debía hablar con Jean. Aunque no estaba seguro de qué iba a decirle.

Jean estaba escribiendo una carta con el ceño fruncido cuando llamaron a la puerta de su habitación.

—Adelante —dijo.

Nikolai entró, alto, oscuro y muy serio.

—Adia ha decidido lanzarme a lo desconocido esta misma noche —dijo sin preámbulos—. Se me ha ocurrido venir a despedirme, por si acaso se cumplen sus malos augurios.

Con los nervios crispados, Jean dejó a un lado la pluma. El rostro oscuro de Nikolai tenía una expresión serena, pero era fácil ver la tensión que latía en él. Jean comprendió que no tenía miedo. Pero hasta el hombre más osado del mundo recelaba de lo desconocido.

—Me parece muy repentino. Pensaba que pasaría más tiempo enseñándote a pensar como un africano.

—Dice que ya pienso demasiado, y que cuanto menos piense, mejor. —En lugar de sentarse, se acercó a la ventana y contempló la caldera, donde el agua brillaba como el bronce a la luz del atardecer—. ¿Es cierto eso que dice sobre lo peligroso que es?

Así que había ido allí buscando que lo tranquilizara.

—No sé nada sobre la iniciación africana, pero me enseñaron que hay energías oscuras que conviven con el mundo que conocemos. Espíritus, demonios, criaturas extrañas. Llámalos como quieras, pero pueden hacerte daño.

Intentó pensar en lo que debía decirle.

—Nuestro espíritu y nuestro cuerpo están conectados, pero separados. Si el espíritu viaja, existe el riesgo de que no pueda encontrar el camino de vuelta. O puede que lo ataque una de las criaturas del reino del espíritu. Cualquiera de esas cosas puede hacer que el cuerpo muera.

—¿Y condenar al espíritu a sufrir el tormento eterno? —preguntó él con sorna.

—Eso no lo sé. Pocos Guardianes viajan por los planos interiores con frecuencia, y no conozco a ninguno que haya muerto así. Pero… es posible morir.

—Me sería más fácil creer en espíritus y demonios si fuera religioso. —Miraba por la ventana sin ver nada. Su perfil era como el granito.

Jean dudaba de que Nikolai acogiera con agrado la idea de que la iniciación podía hacer de él un creyente, eso debía descubrirlo por sí mismo. ¿Qué consejos útiles podía ofrecerle?

Pensó en las ceremonias a las que se había sometido al cumplir la mayoría de edad.

—Si tu espíritu viaja tan lejos que hay peligro de que no regreses, intenta pensar en lo que eres tú de manera más profunda. El capitán, el protector, el forajido... Debes tomar conciencia de cuál es la esencia de Nikolai Gregorio. Eso te ayudará a volver a unir cuerpo y espíritu, si llegan a separarse.

Él se apartó de la ventana.

—Oigo las palabras, pero en cierto modo me parece que no tienen significado, como una cancioncilla infantil.

—Creo que las palabras cobrarán vida durante la iniciación.

Nikolai se encogió de hombros. Lo aceptaba, pero no lo creía.

—¿Qué estás haciendo?

—Escribir a mis amigos de Francia y a mi familia. —Señaló las hojas llenas de su letra refinada y pulcra—. Con ayuda de Adia conseguí contactar mentalmente con mis amigos y mi hermano, así que saben que no deben angustiarse, pero están preocupados, claro. Para eso son las cartas; para decirles que estoy bien. Louise me ha dicho que dentro de una semana, más o menos, podré mandarlas a Francia.

Él asintió con una inclinación de cabeza.

—Aunque el *Justicia* no esté reparado, pronto llegará otro barco.

—No hay prisa. Necesito tiempo para escribir las cartas. —Sonrió con ironía—. Es difícil explicar que una ha sido raptada por un pirata obsesionado con la venganza, pero que no pasa nada. La familia de una suele desaprobar el secuestro.

—¿Temes que tu hermano venga a buscarte y acabe muerto?

—Eso, o que te mate —contestó ella ácidamente—. Eres un hombre peligroso, Nikolai, pero también lo es Duncan. Más vale que no os encontréis como dos carneros dándose topetazos.

Aquella imagen hizo sonreír a Nikolai.

—He prometido no vengarme de él.

—Pero él no ha prometido nada. —Jugueteó con la pluma—. Estoy escribiendo dos grupos de cartas. Uno se refiere a la situación actual. El otro es una despedida por si tú y yo viajamos en el tiempo. Supongo que, si eso pasa, seguramente no volveremos a este año, aunque tengamos éxito. Quiero que mi familia sepa que me voy por propia voluntad, y que me alegra tener una oportunidad de servir a los demás. —Sonrió débilmente—. Que me enfrenté a la muerte como una auténtica guardiana.

Él volvió a mirar por la ventana.

—Cuesta creer en la muerte en un lugar tan bello y apacible.

—La muerte puede llegar en un abrir y cerrar de ojos, incluso en un salón.

—O en una isla deshabitada. Adia y los demás sacerdotes van a mandarme a Diábolo, al otro lado de la caldera. Será… interesante. —Se acercó al escritorio—. Si no volvemos a encontrarnos en esta vida, espero que encuentres la paz en el futuro, Jean Macrae. —Se inclinó y la besó, no con la pasión que habían compartido antes, sino con melancólica ternura. Su boca era cálida e invitadora.

—No quiero paz —musitó ella, refrenando las lágrimas—. Quiero vida. Retos. Trascendencia. —Todas esas cualidades que estaban tan presentes en Nikolai.

Se levantó para devolverle el beso y deslizó los brazos alrededor de su amplio pecho. Movió los labios lentamente, con ternura, intentando expresar lo que no podía articular con palabras. Sentía el mismo anhelo y la misma preocupación en él. Se habían alejado del abrazo apasionado en la arena negra de la playa, y ahora se sentía más próxima a él que cuando sus cuerpos estaban entrelazados.

Durante un instante de locura, pensó en acostarse con él para tener al menos aquel recuerdo, si él no volvía. Pero su voz interior seguía diciéndole que sería un error que intimaran en ese momento. Se negaba a aceptar que tal vez no volvería a verlo.

—Volverás, Nikolai. Magullado, templado y conformado de manera que no podemos predecir. Pero volverás. —Logró esbozar una sonrisa provocativa—. Porque tú y yo tenemos un asunto pendiente.

Capítulo 22

Nikolai pasó el resto del día ocupándose de todos los asuntos que le fue posible. El trabajo le impedía pensar demasiado. Logró zambullirse en sus cuentas hasta tal punto que se sorprendió cuando Tano llegó a la casa al anochecer. Su amigo apareció en la puerta del despacho, vestido sólo con un taparrabos y abalorios. Su piel relucía como si estuviera engrasada.

Nikolai parpadeó.

—¿Llevo demasiada ropa?

Tano sonrió un poco.

—Casi todos irán vestidos como yo, pero eres tú quien decide.

A Nikolai no le gustaba la idea de exponer su piel desnuda delante de un grupo de gente, aunque imaginaba que era de vanidades como ésa de las que debía desprenderse. Propuso una solución de compromiso.

—Para la futura ceremonia, me pondré un taparrabos. De momento, sólo me quitaré la chaqueta y el chaleco. —Se quitó las prendas exteriores, quedándose en camisa, calzas y botas. Luego salió tras Tano al anochecer—. ¿Adónde vamos?

—Nuestras ceremonias se celebran en el sótano de una de las ruinas de la parte oeste de la isla —explicó Tano—. Es la más grande de las aldeas antiguas.

—¿Se celebran ceremonias con frecuencia? —preguntó Nikolai, sorprendido.

—Claro. Seguro que has oído los tambores.

Nikolai los había oído, pero no les había dado mucha importancia; pensaba que a algunos africanos de la isla les gustaba tocar el tambor. A pesar de que él también tenía sangre africana, nunca lo habían invitado a unirse a aquellas ceremonias. ¿Acaso no era lo bastante africano? ¿Imponía demasiado porque era el líder de la isla? ¿O tal vez era porque se sabía que era un hombre concentrado únicamente en el mundo de lo visible?

Todas esas cosas, quizá. Aunque lo hubieran invitado, seguramente no habría aceptado.

Ahora que prestaba atención, cobró conciencia de los tambores. Aunque no era raro oírlos en Santola, nunca había escuchado verdaderamente aquel sonido. Cuanto más se acercaba a su fuente, más saturaban su cuerpo aquellos ritmos palpitantes en los que parecía resonar el latido de su sangre al correr por las venas.

Llegaron a las ruinas de la más grande de las aldeas antiguas cuando la oscuridad había caído ya por completo. Tano lo condujo por una ruta errática a través de malas hierbas y piedras desmoronadas.

Luego desapareció. Nikolai tardó un momento en darse cuenta de que su amigo había penetrado en un túnel sinuoso que llevaba hacia abajo. Lo siguió; se golpeó la cabeza con el techo irregular, y después de eso tuvo más cuidado.

Al final del corto túnel había luz, y se oía en toda su potencia el pálpito de los tambores. La sala de ceremonias parecía ser el sótano de un edificio de gran tamaño. Abierta al cielo, estaba iluminada por una hoguera que ocupaba su centro.

Unas veinte personas, tanto hombres como mujeres, estaban sentadas en un amplio círculo alrededor del fuego. Los únicos que tocaban tambores eran los hombres. Tano se inclinó hacia él.

—Como somos pocos y de muchas tribus, venimos hombres y mujeres. Tenemos que compartir nuestras tradiciones para mantenernos fuertes —susurró.

Nikolai los conocía a todos, desde luego (en Santola no había forasteros), pero los presentes parecían distintos esa noche, y él no pudo identificarlos a todos enseguida. Los hombres llevaban taparrabos, y las mujeres poco más. Algunos lucían también sartas de abalorios, tocados y otros adornos corporales más exóticos que incluían plumas, pieles de animales y marcas pintadas en la piel oscura.

No todas las pieles eran tan oscuras: cuando sus ojos se acostumbraron a la luz vacilante del fuego, vio que también estaban allí algunos de los mestizos de Santola. Uno de ellos era Louise. Nikolai siempre la había considerado francesa, pero esa noche era africana.

Tano buscó en silencio un sitio en el círculo y se sentó. Nikolai tomó asiento a su lado; quería tener cerca a un amigo en aquel lugar extraño. Miró a su alrededor buscando a Adia, pero no la vio. Sólo se oía el sonido de los tambores.

Cerró los ojos y dejó que el redoble penetrara su cuerpo. Aquellas oleadas atronadoras embotaron su mente, facilitando la separación entre su cuerpo y el mundo que lo rodeaba. Había magia en aquellos instrumentos. Había un coro de ritmos armoniosos, se dijo. A veces, el redoble de un solo instrumento estallaba y su virtuosismo ocupaba el primer plano, y luego se desvanecía entre el coro y otro tocador tomaba la iniciativa.

El ritmo cambió y un grito traspasó la noche. Nikolai abrió los ojos y vio a Adia bailando dentro del círculo. La reconoció más por su energía que por su aspecto, pues estaba casi irreconocible. Desnuda, salvo por los abalorios, estaba cubierta de marcas de pintura blanca que semejaban un esqueleto. Giró alrededor del círculo varias veces antes de detenerse y gesticular hacia el fuego con ambas manos. Las llamas se volvieron violetas y se elevaron hacia el cielo, más altas que una casa mediana.

La luz violeta deslumbraba y hacía difícil ver otra cosa. Ni siquiera cerrando los ojos se apagaba aquella luz. Nikolai volvió a abrirlos; la luz y el martilleo vibrante de los tambores colmaban sus sentidos. Poco a poco, comenzó a ver signos de movimiento por el rabillo del ojo; un movimiento que se desvanecía cuando miraba directamente.

Se obligó a estarse quieto y a esperar. De pronto se dio cuenta de que estaba viendo a gente menuda, a hombres y mujeres de sesenta centímetros de alto, quizá. Eran inconfundiblemente africanos, de piel oscura, vestidos con las prendas sencillas, enrolladas alrededor del cuerpo, del continente negro. ¿Eran aquéllos los ancestros? Quizá. O quizá eran seres de otra especie que tenían espíritu, pero no cuerpo. Uno, un viejo, caminó hacia él. Y lo atravesó, produciéndole un escalofrío húmedo y frío.

Adia empezó a hablar en una lengua que Nikolai no pudo identificar. Sus sonidos eran antiguos, primigenios, como si fuera la primera lengua hablada por la humanidad. Su voz subía y bajaba. A veces, era tan suave que quedaba ahogada por los tambores; otras era tan poderosa que retumbaba en las piedras de lava de Santola. Aquellos pequeños seres se agrupaban a su alrededor, la observaban y danzaban al son de su voz y de los tambores, meciéndose hipnóticamente.

Nikolai se dio cuenta de que estaba bañado en sudor. El calor procedía en parte del fuego, cuyas llamas ardían aún tan altas como un edificio y mucho más brillantes que las que pudiera crear la yesca. Pero el calor irradiaba también de Adia, un calor humano más potente que las llamas.

Ella levantó la mano y Nikolai vio que llevaba un bastón largo y bruñido, rematado con cuentas y plumas. ¿Lo había llevado desde el principio, o había aparecido de pronto?

Adia lanzó un grito de llamada y tres de las personas sentadas en el círculo se levantaron para unirse a ella. Eran dos hombres y una mujer, e iban pintados con las mismas marcas blancas, simulando un esqueleto. Uno de los hombres era mestizo; su piel era mucho más clara que la de los demás. Nikolai se alegró al ver que los mestizos también podían alcanzar el poder sacerdotal.

Adia lo señaló con el bastón. Sin necesidad de palabras, Nikolai supo que debía acercarse. Se levantó y se reunió con ella. Los cuatro sacerdotes lo rodearon y juntos salieron del lugar de reunión, envueltos en el tronar de los tambores.

Nikolai pudo pensar con un poco más de claridad cuando estuvieron al aire libre, lejos de los tambores. El resto de la isla estaba en silencio, y del pueblo sólo veía algunas luces dispersas. Había descubierto Santola con su intuición de mago y creía conocer cada palmo de la isla principal; sin embargo, le parecía haber sido transportado a un país extraño. ¿Era aquél uno de los mundos de los que Adia le había hablado?

No, Santola no había cambiado, era él quien había abandonado su conciencia normal. Cuando el grupo alcanzó la orilla, se sentía como un observador, separado de su cuerpo. Una canoa de madera, tosca y estrecha, descansaba sobre la arena áspera. Nikolai ignoraba que hubiera tales embarcaciones en la isla. Se estaba haciendo evidente que sabía de Santola menos de lo que creía.

Los dos sacerdotes lanzaron la canoa. Nikolai hizo ademán de ayudarlos, pero un gesto brusco de Adia lo detuvo. Le indicaron que se situara en el centro de la canoa, con un hombre y una mujer delante de él, y los otros dos detrás.

La luz de la luna plateaba el agua cuando se deslizaron por la caldera, hasta Diábolo. Nikolai intentó recordar el islote, que había visitado una o dos veces durante sus primeros años en Santola. Era una media luna estrecha y aserrada que emergía del mar, más pequeña y vertical que la isla principal.

Llegaron a la orilla y los sacerdotes empujaron la canoa hasta una franja de playa. El casco hizo un sonido áspero al arañarse. La orilla era muy plana por espacio de unos quince metros antes de ascender para convertirse en una empinada ladera. Adia bajó de la canoa y recogió un montón de mantas; luego caminó hasta el centro de la zona llana. Las otras sacerdotisas llevaban varios sacos de provisiones.

—¿Dónde...? —La pregunta de Nikolai se interrumpió cuando Adia se llevó un dedo a los labios, pidiendo silencio. Las pinceladas de pintura blanca la hacían parecer inhumana a la luz de la luna. Ya no era la civilizada londinense que había aprendido la lengua y los modales de los ingleses de clase alta, sino una peligrosa sacerdotisa de oscuros arcanos.

Todavía en silencio, cada uno de los sacerdotes cogió una manta y se echó a dormir para lo que quedaba de noche. Nikolai se alegró al ver que había una manta para él, pues sin fuego la noche era fría.

Se enrolló en su manta y se dispuso a dormir, consciente de que la verdadera iniciación empezaría por la mañana. Debía descansar cuanto pudiera.

Pero el sueño no llegaba. El cielo estaba espléndidamente salpicado de estrellas, y Nikolai descubrió que no podía cerrar los ojos. Como marino, conocía bien las estrellas y las constelaciones, pero esa noche los astros parecían haber cobrado vida. Palpitaban y rielaban, llenos de sentido, más brillantes e irresistibles que nunca.

También parecían cantar. No con palabras. Era más bien un coro de notas, discordantes por separado pero armónicas en conjunto. Nikolai aguzó el oído por si había en aquel sonido un mensaje para él, pero no oyó nada, salvo aquellos acordes lejanos y turbadores.

Se quedó dormido con la música de las esferas y se despertó con el sonido de una voz suave.

—Capitán...

Se tensó al recordar que estaba en Diábolo, el islote yermo, nacido del infierno, que había frente a Santola. Adia estaba de pie a su lado. La pintura de su cuerpo había desaparecido, y llevaba un vestido sencillo anudado alrededor del cuerpo y un turbante. No era ya la sacerdotisa africana, sino una mujer que le recordaba a su abuela, que también llevaba siempre un turbante parecido.

Nikolai se sentó y ella le dio una taza de té caliente y un bollo de pan. El té estaba dulce y sabía a cardamomo; el pan sabía un poco rancio. Los otros sacerdotes estaban tomando un desayuno similar. Aunque hacía rato que había amanecido, el interior de la caldera se hallaba todavía en sombras.

Cuando todos acabaron su exiguo desayuno, Adia se levantó y les indicó que la siguieran. Con la bolsa de los amuletos colgada del hombro, recorrió un trecho por el borde del agua y comenzó luego a subir por un barranco retorcido. El grupo estaba a medio camino de la cima de la colina cuando Adia dobló hacia la izquierda y entró en una cueva. Lo cual era interesante, porque Nikolai nunca había oído decir que hubiera cuevas en Diábolo.

Sin embargo, aquello era una cueva, desde luego. La estrecha entrada se abría a una estancia espaciosa. En la mayoría de las cuevas olía a animales, pero en aquélla no. Olía a… antiguo.

Al entrar, Adia levantó una mano y un fuego violeta apareció en su palma. La luz iluminó un espacio amplio, de forma aproximadamente circular, cuyo techo se alzaba a unos cinco metros de altura. Al fondo, una hendidura llevaba al interior de la colina.

Adia puso el fuego violeta en una pared. Se pegó a la roca como una antorcha y siguió ardiendo de manera constante, sin yesca. Echó un puñado de polvo en la llama y un humo acre comenzó a llenar la cueva. Nikolai tosió, parpadeó y se dio cuenta de que el sutil resplandor de la magia también empezaba a ocupar la estancia.

Apartándose del fuego, Adia colocó a sus compañeros en círculo.

—Debes encontrar tú solo las piezas que faltan, capitán. Haremos lo que podamos para ponerte en el buen camino, pero, al final, este viaje debes hacerlo tú solo. Creo que es posible que lo logres, o no lo permitiría.

No parecía tener gran fe en sus posibilidades de éxito.

—Soy consciente de los riesgos. —Miró a cada uno de los sacerdotes—. Si no sobrevivo, no quiero que os sintáis culpables por lo que elegí por propia voluntad.

La atmósfera tensa se relajó un poco. A un gesto de Adia, el sacerdote más joven comenzó a tañer una tosca campaña metálica de sonido profundo y hueco. La otra sacerdotisa empezó a sacudir un sonajero hecho con una calabaza seca, mientras el sacerdote más mayor cantaba en voz baja en una lengua extranjera. Nikolai sabía que se llamaba Omar y que había sido liberado de una galera corsaria. El hombre se había mostrado profundamente agradecido por recuperar su libertad y tener un nuevo hogar. Se había dedicado a la labranza, pero nunca había dicho que fuera sacerdote.

Aquella música rudimentaria era extrañamente atrayente, y Nikolai se descubrió balanceándose a su ritmo. Mientras respiraba el humo acre, su mente se desenfocó y quedó a la deriva. Adia también empezó a cantar con voz profunda y poderosa. Por el rabillo del ojo, Nikolai vio que algo se movía y se dio cuenta de que aquellos pequeños seres habían vuelto a aparecer, atraídos por la música. La víspera, le habían parecido desconcertantes. Ahora le parecían… naturales.

Mientras las paredes de piedra de la cueva devolvían el eco de aquellos ritmos, Adia abrió su bolsa y dejó caer al suelo una serie de objetos. Había piedras, guijarros, plumas y cosas más raras que Nikolai no pudo identificar. Él entornó los ojos y vio que todos aquellos objetos relucían, llenos de magia, y que algunos eran más brillantes que otros.

El último objeto que sacó Adia era un bastón pulido, en forma de «y» de unos treinta y cinco centímetros de largo. Ardía con un fuego violeta.

Sin dejar de cantar, Adia asió el bastón y lo sostuvo derecho. Omar agarró la madera por encima de sus manos y el bastón se elevó de inmediato como impulsado por manos invisibles. Giró antes de caer en picado hacia el suelo. Su descenso se hizo de pronto más lento y el bastón tocó un guijarro que había en medio de la colección de objetos mágicos.

Adia hizo un gesto de asentimiento con la cabeza y apartó el guijarro; luego dijo una frase que hizo elevarse de nuevo el bastón. Tras otro giro, el bastón cayó y tocó una pequeña taba. Ésta acabó junto al guijarro. El ritual se repitió media docena de veces más. Nikolai notó que los objetos elegidos eran los que más brillaban.

El humo acre lo aturdía, y perdió la noción del tiempo. ¿Habían pasado minutos? ¿Horas? Al final, el bastón dejó de moverse cuando Adia le hablaba. Omar lo soltó, y ella se inclinó respetuosamente ante el bastón antes de volver a guardarlo en su bolsa. La campana y el sonajero comenzaron a sonar más lentamente y luego se detuvieron, y la cueva quedó de nuevo en silencio.

Adia recogió los objetos elegidos y los puso en una bolsita de piel con símbolos pintados a un lado. Tras sacar hilo y aguja de su bolsa, cosió con esmero la bolsita y la prendió a una tira de cuero. Luego se acercó a Nikolai y le puso la tira alrededor del cuello.

—Para protegerte. —Ella dio un paso atrás—. Ha llegado la hora de tu primera prueba. Será un viaje doloroso, pero no es demasiado tarde para dar marcha atrás. Piénsalo despacio, capitán. Has conseguido mucho en los mares y aquí, en Santola. Intentar la iniciación es arriesgarte a perderlo todo.

Su voz desencadenó imágenes fantasmales de muerte y desastres. Nikolai tuvo una visión fugaz y aterradora en la que se contemplaba a sí mismo atrapado e indefenso en medio de demonios vociferantes. Por primera vez, sintió en las entrañas que podía morir si seguía adelante. Tenía una buena vida, un trabajo valioso. ¿Por qué arrojarlo todo por la borda?

Porque nunca se perdonaría si, pudiendo contribuir a poner fin a la esclavitud, era demasiado cobarde para intentarlo. Se había arriesgado muchas veces. El peligro de lo desconocido era más temible que cualquier espada o cañón, pero había tantas cosas en juego que merecía la pena arriesgarse.

—Deseo seguir adelante.

Ella inclinó la cabeza con expresión preocupada.

—Muy bien.

Omar se adelantó con una daga en la mano.

—No te muevas. —Enrolló la manga izquierda de Nikolai hasta su codo y le hizo una rápido corte en el antebrazo.

Nikolai dio un respingo, pero no dijo nada ni siquiera cuando Omar aplicó un líquido áspero e irritante en la herida.

—Para protegerte del fuego.

¿Fuego? Los cuatro sacerdotes se colocaron alrededor de Nikolai. A pesar de que se hallaban bajo tierra, él sintió que estaban ocupando los cuatro puntos cardinales. Luego Omar dijo con voz grave y retumbante:

—¡Aprende el fuego! —Levantó las manos y de la tierra emergieron unas llamas azules que rodearon a Nikolai.

Él sofocó un grito de terror cuando el fuego consumió sus ropas, su cabello, su carne. Incapaz de soportar el dolor, salió tambaleándose del círculo ardiente… y se encontró en una tierra extraña, bañada por el sol.

Jean estaba acabando una carta a su hermano y a la esposa de éste cuando su mano se movió bruscamente, haciendo un borrón de tinta en la página. *Nikolai estaba en peligro*. Aunque sabía que la iniciación era peligrosa, no esperaba que se viera amenazado tan rápidamente. Ni esperaba que el peligro fuera tan difícil de definir.

Dejó su pluma con cuidado de no hacer más borrones y cerró los ojos.

Estaba conectada a él desde que se conocían, pero ahora esa conexión había desaparecido. Nikolai había desaparecido de su conciencia interna. Mientras su corazón latía violentamente, lo buscó con angustia creciente.

Nada.

Se obligó a calmarse para no ponerse a chillar. Nikolai estaba sometiéndose a una iniciación mágica, rodeado de sacerdotes africanos, y era muy posible que el ritual impidiera que su magia lo alcanzara.

Adia creía que Nikolai tenía bastante posibilidades de sobrevivir. Y si se equivocaba y Nikolai moría... bien, los sacerdotes llevarían la noticia a Santola enseguida.

Dado que ya no había conexión entre ellos, ni siquiera podía enviarle parte de su energía. No podía hacer nada, excepto probar con la magia más antigua de todas.

Juntando las manos, cerró los ojos y rezó que aquel maldito hombre estuviera vivo y a salvo, en alguna parte.

Capítulo 23

Desconcertado, Nikolai escudriñó la llanura que, cuarteada por el sol, se extendía en todas direcciones. La cueva y los sacerdotes habían desaparecido. Un sol ardiente quemaba la tierra llana y cubierta de hierba amarillenta y descolorida. Los pocos árboles dispersos tenían formas extrañas, y sus ramas se estiraban como paraguas.

Salvo por la bolsita que colgaba de su cuello, estaba desnudo. Vio las últimas llamas azules apagarse en su antebrazo. Se había sentido arder y sin embargo su piel y su pelo estaban intactos. ¿Estaba de veras en un lugar distinto, o era aquello una especie de sueño? Se sentía bastante real. El corte que Omar le había hecho en el brazo seguía escociéndole.

El viento suspiraba por las llanuras y un hálito de frescura mitigó el fiero calor sobre su cuerpo desnudo. ¿Qué diablos estaba haciendo allí? ¿Qué tarea debía cumplir?

Se sentía penosamente expuesto y deseaba tener un arma y ropa, en ese orden. Y un lugar en el que cobijarse, pero el áspero paisaje no ofrecía ningún abrigo.

¿Qué debía hacer?

En un país desconocido, buscar agua. Lo había aprendido mientras trabajaba como esclavo en las caravanas de la sal del norte de África, que atravesaban las tierras más desoladas del planeta. Tenía sed, de modo que consultó a su intuición en busca de agua. Su habilidad para encontrarla les había sido muy útil a sus compañeros y a él en su último viaje a las minas de sal.

Allí, a su izquierda. A cierta distancia, pero a su alcance antes de que la sed y el sol lo vencieran.

Antes de partir, debía marcar el sitio en el que se encontraba por si acaso era la única puerta que podía llevarlo de vuelta a su tiempo y su lugar. Eso, suponiendo que pudiera volver. Cuando Adia había hablado de otros mundos, él había pensado en ellos como en sueños o metáforas, pero aquel país abrasado por el sol era muy real. Ahora, era su hogar, y Santola, el *Justicia*, Jean, un sueño.

Arrancó la hierba que había alrededor de sus pies y apiló las piedras que encontró sobre la tierra desnuda. Mientras buscaba piedras, descubrió los huesos descoloridos de un antílope devorado por depredadores. Arrojó varios huesos al montón de piedras y marcó mentalmente aquel lugar. Su sentido de la orientación era otra habilidad que le había sido muy útil en los mares sin caminos. Confiaba en que no le fallara en aquel mundo extraño.

Tras hacer todo lo posible por marcar el lugar de su llegada, comenzó a andar hacia el oeste. De niño, cuando era esclavo, solía andar descalzo y tenía los pies duros como el pellejo de un elefante. Pero hacía muchos años que llevaba botas, y se le habían ablandado.

No importaba. Había aprendido tempranamente a ignorar el malestar, y esa capacidad la conservaba aún. Mientras caminaba, observaba la llanura, pensando que se parecía a lo que había oído contar sobre África oriental. Aunque nunca había estado allí, un esclavo compañero suyo de caravana llamado Rafiki le había descrito su país natal, y aquellas llanuras y aquellos árboles encajaban con su descripción. Omar era también del este de África, si no recordaba mal. ¿Podían haberlo mandado los ancianos a un lugar distinto del mundo que conocía, o se encontraba en otra realidad?

Estuvo un rato pensando en aquellas cosas y luego se olvidó de ellas, puesto que no sabía lo suficiente para encontrar respuestas. *Piensa menos.* Esa noche, cuando viera las estrellas, sabría si aquél era su mundo o era otro.

Un enorme antílope con cuernos retorcidos apareció tras él con gran estruendo. Cuando pasó corriendo a su lado, Nikolai pensó: *Kudu.* ¿Cómo sabía su nombre? Miró hacia atrás y vio un grupo de hombres negros, altos y fibrosos corriendo hacia él… y todos llevaban lanzas.

Echó a correr instintivamente. Se sentía indefenso y tuvo miedo. Pero un instante después se dio cuenta de que los recién llegados eran cazadores que perseguían al kudu. Rafiki le había descrito aquel modo antiguo de cazar. Un grupo perseguía a un animal durante la hora más calurosa del día y lo mataba cuando la presa no podía correr más.

Los cazadores no parecieron sorprendidos al verlo, ni dieron muestras de hostilidad. Sencillamente, siguieron acercándose. Casi todos estaban desnudos o vestidos sólo con taparrabos, pero llevaban lanzas en las manos y bolsas de piel colgadas a la espalda. Su piel negra relucía por el sudor, y sin embargo corrían con facilidad, sin esfuerzo.

El grupo de corredores pasó a su lado. El más cercano, un joven de unos veinte años, le gritó un saludo y sus dientes brillaron, blancos, en contraste con su cara oscura. Lanzó de lado una de las dos lanzas que llevaba, como si estuviera jugando a la pelota. Nikolai cogió la lanza en el aire. El arma pareció equilibrarse y adaptarse de manera natural a su mano.

Adivinando que aquello formaba parte de su misión, se volvió y comenzó a correr con el grupo.

Pronto, las largas zancadas de los corredores le parecieron tan naturales como el peso de la lanza que llevaba en la mano. Aunque tenía los pies heridos y respiraba trabajosamente, podía mantener el paso. Le agradaba el ardor de sus músculos al estirarlos por completo. Un capitán de barco no tenía muchas oportunidades de correr.

Se dirigían hacia el agua que había sentido. Su percepción de ella se agudizó. Remontaron un ligero promontorio y vieron una charca bordeada de matorrales, acacias dispersas y varios pájaros y pequeños animales bebiendo. En el centro del agua se veía el morro oscuro de un hipopótamo sumergido.

Al acercarse los humanos, los pájaros levantaron el vuelo entre chillidos, batiendo sus grandes alas mientras los animalillos corrían a refugiarse entre la maleza. El kudu pasó corriendo junto a la charca. Su paso vacilaba. Demasiado cansado para seguir corriendo, dobló las patas y se derrumbó sobre la tierra llena de surcos, junto al agua.

Los cazadores se acercaron y los que iban delante mataron al kudu con enérgica eficacia. Tres de los hombres del grupo sacaron cuchillos de piedra de sus bolsas de piel y comenzaron a desollar el cadáver. Los otros cazadores recogieron yesca, madera o estiércol seco. Cuando estuvo todo amontonado, varios miraron a Nikolai.

Sin necesidad de palabras, Nikolai comprendió que su trabajo consistía en encender el fuego. Pero ¿cómo? No tenía yesquero, ni pedernal. ¿Era quizás el sacerdote de aquel grupo y debía invocar el fuego? Omar había dicho que debía conocer el fuego.

Se arrodilló junto a la yesca amontonada y puso las dos manos sobre ella. Los Guardianes de Jean habrían visualizado las llamas mientras encendían el fuego con el pensamiento. Como no conocía otra técnica, probó con aquélla. Sus palmas se calentaron, pero no apareció ninguna llama.

¿Y si añadía el calor del ardiente sol africano? Lo hizo, imaginando que el sol feroz se unía a la esencia del fuego, y se concentró hasta que el sudor le goteó por la frente.

Entre sus manos brotaron llamas que prendieron la yesca. Sus compañeros profirieron ruidos de complacencia y colgaron sobre el fuego una pierna del kudu. Mientras la carne se oscurecía y la grasa goteaba entre las llamas, Nikolai descubrió que estaba deseando comer. ¿Cuánto tiempo hacía que no tomaba una comida decente? El pan y el té de esa mañana apenas contaban.

Mientras la pierna se asaba, el joven cazador que le había dado la lanza rodeó la charca escudriñando el suelo. A medio camino se detuvo y escarbó en la tierra. Luego volvió con tubérculos que enterró entre las brasas. Hizo un comentario gracioso que Nikolai casi entendió. También era consciente de que el muchacho se llamaba Sefu, aunque ignoraba cómo lo sabía.

Envolvieron y guardaron el resto de la carne. De nuevo sin saber cómo, Nikolai comprendió que por la mañana dos de los cazadores llevarían la carne al pueblo, junto con la piel y los cuernos y lo que pudiera usarse del animal.

El sol se estaba poniendo cuando la comida estuvo lista. Nunca le había sabido mejor la carne. Nikolai y los cazadores se hartaron de comer entre risas y charlas. A pesar de que no conocía su lengua, Nikolai descubrió que tenía una percepción general de la conversación. Era aceptado como parte del grupo, aunque permanecía algo apartado porque podía ejecutar actos mágicos.

Cuando se hizo de noche, varios cazadores sacaron de sus bolsas pequeños tambores planos y comenzaron a tañerlos. Los otros se levantaron para bailar alrededor del fuego. Era una danza de cazadores que imitaba los movimientos del antílope, una forma de honrar a la bestia sacrificada. Su ritmo latía a través de Nikolai, el sonido de los tambores y la danza indisolublemente unidos. Quería participar, pero no sabía cómo.

Uno de los músicos se levantó y le lanzó un tamborcillo, luego se unió a la danza. Sorprendido, Nikolai cogió el instrumento. La piel tensa estaba caliente allí donde habían percutido las manos del hombre, y parecía llamarlo.

Nikolai empezó a golpear indecisamente el tambor con las manos abiertas, intentando imitar el ritmo de los otros. Sus compañeros se reían y lo animaban. Ejecutó un ritmo muy sencillo y pronto el sonido de su tambor estuvo en armonía con el resto del conjunto. Estaban unidos, entrelazados con los danzantes como un solo ser gozoso.

Los danzantes se interrumpieron de pronto y se inclinaron ante los músicos para golpear la tierra en su honor. Tras una última floritura, los músicos se detuvieron y entregaron sus instrumentos y cada grupo ocupó el lugar del otro.

Nikolai se sintió violento al unirse a los danzantes. Había bailado poco en su vida, y su cuerpo no entendía los movimientos de la danza del kudu. Era torpe, rígido, un europeo rodeado de africanos.

Sefu le tocó el brazo diciendo sin palabras que la torpeza no importaba. Una cálida relajación embargó a Nikolai, y dejó de preocuparse por lo que pensarían los otros. Dejó que el sonido de los tambores palpitara en su sangre y sus huesos, abriéndose al movimiento de la danza, y se fundió con el grupo.

A pesar de su piel clara, de su ignorancia de la lengua o incluso de dónde estaba, sentía que formaba parte de aquella vida. La danza acabó y los cazadores se acostaron para dormir, excepto uno, que se sentó con su lanza para vigilar el campamento.

Nikolai acercó una mano al fuego. *Arde bajo pero sin pausa toda la noche.* Luego se tumbó sobre un fino montón de hierba, agotado y listo para descansar.

Le quedaban las fuerzas justas para observar las estrellas. Por extraño que pareciera, eran muy parecidas al firmamento que conocía, pero no idénticas, y no porque estuviera más al sur de lo que había navegado nunca. Las estrellas no eran las mismas. Tal vez aquél fuera otro mundo, un mundo cercano al suyo pero ligeramente desviado.

No pienses. Cerró los ojos y se durmió.

Con el paso de los días y las noches, Nikolai fue acostumbrándose al ritmo de la vida del grupo de cazadores. Se llamaban a sí mismos Dahana, «el pueblo». Por primera vez en su vida, tenía la sensación de pertenecer verdaderamente a un lugar. No era un maltés mestizo, ni negro, ni árabe, ni europeo. Era uno de los miembros del Pueblo, al que no sólo se aceptaba sino que se honraba por sus habilidades mágicas. Lo llamaban Nikai.

Pasados unos cuantos días, volvieron a la aldea. Hubo un banquete para recibir a los cazadores. Nikolai tocaba cada vez mejor el tambor, y disfrutó aprendiendo nuevos bailes. Aquéllas eran las raíces africanas que no había conocido nunca, y gozaba de las tradiciones ancestrales de una existencia en armonía con la naturaleza. Había en todas las cosas una fuerza vital que las conectaba entre sí.

Había encontrado una parte de su ser que le faltaba.

La mitad del tiempo, su grupo de cazadores viajaba en busca de caza. El resto del tiempo se relajaba en la aldea con sus amigos y familias. Mientras el recuerdo de su antigua vida se difuminaba, Nikolai practicaba su maestría con el fuego. Descubrió que podía invocarlo en cantidades cuidadosamente medidas, encender un fuego para cocinar o levantar una gran hoguera para las danzas de la tribu.

Aprendió también a almacenar fuego en un bastón de modo que, al decir una breve palabra mágica, ardiera unos minutos. Aquel bastón ígneo podía usarlo cualquiera, lo cual hacía de él un regalo valioso. Recibió muchos elogios por su invención, pues ahora otros grupos de cazadores podrían llevar fuego con ellos fácilmente.

Recordaba vagamente a alguien de su pasado que podía invocar el fuego. Una mujer. Ah, era Adia, una sacerdotisa que sabía crear un fuego violeta. Pero su nombre volvió a escapársele enseguida. Igual que el de la mujer con el cabello como fuego.

Practicaba con el tambor y la lanza, y pidió humildemente a un anciano que le enseñara a tocar la flauta hecha con un cuerno de kudu. Siempre le había gustado la música, pero nunca había aprendido a tocarla. Las lecciones del anciano eran una delicia, tanto por la música como por la hija del anciano, una muchacha tímida y hermosa que lo miraba con especial afecto. Nikolai comenzó muy pronto a devolverle las sonrisas y a pensar que era hora de tomar esposa. Pero no había prisa.

Los días pasaban plácidos y satisfactorios. Por primera vez en su vida, estaba contento, aunque ya no recordaba por qué estaba descontento.

Cuando hubieron pasado muchos días, su grupo de doce cazadores salió de la aldea para ir a comerciar a una ciudad situada en la bifurcación de dos ríos. Sefu le explicó que muchos pueblos visitaban Timtu y que allí podían verse grandes prodigios.

Nikai y los cazadores corrieron durante tres días, pasando de la sabana herbosa a un paisaje más áspero y seco. Con el tiempo, el sol había oscurecido su piel, de modo que se parecía más a sus hermanos cazadores, de lo cual se alegraba. No quería sentirse aparte.

Los cazadores se turnaron para cargar los bultos de sus mercancías hasta que llegaron a Timtu a última hora de la mañana del cuarto día. Los cuadrados edificios de barro avivaron un recuerdo distante. Había visitado una ciudad parecida hacía mucho tiempo, en su vida soñada. ¿Por qué lo había hecho, y dónde era? No se acordaba.

El mercado bullía, lleno de comerciantes que exponían sus frutas y sus telas de brillantes colores, sus metales forjados y su madera labrada, y muchas otras mercancías que habían viajado por ríos y rutas comerciales. Nikai admiró un pequeño tambor y tocó un poco para oír su sonido profundo. ¿Por qué podía trocar un objeto tan fino? Tal vez pudiera ofrecer un par de sus bastones de fuego encantados. Un hombre y su esposa vendían los tambores, y su hija, una niña muy bonita, le ofreció con timidez otro tambor, tocándolo suavemente para mostrarle su afinación.

Estaba a punto de probar el tamborcito de la niña cuando se oyeron gritos a lo lejos, acompañados por un estruendo de cascos de caballo. La plaza del mercado estalló en gritos y todo el mundo huyó aterrorizado. Sefu gritó:

—¡Corre, Nikai! ¡Vienen los jinetes del norte! Si huimos, no nos perseguirán porque vamos armados. Pero debemos darnos prisa.

Nikai se volvió y siguió a su amigo y a los otros cazadores, huyendo de los asaltantes. Estaba a punto de salir de la plaza cuando los jinetes irrumpieron en ella por el otro lado. Velados y ataviados con túnicas voluminosas, gritaban y blandían espadas curvas, empujando con sus armas y sus caballos a la gente del pueblo hacia el centro de la plaza.

Nikai vio a los vendedores de tambores. El padre cogió a su hijita y corrió con su esposa hacia un callejón estrecho, pero era ya demasiado tarde. Un jinete se inclinó y le arrancó a la niña de los brazos, dando al padre una fuerte patada en la tripa para que soltara a la pequeña. El jinete puso a la niña delante de él, en la silla, y luego usó la parte plana de la espada para obligar a los padres a unirse al grupo de cautivos.

Nikai se detuvo, conmocionado por la escena.

—¿Qué están haciendo?

Sefu se paró y se volvió para responder.

—Son tratantes de esclavos. Se llevan a los prisioneros jóvenes y sanos a la costa para venderlos y embarcarlos hacia países lejanos. ¡Vámonos ya, mientras están ocupados!

—Si luchamos juntos, podemos ahuyentarlos. —Había algunos comerciantes luchando, pero eran demasiado pocos. Nikai comenzó a avanzar hacia ellos con su lanza.

—¡Los mercaderes no son Pueblo! Su suerte no nos importa. —Sefu lo agarró del brazo—. ¡Vamos!

Por un instante, Nikai aceptó las palabras de su amigo. ¿Qué importaba que unos extranjeros fueran esclavizados, si el Pueblo estaba a salvo?

Pero aquel instante pasó, y Nikai se resquebrajó, lleno de rabia y de recuerdos. Era Nikolai Gregorio, y había jurado combatir la esclavitud en todas partes. Lo habían mandado a aquel mundo para aprender el fuego, y había creído que ello se refería sólo a las llamas ardientes. Pero el fuego era también pasión. Indignación. Exigencia de justicia. El fuego de su alma había estado a punto de extinguirse, hasta ese día.

De pronto recordó vívidamente a una mujer menuda, de cabello rojo y ojos ardientes. Ella le había dicho que, si corría peligro de olvidar el camino de regreso a casa, recordara qué era en lo más hondo de su ser. La esencia de Nikolai Gregorio era el fuego de la justicia.

—Todos son mis hermanos —dijo adustamente—. Huid, si queréis. Yo voy a luchar.

Corrió hacia la plaza y levantó las manos hacia el cielo para invocar el fuego. Una gran bola de llamas apareció de pronto, y Nikolai la lanzó contra los jinetes. Sus amplios mantos se inflamaron, y los asaltantes comenzaron a gritar y a retorcerse, intentando quitarse las ropas. Los caballos arrojaron a sus jinetes y echaron a correr, mientras los comerciantes armados comenzaban a masacrar a los asaltantes que no huyeron.

En medio del caos que reinaba en el mercado, Nikolai vio al jinete que había cogido a la hija del vendedor de tambores. Estaba acorralado contra un edificio, buscando una salida, con su prisionera todavía en brazos. Nikolai caminó serio hacia él. Cuando estaba a varios metros de distancia, lanzó una lanza de fuego.

Mientras el asaltante gritaba y se cubría los ojos, Nikolai bajó a la niña del caballo. La pequeña lloraba, pero no estaba herida. En cuanto Nikolai la dejó en el suelo, corrió hacia sus padres. Su madre la tomó entre sus brazos mientras el padre utilizaba un poste roto de su tenderete para atacar al hombre que había intentado robarle a su hija. El extremo picudo y desigual del poste se hundió en el vientre del jinete.

El hombre se dobló sobre su silla al tiempo que la sangre salpicaba su túnica clara. Pero, antes de morir, le quedaron fuerzas para levantar la espada y lanzarla contra el pecho de Nikolai, maldiciendo con furia gutural al hombre que había arruinado el ataque.

Reconociendo la inminencia de la muerte, Nikolai concentró hacia dentro su energía e intentó esquivar el golpe, pero la espada se hundió en su pecho, seccionando la carne y aplastando el hueso. Cuando sus fuerzas se agotaron y se desplomó, le sorprendió vagamente no sentir dolor.

No cayó al suelo, sino a través del suelo, hacia las tinieblas del caos. Intentaba descifrar qué estaba ocurriendo cuando chocó de espaldas contra una superficie dura. Parpadeó y miró hacia arriba… y descubrió que estaba en la cueva de Diábolo y que los cuatro sacerdotes que lo habían mandado a aquel país lejano lo estaban mirando.

Había sobrevivido a la primera prueba.

Capítulo 24

Nikolai miraba parpadeando a los sacerdotes.

—¿Todavía estáis aquí?

—Teníamos que mantener abierta la puerta para que pudieras volver —explicó Omar—. Si volvías.

Los sacerdotes eran gente pesimista, estaba claro. Nikolai se sentó y notó que llevaba la misma camisa, las calzas y las botas que al entrar en la cueva.

—He estado fuera muchas semanas. Meses. ¿Habéis esperado aquí todo ese tiempo?

—Puede que en ese otro mundo hayan pasado meses, pero aquí sólo han pasado unas horas. —Adia le ofreció una mano para que se levantara.

Nikolai se tambaleó al ponerse en pie, desorientado.

—Lo que me ha pasado… ¿no era real?

—Tan real como esta cueva y esta isla. Mira el color de tu piel. —Él hizo lo que Adia le decía y vio que el sol feroz de la sabana había oscurecido su piel varios tonos—. Todo lo que ha pasado allí forma ahora parte de tu espíritu.

—Creo que allí he muerto —dijo él lentamente—. Acababan de atravesarme el pecho con una espada cuando volví. ¿Ha sido la muerte lo que me ha traído de vuelta?

Omar frunció la frente.

—Puede ser, si tu muerte la causó lo que has aprendido en este viaje.

—Así es. —Nikolai había descubierto el fuego interior, la pasión que se había disipado al acomodarse en exceso. Ese fuego era esencial para su misión.

Pero entre los dahanas había descubierto una parte africana de su ser que hasta entonces le había faltado. Pensó en la paz y en la alegría que había sentido corriendo con sus compañeros, y en su descubrimiento del baile y la música. Había pertenecido al Pueblo... y sintió una aguda tristeza porque aquella vida le estuviera vedada. Se hallaba de nuevo en un lugar al que no pertenecía por completo.

—Bebe. —La otra sacerdotisa, Nayo, le dio una taza de té dulce y caliente. Nikolai bebió con avidez. Echaría de menos a los dahanas, pero al menos volvía a tener té.

Siguieron pruebas más fáciles que lo llevaron a lugares en los que había vivido, como Malta, Argel, sus barcos, Santola... En cada uno de esos lugares, vagaba como un fantasma entre escenas familiares y su ser iba completándose a medida que se veía a sí mismo con la objetividad que da la distancia.

Perdió la noción del tiempo, pero pasados algunos días Adia decidió que su alma estaba ya suficientemente completa y le informó de que la siguiente prueba sería de naturaleza distinta. Condujo al grupo hasta la cima de la colina más alta de Diábolo, donde el sacerdote más joven, un ex galeote llamado Enam, ejecutó un ritual a la salida del sol. Al final, Enam dibujó un círculo en el aire del tamaño de un hombre.

—Entra ahora y conoce a los espíritus del aire.

Nikolai dio un paso adelante y se encontró cayendo por la oscuridad del espacio, infinitamente.

Si la primera prueba de su iniciación había sido un paraíso peligrosamente atractivo, aquello era el infierno. La caída fue aterradora. Pero aún peor era el ruido; un chillido de miedo y amenaza, agudo y grave al mismo tiempo, que retumbaba en la médula de sus huesos y embotaba su mente. Intentó taparse los oídos con las manos, pero llevaba aquel estruendo dentro de la cabeza; era imposible escapar a él. Sintió pánico y deseó frenéticamente escapar, pero aquel ruido horrendo empeoraba y empeoraba. Nunca había sido consciente de que el ruido pudiera producir tanto dolor.

Estaba al borde de la locura cuando cayó en la cuenta de que, cuanto mayor era su miedo, más doloroso era el ruido. El único modo de sobrevivir era superar su temor.

¿Qué era lo que más temía? No la muerte, eso habría sido casi un alivio. Al darse cuenta de ello, aquel ruido atroz disminuyó un poco.

¿Qué más temía?

El fracaso. Era responsable de sus hombres, de aquéllos a los que había rescatado y del santuario que había creado en aquella isla. Si le fallaba a aquella gente, temía llevárselos al infierno con él.

Pero de pronto comprendió que eso no ocurriría. En Santola había muchos hombres y mujeres fuertes y capaces. Si él moría, la comunidad sobreviviría. Su temor era infundado.

De nuevo, el ruido doloroso disminuyó, y él ya no caía tan aprisa.

La pérdida. De niño, había perdido a todos sus seres queridos. Creía haberse enfrentado a ese miedo resistiéndose a sentir afectos, pero muy en el fondo el temor seguía allí... al igual que el deseo de amar y ser amado. Al reconocer aquel miedo, el ruido insistente se debilitó de nuevo y dejó de retumbar en su cuerpo.

La traición. De niño había dado su confianza con demasiada liberalidad, y el dolor de la traición casi le había arrancado el corazón. El miedo y la pérdida habían hecho germinar en él una furia voraz que lo había inducido a la amarga venganza. Esa rabia vengativa lo había enloquecido en gran medida.

La injusticia. Había secuestrado a Jean y habría matado de buena gana a su hermano, y ello habría sido una enorme injusticia. Él vivía para la justicia y, sin embargo, en su miedo y su ira, había estado a punto de convertirse en lo que más aborrecía.

El ruido era ahora soportable, y él ya no caía. Estaba suspendido en el aire, flotando como una pompa de jabón. Comprendió que cada miedo era un pedazo perdido de su alma. Al disiparse los temores, su alma se hacía más fuerte.

Aquel ruido torturante se disolvió hasta quedar en nada. Colgado en el vacío, Nikolai se preguntaba si allí se podía volar. Había soñado algunas veces que surcaba el cielo con los brazos y las piernas extendidos mientras se concentraba en mantenerse a flote. Lo intentó, y en cuanto se desprendió del miedo a chocar con el suelo o una montaña, descubrió para su deleite que, en efecto, podía volar.

La experiencia del vuelo fue mágica. Se rió a carcajadas mientras se deslizaba por la oscuridad, improvisando piruetas y zambullidas, como un ave marina y juguetona. Decidió ver lo alto que podía llegar. Usando sólo su voluntad, se elevó y se elevó… y cruzó el portal que llevaba de nuevo a Diábolo.

Cayó torpemente al suelo y rodó por él, arañándose la piel en las piedras ásperas. Sus mentores, los sacerdotes, estaban a su alrededor. Esta vez fue Enam quien lo ayudó a levantarse.

—Ha sido... interesante. —Nikolai miró el cielo para comprobar la posición del sol—. ¿Cuánto tiempo he estado fuera? ¿Un día?

—Sólo unos minutos. —Un destello travieso brilló en los ojos de Omar—. Hoy todavía queda tiempo para hacer otra prueba.

Nikolai sofocó un gruñido. La iniciación era difícil en muchos sentidos, siempre cambiantes. Pero cuanto antes acabara, mejor.

—Jean, ¿estás aquí? —dijo Adia desde la puerta del cuarto de Jean.

—¡En la terraza! —Jean se levantó de un salto; cuando saludó a su visitante, tenía el corazón en la garganta—. ¿Le ha... le ha pasado algo a Nikolai?

—Muchas cosas, y más que van a pasarle, pero de momento está bien —dijo Adia rápidamente—. Siento haberte asustado. Esta tarde no me necesitaban en Diábolo y he decidido venir al pueblo en busca de provisiones. También he pensado que era hora de ver cómo ibas con las notas sobre el movimiento abolicionista. ¿Hay alguna cosa que no entiendas?

Indeciblemente aliviada porque su capitán estuviera bien, Jean señaló el montón de notas que había sobre la mesa en la que trabajaba. Cuando se le cansaba la vista, era un placer contemplar la caldera. Y Diábolo.

—Estoy a medias con la copia. En algunas partes no entiendo del todo tus notas. También he estado haciendo una cronología de los acontecimientos relacionados con el movimiento abolicionista. ¿Podrías echarle un vistazo para ver si está bien? —Le dio el papel en el que había dibujado una larga línea con distintos acontecimientos anotados según los años.

—Está muy bien, por ahora —dijo Adia después de estudiar el diagrama—. Pero hay más. —Se sentó y le relató varios incidentes de importancia—. Esas cosas no las he vivido, pero los ancianos hablaban de ellas.

—¡Qué maravilla! —Jean tomaba notas apresuradamente—. Se pueden decir muchas más cosas hablando que escribiendo.

—Sólo tuvimos tiempo de anotar lo más importante. La mayor parte lo escribí yo, porque no todos los ancianos saben escribir. Ahora, repasemos tus preguntas.

Jean se relajó mientras hojeaba las notas en busca de su primera pregunta. Sin duda Adia no se entretendría trabajando con ella en aquel asunto a no ser que fuera muy posible que fueran a viajar en el tiempo. Y eso significaba que Nikolai iba a sobrevivir.

Los días se confundían y se mezclaban entre sí, emborronados entre prueba y prueba, algunas de ellas horrendas, otras simplemente extrañas. Aprender la tierra fue aterrador porque Nikolai creyó que lo habían enterrado vivo y que se asfixiaría. En vista de que no moría, comprendió poco a poco que era una semilla en desarrollo, que estaba aprendiendo la tierra en el sentido más literal. Todo era textura, peso, tem-

peratura y lentitud mientras luchaba, inconsciente, por abrirse paso hacia el sol.

Sentir el roce de una lombriz que pasaba por allí fue muy
extraño. Después de pasar una eternidad luchando por salir al
sol, emergió a un mundo de prodigios y nuevos peligros.
Abrió sus hojas... y se descubrió acurrucado en la cueva de
Diábolo.

Visitó lugares que conocía como la palma de su mano, y
mundos tan extraños que no podía describirlos con palabras.
Conoció a veces el miedo, otras la excitación, y de vez en
cuando el aburrimiento. No encontró ningún lugar en el que
se sintiera tan a gusto como entre el Pueblo, y se resignó
sombríamente a que su destino no fuera sentirse por completo partícipe de un grupo.

Aquellas experiencias lo dejaron agotado anímicamente,
pero también más consciente del mundo que lo rodeaba.
¿Bastaría con eso para iniciarse del todo? Pasó poco tiempo
preocupándose por eso, porque estaba aprendiendo a pensar
menos.

Se extravió tan por completo en aquellas experiencias
cambiantes que se sorprendió con lo que Adia le dijo una mañana.

—Ven. Ha llegado la hora de la prueba final.

Apuró su té y la siguió cuando ella echó a andar con paso
enérgico por un camino de cabras que subía zigzaguean-
do por la empinada ladera de la colina. Los otros sacerdotes
no les acompañaron.

Alcanzaron la cima y descendieron. El sol estaba bien alto
en el horizonte cuando llegaron a un lecho rocoso, varios metros por encima del batir de las olas. El oleaje era allí más
fuerte que dentro de la caldera, y el viento más áspero. Adia

se detuvo al borde del agua y le dio una bolsita que contenía una botella de agua y media hogaza de pan.

—Siéntate y mira el mar.

—¿Qué debo buscar?

—No puedo decírtelo. Pero cultiva la paciencia, capitán. La sabiduría no viene de la noche a la mañana. —Sonrió—. Estás mejor preparado para esto ahora que cuando llegaste a Diábolo.

—¿Cómo sabré cuándo he adquirido esta sabiduría en particular?

—Lo sabrás. —Se volvió y comenzó de nuevo a ascender.

Nikolai se descubrió siguiéndola con la mirada porque era la única figura humana en aquel paisaje inhumano; después, se obligó a volverse hacia el mar. Había probado a meditar antes de empezar su iniciación, y había sido un rotundo fracaso.

Ese día, meditar le parecía un poco más fácil. Pasó todo el día allí sentado, tan quieto como le fue posible, mirando las olas que rompían y los cambios de la luz sobre las rocas. El sol picaba y la roca sobre la que estaba sentado era muy incómoda, pero hizo cuanto pudo por despejar su mente.

Las gaviotas se deslizaban por el aire con sus chillidos de caza y de vez en cuando se lanzaban en picado al mar en busca de un pez. Un lagarto salió de entre las piedras y pasó tan cerca que Nikolai podría haberlo cogido. Tres cabras merodearon por allí, ramoneando entre la hierba dispersa. Pero Nikolai no encontró sabiduría alguna. Aunque los retos a los que se había enfrentado habían ralentizado en parte su pensamiento, su mente seguía siendo una maraña de ideas, preguntas y digresiones.

Al ponerse el sol, comprendió que Adia no volvería en su busca ese día. Por eso le había dejado pan y agua. Como no sabía cuánto tenían que durarle las provisiones, comió y bebió sólo un poco. Cuando se hizo tan oscuro que no pudo seguir contemplando el mar, buscó un hueco a cubierto entre las rocas. Las cabras hacían caso omiso de la hierba seca, de modo que recogió cuantas encontró para hacerse un flaco jergón. Se acostó pensando que en toda su vida había pasado un día tan aburrido. Tal vez aceptar el aburrimiento era precisamente la lección que debía aprender.

Cuando se quedó dormido, las estrellas le cantaban.

A la mañana siguiente, el hambre, el frío y la falta de estímulos comenzaron a pesarle atrozmente. Recordándose que había sobrevivido a cosas mucho peores, se acabó el pan y tomó un sorbo de agua; luego volvió a mirar tercamente el mar. A media mañana, vio una vela a lo lejos. Fue el acontecimiento más importante del día.

A última hora de la tarde, estaba mareado. Se bebió el agua que le quedaba, pensando que, si por la mañana no había visto nada, tendría que volver al campamento. No sabía qué era peor: el hambre y la sed, o el deseo arrollador de hacer algo, lo que fuera. Incluso estar encerrado a solas en una celda era mejor que aquello; lo sabía porque había vivido preso.

Estaba oscureciendo cuando vio un tornado. Pensó que debía de ser el resultado de alguna tormenta lejana. Luego se formó otro tornado, y otro y otro, hasta que el horizonte estuvo lleno de torres de energía que giraban sobre sí mismas. Todas tenían su propia naturaleza. Unas, oscuras y amenazadoras, lo repelían. Otras eran distantes, como si no fueran de este mundo. Y unas pocas eran cálidas y tentadoras.

Nikolai comprendió con un sobresalto que eran espíritus. La religión africana incluía espíritus de la naturaleza, algunos buenos y otros malos en términos humanos. Lo que todos ellos tenían en común era un poder grande y peligroso. Si los ancestros estaban íntimamente conectados con la humanidad, aquellos espíritus, por el contrario, eran entes poderosos que podían causar grandes males sin conciencia alguna que los humanos pudieran reconocer como tal.

Nikolai sufrió otro sobresalto al darse cuenta de que su misión implicaría a poderes tan grandes e inhumanos. Aquella certeza resultaba aterradora.

Mientras observaba a los espíritus, éstos comenzaron a girar juntos, hasta confundirse en un único torbellino de energía que se elevó hacia el cielo y más allá y surcó el cielo sobre el mar, hacia él, en medio de un silencio fantasmagórico. Dentro de aquella forma retorcida y vertiginosa se veían destellos de luz y oscuridad, colores sin nombre, la esencia de la creación y la destrucción.

Nikolai comenzó a temblar, azotado por el viento frío del mar. Al acercarse, el espíritu adoptó una forma casi humana pero indistinta, de modo que Nikolai no supo si era hombre o mujer… u otra cosa.

Pese a todo, no tenía miedo. Fuera lo que fuese aquel ente, no había maldad en él. Desprendía más bien una sensación de sabiduría serena y clara y de benevolencia.

El espíritu se detuvo ante él y comenzó a pasar por muchas formas. Nikolai vio a su madre, a su abuela, a un hombre maltés, de tez oscura, que seguramente era su abuelo, y a un hombre rubio, del norte, que tal vez fuera su padre. Las imágenes se extendían por el espacio, formando una línea de ancestros que se bifurcaba entre África, Europa y Asia.

El espíritu llegó a la orilla y sus grandes manos se cerraron alrededor del cuerpo tembloroso de Nikolai. Mientras el calor lo inundaba, oyó dentro de su cabeza «*Estate quieto y conoce que yo soy Dios*». Aquellas palabras ardieron en el núcleo de su ser, que nunca había conocido la quietud.

Estate quieto y conoce que yo soy Dios.

Aunque eran cristianas, Nikolai comprendió que aquellas palabras reflejaban la esencia de todas las religiones. El cristianismo, el hinduismo, los espíritus de la naturaleza africanos... Todas aquellas creencias emanaban de una gran fuente de verdad y misterio. La paz de espíritu sería siempre un gran reto para él. Pero si alguna vez necesitaba encontrarla, ahora conocía el camino.

Cuando aquella certeza lo embargó, sintió que el espíritu empezaba a abrazarlo. Ahora su energía era claramente femenina, y en aquellos brazos sintió a su abuela, a su madre, a Ulindi, a Adia... y, sobre todo, a Jean Macrae. Con el paso de los años, había perdido la parte femenina de su naturaleza, y ahora le había sido devuelta.

Agachó la cabeza, y lloró.

Cuando logró reponerse, el espíritu marino se había desvanecido y era ya de noche. Se levantó, entumecido, preguntándose si podría subir a oscuras por la colina sin romperse el cuello. Levantó la vista y vio brillar una luz. Adia bajaba en su busca.

Sonrió cuando llegó a su lado, envuelta en el resplandor de su fuego violeta.

—Lo has hecho bien, capitán. Ahora estás iniciado en los misterios de los ancestros. Ven conmigo. Seguro que tienes hambre y frío, además de ser más sabio.

—¿Los grandes espíritus se le aparecen a todo el mundo?

—Cada persona tiene una experiencia distinta. No a todo el mundo se le manda que mire el mar, pero tú eres de ese elemento, así que era por ahí por donde tenías que empezar.

—Le dio una botella de agua y un trozo de queso antes de volverse para mostrarle el camino de regreso al campamento.

Nikolai bebió un gran sorbo de agua y comió luego un pedazo de queso. Las provisiones de Adia lo mantuvieron en pie hasta que llegó al campamento. Fue un alivio reunirse con los demás y entrar en calor con una sopa caliente.

Una vez acabada con éxito la iniciación, los sacerdotes parecían más relajados de lo que Nikolai los había visto nunca. Se enteró de que les habían llevado provisiones desde Santola. Las provisiones incluían pequeños tambores, y Nikolai descubrió que sus dedos conservaban en parte la habilidad que había adquirido con los dahanas.

Al final del día, en un pequeño ritual, Adia le entregó una réplica reducida de la bolsa de piel que Nikolai había llevado durante la iniciación. La bolsa original había servido para protegerlo de los atroces peligros de aquella ordalía. Aquélla era para llevarla siempre, como señal tangible de su herencia africana.

Al envolverse en su manta, agotado pero contento, Nikolai intentó permanecer quieto. Por un instante, sintió el calor que había experimentado cuando el ser marino lo había tocado. *Estate quieto y conoce que yo soy Dios.*

Como no había noticias de Diábolo, Jean refrenó su nerviosismo y siguió trabajando. De vez en cuando sentía levemente la energía de Nikolai, pero aquella sensación era tan esquiva que no sabía si eran imaginaciones suyas. Cada vez que sentía algún rastro de él, dejaba lo que estuviera haciendo y le enviaba poder, por si lo necesitaba.

Ignoraba si sus esfuerzos servían de algo, pero, irónicamente, su preocupación estaba mejorando su capacidad de acceder a su magia y canalizarla. Si seguía preocupándose constantemente de él, llegaría a ser una maga de primera fila.

Habían pasado dos semanas cuando la puerta se abrió de repente y Nikolai irrumpió en su habitación, donde ella estaba tomando su té del desayuno. Se levantó de un salto, recordando a duras penas que debía dejar la taza.

—¡Has vuelto!

—¿Estás desilusionada? —Riendo, él la levantó en vilo, la depositó sobre la cama en medio del revuelo de sus faldas y cubrió su cuerpo mientras le daba un beso minucioso y exuberante.

Jean respondió con delirante alegría, embriagada por su olor, su calor y su fuerza. Aquel beso era una celebración, no era fruto de una lujuria irracional, ni de una despedida dolorosa.

—No debería hacer esto —susurró antes de besarlo otra vez.

—Seguramente no. —Él le quitó las horquillas y soltó su abundante melena roja. Al esconder la cara entre sus cabellos, murmuró—: Tu pelo huele a lavanda. Es irresistible.

Sería tan, tan fácil dejarse llevar por su energía gozosa… Pero su voz interior seguía diciendo con claridad que el momento no había llegado aún. Jean hundió los dedos entre las gruesas ondas de su pelo y observó su cara. Siempre sería enigmático y peligroso, pero ahora estaba centrado como no lo había visto nunca antes. Al parecer, había encontrado los fragmentos perdidos de su alma.

—La iniciación ha salido bien —dijo, y no era una pregunta.

—Sí. Una experiencia sumamente interesante, aunque no me atrevería a repetirla. —Se inclinó para lamer su garganta.

Ella se estremeció y se permitió disfrutar unos segundos más de su abrazo antes de decir:

—Ahora vamos a levantarnos y a sentarnos en sillas desde las que no podamos tocarnos. Hoy nos toca charla, no pasión.

Creía que él protestaría, pero no lo hizo. Nikolai se incorporó y se sentó.

—Por desgracia tienes razón. —Entornó los ojos pensativamente mientras la observaba—. Tengo la sensación de que debemos guardar las distancias mientras se desarrollan nuestros poderes personales. ¿Crees que tiene sentido?

—Pues sí. —Ella se sentó y se levantó de la cama. El pelo le caía sobre los hombros—. Si fuéramos amantes, influiríamos en la energía del otro. Eso es bueno a veces, pero no en nuestro caso. Al menos, por ahora.

Se acercó a la mesa para servir té; luego se quedó parada. Aunque Nikolai estaba tras ella, no notaba su energía. Era como si estuviera sola en la habitación. Se volvió bruscamente.

—¿Estás refrenando tu energía de algún modo?

Él pareció sorprendido.

—No estoy seguro. Déjame ver… —Su expresión se volvió abstraída. Un momento después, unos colores sutiles comenzaron a girar a su alrededor y Jean sintió de nuevo el zumbido de su conexión—. ¿Ha cambiado algo?

—Sí, desde luego. —Se dejó caer en una silla, pensando atropelladamente—. Es raro que una persona con poder pueda sofocar su energía tan completamente que un mago que esté cerca no note que está vivo. En cuanto me aparté de ti, fue como si no existieras. ¿Lo has hecho conscientemente?

Él arrugó el ceño.

—Hubo un incidente al principio de mi iniciación, cuando me atacó un jinete que blandía una espada. Creo que concentré conscientemente mi energía, como un caparazón, cuando intenté esquivar el golpe. Por un momento pensé que iba a morir, aunque no fue así. Pero mi energía debe de haber estado contenida hasta ahora, porque no se me ha ocurrido liberarla hasta que tú has mencionado el tema. Debo aprender a ser más consciente de lo que hago.

Ella no sabía si reír o llorar.

—Ahora sé por qué pareció que mi padre te traicionaba. En sus últimos años, tuvo cataratas, se le veló la vista. Sus sentidos mágicos funcionaban tan bien que normalmente no importaba que le fallara la vista. Pero si te replegaste sobre ti mismo cuando te atraparon los corsarios, no pudo verte en el barco, aunque te mirara directamente. Debió de pensar que habías muerto al no encontrar tu energía viva.

Nikolai puso cara de haber recibido una patada en el estómago.

—Y en medio de una batalla reñida, con un buen amigo desangrándose a sus pies, no podía pasar mucho tiempo buscando a un niño al que creía muerto. —Cerró los ojos y maldijo en voz baja, con vehemencia. Luego estuvo un rato callado antes de abrir los ojos con una mirada sombría—. Toda mi vida me he preciado de mi habilidad para ocultarme en situaciones peligrosas. Maldita sea, fue culpa mía que me convirtieran en un esclavo.

—Nadie tiene la culpa; eras un niño asustado que intentaba protegerse. —Jean probó a imaginar cómo debía de haberse sentido—. Si mi padre hubiera sabido que estabas vivo, habría muerto intentando salvarte. O, si no hubiera podido hacer nada, habría convivido con la culpa hasta el día de su muerte. No lo sabía, Nikolai.

Se sentó a su lado en la cama y lo tomó de la mano.

—Y si tú no te hubieras convertido en esclavo, no habrías desarrollado la furia y la compasión que te han llevado a liberar a tantos cautivos.

Él le rodeó la mano con la suya.

—¿Estás diciendo que mi cautiverio fue para bien?

—Tal vez. No conocemos los designios divinos. —Su sonrisa era irónica—. Estoy intentando imaginar qué habría pasado si hubieras llegado a Dunrath y nos hubiéramos criado como hermanos. No pienso en ti como en un hermano.

Él se rió mientras le apretaba la mano.

—Ni yo te miro a ti como una hermana. —Se inclinó y le dio un beso ligero; luego se acercó a la mesa donde estaba la tetera. Llenó la taza de Jean y se la dio; después sirvió otra taza—. ¿Esperabas compañía?

—He tenido una taza vacía desde que te fuiste, por si acaso.

Antes de que él pudiera contestar, se oyó el chillido gozoso de un ave e *Isabelle* entró en la habitación, asida con las garras al pomo exterior de la puerta. Al parecer, Nikolai no había cerrado bien la puerta, y el guacamayo había usado el empuje de sus poderosas alas para abrirla. Una vez dentro, voló hacia su amo, que levantó rápidamente un brazo para que se posara en él. El pájaro le frotó el pico impetuosamente en la mejilla mientras parecía ronronear.

Nikolai saludó al pájaro con idéntico entusiasmo —preguntó Jean.

—¿Cómo ha sido tu iniciación? ¿Qué sitios extraños has visitado?

—Ésas no son cosas de las que hablar. —Nikolai acarició el cuello del guacamayo con expresión pensativa—. Adia tenía razón al advertirme de los peligros. Tu consejo de buscar mi verdadero yo si me perdía, me salvó de hundirme en otro mundo. Gracias, Jean Macrae.

—Me alegra que lo que te dije te ayudara. Ahora por fin podemos emprender nuestra misión. Me estaba volviendo loca de aburrimiento —dijo ella con fervor.

—A ti y a mí nos gusta la acción; en eso nos parecemos mucho. Lo más duro de mi iniciación fue la quietud. —*Isabelle* saltó a su hombro, y él tomó lo que quedaba de su té—. ¿Qué has estado haciendo?

—Copiar las notas que reunieron Adia y sus amigos de Londres sobre el futuro y los abolicionistas, sobre todo. He intentado varias veces escudriñar qué tenemos que hacer, pero no he visto nada con suficiente claridad para que nos sea útil.

—¿Has encontrado ejercicios para usar mejor tu magia?

Por el destello de sus ojos, Jean adivinó que pensaba que, cuanto antes aprendiera ella, antes podría llevársela a la cama.

—Sobre todo, visualizo caminos despejados y rectos, con una luz blanca que emana fácilmente desde el centro de mi espíritu hacia mi voluntad. —Vaciló—. Además, como no sentía que estuvieras vivo, estaba preocupada por ti. Varias veces me pareció notar un rastro de tu energía. Cuando eso me pasaba, intentaba mandarte parte de mi energía para ayudarte, y creo que la preocupación me ha ayudado a enderezar un poco los canales.

—Entonces sólo queda confiar en que pronto vuelvas a estar desesperada. —Nikolai pareció complacido al saber que se había preocupado por él—. La espera ha terminado, mi bruja escocesa. Ahora estamos listos para volar al futuro.

—A pesar de que Adia esté aquí, todavía me cuesta creer que se pueda viajar en el tiempo. —Jean se detuvo, sobresaltada por un recuerdo—. Han pasado tantas cosas que había olvidado una conversación que tuve con Moses en Marsella. Me dijo que se había sometido a una iniciación durante la cual había visitado otros mundos. También me contó que algunos chamanes africanos tienen habilidades especiales para obrar con el tiempo y el espacio. —Sonrió con desgana—. Me pareció tan improbable que tomé nota de que debíamos hablar más de ello, y luego lo olvidé.

—Entonces, ahora ya has confirmado por otra fuente que se puede viajar en el tiempo. Tenemos a Adia, a tu amigo Moses… —Le tendió una mano—… ¡y pronto lo viviremos en carne propia!

Ella le dio la mano, agradecida por el afecto y la comprensión que había entre ellos. No eran amantes, y quizá nunca lo serían. Pero ese día estaba segura de que eran amigos y camaradas.

—¡Que nuestros actos estén a la altura de nuestros ideales!

LIBRO TERCERO

Avivando las llamas

De 1753 en adelante

Capítulo 25

Esa noche era la noche. La luna nueva equivalía a estrellas brillantes y a poderosas energías en marcha. Había llegado el momento de arriesgarse a la magia de Adia. Jean tocó con nerviosismo la bolsa colgada de su hombro; confiaba en que los objetos que contenía, elegidos con todo cuidado, les sacaran de apuros en cualquier emergencia que les saliera al paso.

Nikolai y ella llevaban cinturones rellenos de monedas y billetes que serían aceptados entre su propia época y la de Adia, y seguramente también después. Si (Dios no lo quisiera) se separaban, tenían que poder manejarse cada uno por su lado. Esa posibilidad era una cosa más de la que preocuparse.

Aunque Jane casi vibraba de emoción, era también muy consciente de que iba a abandonar todo lo que conocía (y a todos), seguramente para siempre. La idea resultaba sobrecogedora. La vida de Nikolai había dado tantos vuelcos inesperados que a él se le daba bien adaptarse, pero ella había vivido casi siempre rodeada por su familia y sus amigos, segura en el seno de la comunidad de los Guardianes. Apenas soportaba pensar que tal vez no volvería a verlos.

Antes de derrumbarse por completo, se recordó que sin duda habría Guardianes en el futuro, y también miembros de la familia Macrae. Se adaptaría cuanto hiciera falta y si moría… se ahorraría el esfuerzo de tener que adaptarse.

Se ciñó el manto. Siguiendo las instrucciones de Adia, los sastres de Santola habían creado prendas lo bastante neutras para no llamar la atención durante las décadas siguientes. Los viajeros darían la impresión de no seguir las modas, pero nadie se fijaría en ellos. A Jean no le importaba, pero a Nikolai le pesaba vestir sin estilo.

Ella comentó:

—No esperaba que tardáramos más de quince días en hacer los preparativos para marcharnos, pero al menos hemos estado ocupados, no aburridos.

—Ha habido tiempo para que se me quite el bronceado. —Nikolai también vestía su manto—. Cuanto menos llame la atención, mejor.

—Es imposible que un chico guapo como tú no llame la atención. —Aunque Jean solía hablar como una señorita inglesa bien educada, pronunciaba ahora con un acento más marcado que enseguida la identificaba como escocesa. A menos que Inglaterra cambiara muchísimo durante las décadas siguientes, ser escocesa explicaría cualquier extravagancia por su parte.

Sintiendo quizá que estaban a punto de partir, *Isabelle* voló con ímpetu hasta el hombro de Nikolai y le clavó las garras. Él la bajó y la puso sobre su percha con una última caricia.

—Que seas feliz con Louise y su familia, *ma petite*. Ellos te adorarán como mereces.

Le ofreció el brazo a Jean y salieron por la puerta de su casa. Ella tenía muy presente la alianza de oro que llevaba en el dedo anular de la mano izquierda. El anillo de boda formaba parte de su farsa. Pero aquel fraude le molestaba más que el hecho pecaminoso de viajar con Nikolai a pesar de no estar casados.

Fueron a pie hasta el lugar de reunión de los africanos en la aldea abandonada y encontraron a Adia y a los demás sacerdotes esperando. Cuando estuvieron todos listos, Adia comenzó.

—Llamo al norte. —Conjuró un fuego violeta en el lado norte de la estancia—. Al sur. —Más fuego—. Al este. Al oeste. —Cada vez que se refería a un punto cardinal, uno de los sacerdotes se situaba delante del fuego que ella había encendido. Ella ocupó el lado sur.

Cuando acabó, los seis estaban flanqueados por fuego. Mientras las llamas se elevaban, Adia dijo adustamente:

—He hecho todo lo que puedo por prepararos. Espero que sea suficiente, y rezo por ello. ¿Tenéis alguna pregunta?

—No, a no ser que puedas decirnos si el conjuro de las cuentas nos llevará más allá del tiempo que conoces —contestó Nikolai.

—O si habrá una catástrofe si nos encontramos con alguien de este pasado —añadió Jean—. Y si la magia puede traernos de regreso a casa.

—Eso lo descubriréis vosotros antes que yo —dijo la sacerdotisa con ironía—. Vuestro viaje es en gran parte un misterio. Lo único que podemos hacer es confiar en que la magia de los ancestros sea cierta, porque estamos pidiendo milagros.

—Tu llegada aquí fue un milagro. —A medida que se acercaba el momento crítico, Jean se sentía vibrar de emoción—. ¿Por qué no va a haber más?

Nikolai la cogió de las manos. Ella llevaba el brazalete encantado anudado alrededor de la mano derecha, y la primera cuenta quedaba entre las manos de los dos.

—No podría pedir mejor compañera para una aventura —dijo él en voz baja—. ¿Nos vamos?

Por un instante, ella tuvo ganas de escapar, de romper el círculo y regresar al mundo que conocía. Pero la certeza de que estaba destinada a seguir aquel camino templó sus nervios. Recorrió detenidamente con la mirada el círculo de sacerdotes.

—Espero volver a veros a todos, pero si no es así, gracias, Adia, y a todo Santola. Me habéis ayudado a encontrar el sentido de la vida.

Levantó la mirada y se encontró con la de Nikolai.

—¡Ahora!

Ambos vertieron su poder en la cuenta encantada. Su energía se unió a la de Adia, Omar, Nayo y Enam. Cada uno de los sacerdotes añadió su nota individual a aquel turbulento arco iris de poder. Tres hombres, tres mujeres, lo masculino y lo femenino en equilibrio, y una energía que llenaba la mente y el cuerpo.

La cuenta encantada que los llevaría al primer acontecimiento crítico se disolvió en un destello de calor que chamuscó la palma de Jean. El mundo se volvió violeta, del mismo tono que el fuego que brillaba tras ellos. Una energía pura los engulló en un vórtice de magia y destino que los arrastraba y los arrastraba.

Jean se lanzó a aquel torbellino con toda su pasión y su determinación… y se llevó a Nikolai con ella.

Cuando Jean y Gregorio desaparecieron, Adia cayó de rodillas, casi desmayada. Había quemado tanto poder que apenas fue capaz de cerrar el círculo mágico creado por los sacerdotes. Hecho esto, Nayo se acercó a ella y le puso las manos sobre los hombros para transmitirle energía.

—Has hecho todo lo que has podido —dijo la otra mujer suavemente—. Ahora les toca a ellos, a los ancestros y a los dioses.

Con ayuda de Omar, Adia logró ponerse en pie.

—La esclavitud nos ha acompañado desde que la humanidad surgió del mar. ¿Acaso es posible acabar con ella?

—Sí, es posible —contestó Nayo—. Pero por ahora… vamos a comer y a reponer fuerzas.

Adia sonreía cuando salieron los cuatro del lugar de reunión. Las grandes hazañas importaban, pero también importaba la cena.

Jean tenía la impresión de estar desgarrándose fibra a fibra. Lo único palpable eran las manos de Nikolai, sus dedos, que apretaban los de ella.

Por un momento, pensó con espanto que se separarían y se perderían en medio del torbellino. Luego, su cuerpo se solidificó y completó, y acabó sofocando un grito al caer de rodillas.

Nikolai logró mantenerse en pie y sujetarla.

—¡Dioses! —gritó—. ¡Prefiero viajar en barco, aunque sea con tempestad!

—O en un caballo desbocado. —Con su ayuda, ella se levantó, temblorosa. Era de noche y estaban en una ciudad. Jean sintió el olor de un sinfín de gente que vivía hacinada, percibió las paredes que flanqueaban la calle estrecha y desierta antes incluso de que sus ojos se acostumbraran a la oscuridad. El cielo estaba nublado y el aire era húmedo y frío. Se estremeció y se arrebujó en su manto. No se veían luces por ningún lado, y la oscuridad era profunda y amenazadora.

Nikolai le rodeó los hombros con un brazo.

—¿Sabes dónde estamos?

—Podría ser Londres —dijo ella, insegura—. Pero no he visto suficientes grandes ciudades para distinguir unas de otras.

—Si esto es Londres, es muy oscuro, no hay duda.

—He oído que Londres es la ciudad peor iluminada de Europa. La ley dice que debería haber farolas en las calles principales, pero esto parece un callejón. —Sus ojos empezaban a habituarse a la oscuridad—. Allí, al fondo, parece que hay más luz, así que puede que haya una calle más grande.

Echaron a andar en aquella dirección.

—¿El viaje hasta aquí se parecía a lo que sentiste durante tu iniciación? —preguntó Jean.

—Se parecía un poco, sí, aunque ha sido peor. —Hizo una pausa, pensativo—. Me pregunto si viajar en el tiempo no será como verse arrastrado a uno de los otros mundos de los que hablaba Adia y reemerger aquí, en el momento adecuado.

Jean se quedó pensando.

—Es una buena teoría. Me gusta poder imaginar lo que estamos haciendo. Entrar en un mundo paralelo al que conocemos, pasar a un lugar distinto y salir luego a nuestro mundo, en otro tiempo.

—Esperemos que el viaje se haga más fácil con la práctica, y que tengamos suficiente poder para hacer los siguientes solos —dijo él en tono pragmático.

—Si no, Adia me habló de la comunidad africana del East End. Hay un sacerdote en particular. Era ya muy viejo en época de Adia, pero llevaba muchos años viviendo en Londres. Adia me dijo que podíamos acudir a él en busca de ayuda. Era un miembro del círculo que la mandó a ella.

—Es bueno saber que tenemos ayuda cerca, pero espero que no la necesitemos. —Frunció la frente cuando llegaron al final de la calle—. El mapa que llevo en la cabeza me dice que estamos donde debería estar Londres. La gran pregunta es en qué época.

Jean asintió sin decir nada. En aquella calle, más ancha, había farolas que, colgadas de unas pocas casas, ayudaban un poco. La ciudad no parecía distinta al Londres que conocía. Frunció el ceño mientras miraba las esquinas de los edificios que flanqueaban el callejón.

—Siempre se está hablando de la falta que hace poner placas con los nombres de las calles en las esquinas, pero parece que todavía no lo han hecho.

Se arrimó a Nikolai. No se había dado cuenta de lo desconcertante que sería ignorar dónde se encontraban, o incluso la fecha. Menos mal que estaban juntos.

Al mirar a su izquierda, vio a un hombre cubierto de harapos que caminaba tambaleándose hacia ellos.

—Socorro —jadeó el hombre antes de caer al mugriento suelo.

Gruñendo, luchó por ponerse en pie, pero volvió a derrumbarse. Nikolai corrió a su lado, seguido por Jean. Mientras él se arrodillaba junto a él, ella hizo aparecer sobre la palma de su mano una lucecita mágica que dirigió hacia abajo para alumbrar la cara de tez oscura del hombre.

—¡Es sólo un muchacho! —exclamó, pensando que no podía tener más de dieciséis o diecisiete años.

—Un chico africano, y le han dado una buena paliza —dijo Nikolai con aspereza. Sacó un pañuelo y empezó a limpiar la sangre que cubría los ojos del chico. Cuando acabó, el muchacho abrió los párpados y los miró con aturdimiento.

—Nosotros te ayudaremos —dijo ella, transmitiéndole afecto y seguridad—. ¿Te han asaltado ladrones?

El chico la miró parpadeando con ojos llorosos.

—Ha sido el amo Lisle —dijo con los labios hinchados—. El amo golpeó a Jonathan con la pistola hasta que rompió el cañón y la empuñadura.

—¿Por qué? —preguntó ella, horrorizada.

—Estaba borracho —masculló el chico—. Siempre me pega cuando está borracho. Dijo que era un inútil y que no debería haberse gastado el dinero trayéndome aquí desde Barbados. Dice que no merezco que me dé de comer. Me dio un puntapié y me dijo que me fuera. A-así que me fui.

Nikolai masculló una maldición.

—Entonces, no has escapado —dijo con voz más controlada que su expresión—. ¿Dices que te llamas Jonathan?

—Jonathan Strong —contestó el muchacho con desaliento—. Pero el amo me ha matado, señor. Pronto estaré muerto.

—¡Claro que no! —dijo Jean con la boca crispada. Se llevó las manos a la cabeza y le envió energía sanadora. Y, lo que era aún más vital, le mandó también esperanza y deseos de vivir. Como siempre, su magia era más fuerte cuanto mayor era la necesidad. Combinó su deseo de ayudar con los ejercicios que había practicado para canalizar su poder y sintió que su capacidad de sanar mejoraba. Ojalá su habilidad bastara para socorrer a aquel pobre muchacho.

Con un suspiro, él cerró los ojos y quedó inerme en brazos de Nikolai.

—No soy una sanadora tan poderosa como mi madre, pero creo que he cortado lo peor de la hemorragia. —Se puso en cuclillas—. Adia me habló de este joven. Después de que su amo, un abogado llamado David Lisle, lo dejara medio muerto, Jonathan Strong logró llegar a la clínica de un cirujano llamado William Sharp. Sharp es cirujano del rey, y él y su familia son músicos que viajan por el país en una barcaza, tocando.

Nikolai la miró con extrañeza.

—Te lo estás inventando.

—No, de veras —dijo Jean—. Cuando esperaba junto a la clínica, el hermano del cirujano, Granville Sharp, se fijó en él. Los hermanos lo llevaron al hospital de San Bartolomé para que lo atendieran.

—¿Nuestra misión consiste en encontrar a ese tal Lisle y matarlo? —preguntó Nikolai con un destello peligroso de los dientes—. Disfrutaría haciéndolo.

Ella movió la cabeza de un lado a otro.

—Creo que nuestro cometido es llevarlo a casa de los hermanos Sharp porque más adelante eso conducirá a importantes progresos legales. Te lo explicaré luego. Ahora tenemos que poner a cubierto al señor Strong, antes de que este frío húmedo le cause una pulmonía, además de las heridas que tiene.

—A lo mejor luego puedo matar a Lisle. —Nikolai levantó con cuidado el cuerpo inerme del chico—. ¿Dónde está el consultorio de William Sharp?

—No estoy segura. En alguna parte del East End, creo.

—¿Dónde estamos?

—Veré si reconozco algún lugar. —Se adentró en el cruce y escudriñó el horizonte—. Creo que estamos cerca de la Torre de Londres, lo que significa que también estamos cerca del río.

Intentó recordar lo que decían los documentos de Adia sobre aquel incidente; luego se dio por vencida y sacó su copia de los papeles. Utilizó la luz justa para leer.

—La clínica de William Sharp está cerca de aquí, en la calle Mincing. Tenemos que asegurarnos de que Jonathan sobreviva esta noche y ayudarlo a llegar a la clínica por la mañana. Según esto, el ataque ocurrió en 1765.

—Sólo doce años en el futuro. No sé por qué, pero eso me consuela. —Los relojes de varias iglesias comenzaron a sonar disarmónicamente—. Las dos. ¿Habrá alguna posada por aquí cerca que esté abierta toda la noche?

—Hay varias carreteras importantes cerca de aquí, así que tal vez encontremos una posada, o quizás alguna caballeriza. —Jean se levantó y se sacudió la falda. Después de guardar sus documentos en la bolsa, se la colgó del hombro—. ¿Por dónde, capitán?

Él se quedó pensando un momento.

—A la derecha. —Echaron a andar calle abajo. Jonathan Strong era tan delgado que su peso no parecía entorpecer en lo más mínimo a Nikolai.

Dos manzanas al oeste encontraron una pequeña casa de postas. Pasaron bajo el arco y entraron en el patio. Los establos estaban a la izquierda; en la puerta había un hombre aburrido y medio dormido que vigilaba el patio y la posada desde una silla de madera. La linterna que colgaba sobre la puerta del establo revelaba que tenía una jarra alta en una mano y una pipa de barro en la otra.

—Aquí, creo —dijo Jean en voz baja—. Yo hablaré.

Se acercó al guarda, que inmediatamente dejó la jarra y se levantó con una expresión entre curiosa y desconfiada. Jean lo miró con gran seriedad.

—Señor, ¿hay alguna habitación que podamos alquilar para el resto de la noche? Mi marido y yo estábamos buscando alojamiento cuando encontramos a este pobre chico apaleado en la calle. No podíamos dejarlo así, y se me ha ocurrido que podíamos vendarle las heridas y llevarlo al hospital por la mañana. —Dejó entrever una moneda que llevaba en la mano—. A no ser que conozca usted a algún médico de por aquí que pueda atenderlo esta noche.

El guarda miró a Jonathan Strong.

—El pobrecillo parece medio muerto. Será un esclavo escapado, quizá. No conozco a ningún cirujano por aquí que esté dispuesto a atenderlo a estas horas. Y la posada está llena, además. —Tomó el chelín que Jean le ofrecía—. Las calles no son seguras a estas horas. Pueden pasar la noche en el henar. Está caliente y seco.

—Gracias. —Le lanzó una sonrisa radiante. El guarda parpadeó; luego encendió otra lámpara y los condujo al interior de los establos, entre una hilera doble de caballos dormidos. El henar estaba al fondo. Había allí grandes montones de heno, además de varias mantas para caballos toscamente tejidas—. Si no las manchan de sangre, pueden usar las mantas de los caballos para hacerse unas camas en el heno.

—¿Podría dejarnos la lámpara? —Jane le dio otro chelín; luego extendió una manta sobre el heno.

El hombre aceptó el dinero y colgó la lámpara de un gancho de la pared.

—Que duerma bien, señora. —Luego vaciló, observando el cuerpo maltrecho de Jonathan mientras Nikolai lo tendía sobre el lecho improvisado—. ¿Quieren que les traiga un cubo de agua para limpiar al muchacho?

—Le quedaría muy agradecida —contestó Jean.

El guarda se fue en busca del agua.

—¿Qué clase de magia has usado para que ese tipo esté tan complaciente? —preguntó Nikolai.

—Una muy antigua. —Ella sonrió—. La clase de magia de la que culparon a Eva en el Edén.

Nikolai sonrió un poco.

—¿Puedo hacer algo?

—Intenta transmitir a Jonathan calor emocional, la sensación de que alguien se preocupa por él.

Nikolai tomó en silencio una de las manos del muchacho mientras Jean examinaba sus heridas con más detenimiento. Ni siquiera utilizando sus nuevas artes mágicas podría reparar los huesos rotos de Jonathan o el daño terrible infligido a sus ojos. El chico tendría suerte si no perdía la vista. Pero Jean pudo estabilizar su vida vacilante. Cuando el guarda llevó un cubo con agua y trapos limpios, limpió la sangre y el polvo de las peores heridas y le puso algunos toscos vendajes.

Acabó envolviendo a Jonathan en un capullo de calor físico para protegerlo del frío del trauma. El chico había estado muy cerca de la muerte. ¿Qué clase de vida había llevado, apaleado a menudo por un bestia borracho? Pero había esperanza para él. Jean sintió que, si sobrevivía a aquella crisis, tenía por delante una vida más libre y más feliz.

Cuando hubo hecho todo lo que pudo, lo tapó con otra manta y se acomodó en la paja.

—Sobrevivirá, creo, aunque tardará en recuperarse. —Se pasó la muñeca por los ojos cansados—. ¿Cómo puede una persona ser tan cruel con otra?

—Los hombres no están tan alejados de las bestias. —Nikolai se movió hasta quedar tendido junto a ella sobre el heno. Echó una manta que los cubrió a ambos y la apretó contra su costado—. ¿Puedes contarme algo más sobre nuestra misión?

—Es mejor no hablar delante de Jonathan Strong. Mi madre decía que la gente que parece inconsciente puede percibir lo que se dice en su presencia —contestó ella, soñolienta.

—Entonces tendré que esperar. Seguramente me sentará bien un poco de disciplina. —La apretó con el brazo—. Ahora descansa, Jean. Has tenido un día muy duro.

Ella se relajó a su lado, ocultando la cara en su hombro. Nikolai exhalaba suavemente sobre su sien cuando se relajó, sin dejar de abrazarla. A Jean le encantaba su olor, que le hacía pensar en los vientos del desierto y la luz del sol.

Su calor y su fortaleza estuvieron a punto de hacerla llorar de gratitud. Entre Nikolai y ella había habido pasión y conflicto, pero aquélla era la primera vez que Jean sentía tanta ternura y un afecto tan franco y sencillo. Era como si hubieran dejado atrás la lujuria y alcanzado la confianza y el afecto de una pareja que llevara muchos años casada.

Y no porque la pasión hubiera desaparecido, Jean la sentía agitarse dentro de él, y era muy consciente de lo fácilmente que podía desatarse su propio deseo. Lo único que tenía que hacer era levantar la cara y besar a Nikolai, y las defensas de ambos, cuidadosamente levantadas, se harían pedazos.

Pero los magos controlaban con gran destreza su energía personal, y eso incluía la pasión. Con el deseo firmemente refrenado, Nikolai y ella eran libres de reconfortarse el uno al otro sin complicaciones.

El olor del heno le recordaba al de los establos de Dunrath. Algunas noches, Robbie y ella habían descansado en establos como aquél, mientras seguían al príncipe, aquel maldito Estuardo, a la guerra. Costaba imaginar dos hombres más distintos que Robbie y Nikolai. Y sin embargo ambos luchaban por la libertad.

Y los dos hacían que se sintiera segura.

Capítulo 26

Nikolai había aprendido a dormir intermitentemente durante sus años en el mar, y así pasó el resto de la noche. Sus reflejos, bien afinados, lo despertaban cada vez que se oía algo raro. Renunció a dormir cuando el establo comenzó a agitarse con el bullicio de primera hora de la mañana. Se alegró al ver que Jonathan Strong todavía respiraba acompasadamente. Al encontrar al muchacho, había temido que no pasara de aquella noche. Y no habría sobrevivido si Jean no hubiera tenido alguna habilidad para sanar.

La miró, profundamente dormida a su lado. Algunos mechones de pelo rojo habían escapado a sus ataduras y yacían sobre su piel suave y blanca. Estaba encantadora y un poco frágil. Debía de haber usado gran cantidad de poder en sus esfuerzos por salvar a Jonathan. Como había dicho su padre hacía mucho tiempo, la magia siempre tenía un precio. El cansancio, cuando menos.

Nikolai se inclinó para darle un beso muy leve, demasiado ligero para alterar el delicado equilibrio de la pasión que había entre ellos. Luego se levantó y se sacudió la paja que tenía prendida en la ropa, pensando en lo satisfactorio que sería encontrar a David Lisle, de las Barbados. Le encantaría obsequiar al abogado con la misma brutalidad con que él había tratado a un muchacho que no podía defenderse.

Pero vengarse de él no serviría para combatir la esclavitud, su causa mayor. Era necesario que se transformaran las leyes y las mentalidades para que hubiera auténticos cambios. De momento, iría a explorar, a ver si encontraba la calle Mincing.

Las calles que antes estaban desiertas rebosaban ahora de gentes que se dirigían a sus trabajos. La apariencia anodina de Nikolai cumplió su cometido: nadie se fijó en él. Bueno, algunas mujeres sí, pero no para criticar su ropa. Ni siquiera su tez oscura llamaba la atención: en aquella parte de la ciudad parecía haber una población muy diversa.

Ahora, a encontrar a Sharp, el buen doctor.

Jean se despertó cuando Nikolai entró en el henar.

—He encontrado la calle Mincing y la consulta de Sharp —anunció él—. Están bastante cerca. Todo el mundo conoce a Sharp porque atiende gratis. ¿Qué tal está Jonathan Strong?

Ella sofocó un bostezo, se inclinó hacia delante y comprobó el pulso y la respiración del joven.

—Está un poco más fuerte esta mañana, aunque sus heridas siguen siendo graves. Me parece que está suficientemente bien para aguantar el trayecto hasta la consulta del cirujano.

Mientras se levantaba y se desperezaba, el guarda nocturno entró en el henar con una bandeja.

—He pensado que al chico le vendría bien algo de comer, si es que todavía está vivo —farfulló.

—Lo está. Es usted muy amable. —Jean cogió la bandeja, que contenía un cuenco de gachas con pan, un cazo de té y un mendrugo de pan—. Nikolai, ¿tienes una moneda?

Nikolai estaba echando mano de su faltriquera cuando el guarda hizo un ademán.

—No hace falta. El pobre diablo necesita que lo cuiden un poco. Han sido ustedes muy buenos por ayudarlo. —Avergonzado por mostrarse blando, dio media vuelta y salió.

—Está viendo a Jonathan como una persona, no como un objeto —dijo Jean en voz baja—. Las mentalidades cambian poco a poco.

Jonathan dejó escapar un gemido y abrió los ojos. Jean se arrodilló a su lado.

—Señor Strong, enseguida lo llevaremos al médico. Pero primero tiene que comer algo.

La mirada sanguinolenta del chico se dirigió, cargada de esperanza, hacia el cuenco que ella sostenía. Después de que Nikolai lo ayudara a incorporarse, Jean le fue dando con paciencia las gachas a cucharaditas. El chico tenía la boca magullada, pero comía como si hiciera mucho tiempo que no probaba un buen bocado. Pronto se había comido la mitad del cuenco.

—Ya puedo arreglármelas, señora —dijo.

Jean le dio el cuenco y luego sirvió té para los tres. Era té de menta, agradable y refrescante. Partió también el pan en tres y todos comieron. Jonathan se encontraba lo bastante bien como para comer su trozo de pan, aunque hacía una mueca de dolor cada vez que le daba un mordisco. Cuando acabaron, Nikolai llevó la bandeja, las tazas y la cuchara a la cocina de la posada.

Volvió al henar y ayudó a Jonathan a levantarse. El chico gritó de dolor, a pesar de que Nikolai sostenía casi todo su peso.

—Lo siento, señor Strong —dijo—. Para llegar a la consulta del médico hay que andar un poco. ¿Prefiere que lo lleve en brazos?

—No. —Jonathan jadeaba, refrenando su dolor—. Iré por mi propio pie.

Y eso hizo, aunque con ayuda considerable. Nikolai lo sujetaba rodeándole la cintura con un brazo mientras Jean caminaba al otro lado, por si necesitaba ayuda. Invirtieron casi media hora en recorrer el trayecto que la noche anterior les había llevado cinco minutos, pero la determinación con que avanzaba Jonathan parecía presagiar que sobreviviría.

Cuando llegaron a la calle Mincing, vieron una corta fila de personas harapientas delante de la consulta de William Sharp. Nikolai se detuvo.

—Ahí está la consulta, señor Strong —dijo—. Acérquese a la gente que espera y lo socorrerán.

El joven parpadeó para aclararse la vista.

—Nadie me había llamado nunca señor Strong.

—Pues ahora lo harán —dijo Jane con vehemencia. Tomó la mano magullada del muchacho entre las suyas y lo miró a los ojos—. Se curará, señor Strong, y encontrará trabajo aquí, en Londres, como un hombre libre. Pero acuérdese de los señores Sharp. Si en el futuro se encuentra alguna vez en apuros, avíseles. Ellos lo ayudarán.

—Lo recordaré, señora. —El muchacho se irguió, apartándose del brazo con que Nikolai lo sujetaba—. Gracias por ayudar a un chico negro, señor, señora. Jamás habría pensado que pudiera pasar.

—Merece la ayuda y el respeto que nos debemos todos los unos a los otros —dijo Jean suavemente—. Vaya con Dios, señor Strong.

El chico se despidió de ellos inclinando la cabeza, dio media vuelta y avanzó calle abajo, con paso vacilante, para unirse a la cola que esperaba delante de la consulta. Aunque todos los que formaban parte de ella debían de estar enfermos, ninguno había sido maltratado como Jonathan. Jean se mordió el labio mientras observaba sus penosos movimientos.

—Vamos a buscar un sitio tranquilo desde el que podamos observar lo que pasa. Sé lo que dijo Adia, pero quiero ver por mí misma que se ocupan de él.

—Yo también. Vamos a comprarle unos bollos a ese vendedor. —El pan del desayuno no había sido gran cosa para empezar el día, de modo que así matarían dos pájaros de un tiro. Nikolai condujo a Jean hasta el vendedor y compró magdalenas calientes aromatizadas con canela. Se quedaron allí mientras comían, ocultos por el torrente de clientes del vendedor.

Nikolai estaba tragando el último bocado de su magdalena cuando dos caballeros salieron de la consulta. Había un claro parecido entre ellos, aunque el más joven tenía facciones más afiladas y fieras. Iban hablando con tranquilidad, pero se envararon al ver a Jonathan Strong, visiblemente impresionados por su estado.

Hicieron unas preguntas al joven. Aunque Nikolai y Jean estaban demasiado lejos para oír lo que decían, los dos caballeros parecieron aún más impresionados por las respuestas de Jonathan. El de cara aguileña agarró a Strong del brazo y lo ayudó a entrar en la casa, mientras el otro explicaba a los demás pacientes que debían atender primero aquella urgencia. Todos habían visto el estado en que se encontraba Jonathan y nadie protestó.

Jean soltó un suspiro de alivio.

—De momento, todo ha salido exactamente como me contó Adia, lo cual me da esperanzas de que otros acontecimientos se desarrollen como ella dijo. Los Sharp vendarán a

Jonathan y luego lo llevarán al hospital de San Bartolomé. Pasará meses allí, pero cuando se recupere, los Sharp le buscarán un trabajo como sirviente y trabajará como un hombre libre.

Nikolai arrugó el ceño.

—Me alegro por Jonathan, pero ¿cómo afectará eso al futuro de la esclavitud?

—Dentro de dos años, más o menos, David Lisle verá a Jonathan trabajando —dijo ella lacónicamente—. Para entonces estará sano, Lisle se dará cuenta de que su antiguo esclavo representa dinero y lo venderá en secreto a otro hacendado de las Antillas.

Nikolai masculló una maldición.

—¿Estás segura de que no puedo matar a Lisle ahora?

—Ay, no. Lisle mandará a dos cazadores de esclavos a recuperar su «propiedad». Mientras el señor Strong esté en prisión, esperando a ser enviado a su comprador, hará llegar un mensaje a Granville Sharp. El señor Sharp se indignará hasta tal punto que llevará el asunto hasta el alcalde de Londres. Lisle no puede permitirse ir a los tribunales, y el señor Strong quedará libre. El señor Sharp abrirá los ojos a las iniquidades de la esclavitud y la combatirá el resto de su vida. Ahora mismo, el estatus de los esclavos en Inglaterra está poco claro, pero Sharp intervendrá para defender a otros hombres en situación parecida a la de Jonathan Strong. Al final, gracias a su trabajo, un tribunal dictará una resolución que afirma básicamente que cualquier esclavo es libre en Inglaterra.

Nikolai exhaló con fuerza.

—Eso será un gran paso adelante, desde luego. Supongo que merece la pena dejar vivo a Lisle.

—Espero que reciba lo que se merece en el otro mundo, si no lo recibe en éste. —Ella frunció las cejas, desconcertada—.

Me pregunto cómo habría encontrado Jonathan Strong el camino hasta la consulta sin nuestra ayuda.

Nikolai sacudió la cabeza, tan perplejo como ella.

—Quizá lo habría ayudado otra persona. O quizás habría llegado solo. O quizá nosotros teníamos que estar aquí para ayudarlo. Eso parece lo más probable, dado que podría haber muerto si tú no lo hubieras curado.

—Una parte de mí quiere entender cómo funciona esto de viajar en el tiempo. Y otra parte teme saber más. —Tragó su último pedazo de magdalena—. Ahora que el señor Strong está en buenas manos, ¿qué vamos a hacer? ¿Estamos listos para probar con la cuenta siguiente?

Él se quedó pensando.

—A pesar de la impaciencia que me caracteriza, me gustaría pasar algún tiempo aquí. Nunca había estado en Inglaterra, así que necesito conocer mejor el país. Además, puede que, si aprendemos cosas sobre esta época, nos sea más fácil acostumbrarnos cuando viajemos a años futuros.

—Es una buena idea. Podemos buscar una posada respetable, en la ciudad, quizá, o en Westminster. —Ella suspiró—. Me pregunto si habrá alguien de mi familia en Londres. ¡Dios mío, los hijos de Duncan ya deben de ser casi mayores!

Él le lanzó una mirada penetrante.

—No sería sensato ir a hacerles una visita.

—Lo sé. —Dio media vuelta y tiró de Nikolai—. Pero cuesta no pensar en ellos. Vamos a pasear un rato por el río. La ciudad se construyó aquí por la navegación, y, siendo tú un marinero, lo encontrarás interesante.

Tenía razón. Quizá, mientras observaba el puerto, se olvidaría de David Lisle. Se permitió relajarse mientras paseaban por los muelles y a lo largo del río. Habían salido sanos y salvos de un viaje por el tiempo, y cumplido con éxito su primera tarea. No sólo habían salvado la vida y la libertad de Jonathan Strong, sino que habían ayudado a crear un eslabón en la cadena de la emancipación. La jornada no había estado mal, en absoluto.

Nikolai había visto muchos puertos. El de Londres era al mismo tiempo idéntico a los demás y distinto. A pesar de hallarse junto a un río, tierra adentro, era uno de los puertos más transitados que había visto. Grandes barcos oceánicos cargaban y descargaban junto a compactos veleros de cabotaje. Pequeñas barcas subían y bajaban por el Támesis, llevando pasajeros y mercancías.

Nikolai disfrutó de aquellos sonidos y aquellas imágenes, que tan bien conocía. También le llamó la atención la luz, que era más fría y azul que el fulgor del Mediterráneo.

Iban camino del oeste y habían pasado el Puente de Londres cuando un joven oficial de la Marina se acercó a ellos.

—Usted tiene pinta de marinero —dijo el oficial en tono sospechosamente cordial—. ¿Lo es?

Divertido, Nikolai le miró.

—¿Por qué lo pregunta?

Jean le apretó el brazo en señal de advertencia.

—Es extranjero, teniente —le dijo al oficial—. Maltés.

El teniente miró su anillo de boda.

—Pero usted es británica, señora, tiene acento escocés. Un extranjero casado con una británica reúne los requisitos necesarios para el reclutamiento. —Se volvió hacia Nikolai—. ¿Tiene usted dispensa?

Él frunció el ceño.

—¿Qué diablos es una dispensa?

Era la pregunta equivocada.

—Dado que no tiene dispensa, señor, lo recluto para la Armada real. —El oficial hizo una seña y dos hombres fornidos que había tras él dieron un paso adelante. Parecían matones del puerto, y llevaban unas bandas de color azul oscuro en el brazo derecho.

—¿De qué está hablando? —le espetó Nikolai.

Jean se interpuso entre el oficial y él.

—Está cometiendo un error, señor. Él no es mi marido, de modo que la Armada británica no tiene derecho a reclutarlo.

—Eso es lo que dicen todas las mujeres —bufó el teniente—. Tengo derecho a llevármelo, y que demuestre él lo contrario. Si tiene alguna objeción, puede pedir ayuda al cónsul de Malta. Ahora, acompáñeme. —Los hombres rodearon a Nikolai.

A él no le daban miedo, pero dejarlos inconscientes usando la magia podía causarles problemas. Se estaba preguntando qué hacer cuando Jean ofreció discretamente un puñado de oro al oficial.

—Se supone que sólo tiene que llevarse a marineros con experiencia. El señor Gregory no es un marinero corriente, ni tampoco capaz, ni es británico. Busque en otra parte.

El teniente bajó la mirada y evaluó el montante del soborno.

—Si no es un marinero, tiene usted razón, señora, no cumple los requisitos para su reclutamiento. Perdonen que les haya molestado. —Se embolsó el dinero, reunió a sus hombres y se fue.

Nikolai parecía sorprendido.

—¿Iban a llevarme por la fuerza y a hacerme trabajar como marinero? ¡Creía que en Inglaterra no había esclavitud!

—Excepto para los marineros que necesita la Armada

real —dijo ella con sorna—. Se supone que las bandas de reclutamiento sólo pueden llevarse a marineros cualificados, pero no siempre son cuidadosas. Una dispensa es un documento en el que se afirma que uno no puede ser reclutado. Normalmente, las tienen los hombres con dinero, pero que Dios los ayude si alguna banda de reclutamiento los encuentra sin que la lleven encima.

—Entonces, ¿lo has sobornado para dejarme libre?

—Me parecía la solución más sencilla —dijo ella con franqueza.

Nikolai juró en varias lenguas, incluido el maltés, que reservaba para cuando estaba especialmente enfadado. Antes de que se le agotaran los improperios, se armó un revuelo en medio de la calle. Una mujer comenzó a golpear a un hombre en la cabeza con una fregona.

—¡No vais a llevaros a mi hombre, demonios! —chillaba—. ¡Es mi sustento, el de mis hijos y el de su anciana madre!

Su víctima, uno de los matones del teniente, levantó el brazo para parar los golpes, pero no soltó a su presa, que se retorcía y forcejeaba.

—El rey lo necesita más. Podéis moriros todos de hambre, que a Su Majestad poco le importa.

Mientras el teniente intentaba intervenir, un puñado más de gente se unió a la pelea. La mitad era mujeres armadas con cepillos y sartenes; los demás eran obreros. El marido de la mujer de la fregona fue rescatado cuando llegó una docena más de hombres con bandas azules en los brazos. Los recién llegados llevaban tres prisioneros entre ellos, y varias mujeres llorosas detrás.

Estalló un motín en toda regla: civiles contra reclutadores. Hombres, mujeres y niños salieron en tromba de los edificios y las tiendas y empezaron a pelear con los miembros de la banda. Jean agarró a Nikolai del brazo con firmeza.

—Es hora de irnos.

Él no hizo caso.

—Son como corsarios llevándose esclavos para las galeras.

—No es para tanto. Los reclutas pueden conseguir una recompensa si declaran que se alistaron voluntariamente, y se les paga por sus servicios. Si se quedan suficiente tiempo en la Armada, hasta consiguen una pensión. Pero aun así se los llevan por la fuerza. —Arrugó el ceño—. He oído decir que hay personas que mandan a las bandas de reclutamiento a llevarse a algún un hombre que les desagrada. O que algunos padres a los que no les gustan los novios de sus hijas, sobornan a los reclutadores para que se los lleven.

—A esos hombres no van a llevárselos —dijo Nikolai con decisión. Se metió en la refriega, yéndose derecho hacia el miembro más cercano de la banda de reclutamiento. Le asestó un fuerte puñetazo, con una pizca de magia de la que había usado para dejar inconsciente a Jean cuando se conocieron.

Lo dejó tendido en el suelo. Aunque menos satisfactorio que dar una paliza a David Lisle, Nikolai disfrutó magullándose los puños y castigando a aquellos hombres que eran poco más que tratantes de esclavos.

Sólo tumbó a tres, puesto que los vecinos se habían ocupado del resto, pero aquello bastó para desfogar su ira. Mientras se erguía, jadeando, sobre su última víctima, un muchacho con la mejilla magullada exclamó:

—¡Bien hecho, señor! —Le ofreció la mano—. ¡Esos cerdos me han sacado de mi boda!

Mientras Nikolai le estrechaba la mano, una chica bonita, con flores en el pelo, se acercó al joven.

—Les estoy muy agradecida a usted y a los demás —dijo en voz baja—. Perder a mi amor por culpa de la Armada habría sido un mal comienzo para nuestro matrimonio.

Nikolai se inclinó ante ella.

—Soy nuevo en Londres, y me ha impresionado mucho cuánto aman sus ciudadanos la libertad. Enhorabuena por su boda.

Cuando la joven pareja se marchó, llegó Jean, esquivando delicadamente a los caídos.

—Espero que ya te sientas mejor, querido. —Tenía una mirada maliciosa.

—Pues sí, me siento mejor. —Él la tomó del brazo y siguió andando calle abajo, todavía en dirección oeste—. ¿Es normal que los vecinos se enfrenten a las bandas de reclutamiento?

—Creo que sí. En la Escocia rural no se ven estas cosas, pero en las ciudades portuarias los vecinos siempre tienen que estar alerta ante la posibilidad de que les recluten. Cuando la Armada tiene mucha necesidad de hombres, las bandas incluso se internan en el campo. —Se estremeció—. Hasta hoy, no había pensado en lo aborrecible que es el reclutamiento forzoso. Tienes razón. Es una esclavitud.

Nikolai se paró en seco en la calle, asaltado por una idea.

—¡Por eso en Inglaterra las opiniones pueden cambiar a favor de la abolición! Aquí, la gente vive con el miedo a que se lleven a los hombres por la fuerza y los obliguen a trabajar como esclavos. Sin duda por eso se compadecen más de la situación de los esclavos en todas partes.

Jean contuvo el aliento.

—Puede que tengas razón. El poder de Gran Bretaña procede de su marina, y eso significa que muchos marineros tienen que servir en la Armada de grado o por fuerza. —Le sonrió—. Puede que hayamos encontrado otra pieza del rompecabezas.

Nikolai entornó los ojos mientras intentaba definir lo que sentía.

—Hay energías extrañas en esta zona. Algunas oscuras, otras claras. Siento que se ha librado una batalla que supera a los hombres y las mujeres que han peleado aquí hoy. Es como una presión en la mente. Un motín. ¿Tú lo sientes?

—Las ciudades son especialmente intensas —dijo Jean—. Los Guardianes suelen sentirse cansados los primeros días después de llegar a una ciudad, y Londres es la más fatigosa de todas. Como estás recién iniciado, puede que ahora seas más consciente que antes de la energía de las masas.

—Puede ser. —Él volvió a escrutar mentalmente aquellas energías en conflicto—. Pero mi intuición me dice que lo que siento es algo más concreto para nuestra misión.

—En ese caso, debemos estar alerta. —Ella sonrió—. Pero, por hoy, vamos a ser un par de visitantes disfrutando de una de las grandes ciudades de Europa.

Capítulo 27

Para alivio de Jean, encontraron dos habitaciones contiguas en una posada respetable. No estaba preparada para compartir habitación con su compañero y su avasalladora virilidad. Nikolai pareció tan aliviado como ella por poder poner cierta distancia entre los dos.

Cansada todavía por el poder que había empleado con Jonathan Strong, Jean se echó a dormir un rato a media tarde y se despertó a la mañana siguiente. Le dio vergüenza haber dormido el día entero, pero se sentía fuerte y descansada.

Tras lavarse y vestirse, llamó a la puerta que comunicaba su habitación con la de Nikolai. No hubo respuesta. Preguntándose si estaría durmiendo o si se habría levantado ya y habría salido, abrió con sigilo la puerta… y lo descubrió sentado en la cama, vestido únicamente con calzas y botas. Se miraba fijamente las manos mientras hacía pasar una luz de una palma a la otra.

Sin camisa estaba… espléndido. Sus hombros eran anchos, y la vida dura había definido bien sus músculos. Jean estaba tan absorta contemplando su cuerpo medio desnudo que tardó un momento en fijarse en la bolsita de piel que Nikolai llevaba colgada del cuello.

Cuando entró, él levantó la vista, sobresaltado. La luz que tenía entre las manos se apagó y la tensión sensual se encendió como las chispas en la yesca. Se miraron el uno al otro, dispuestos a olvidar los motivos de peso que les mantenían alejados.

Jean dio un paso hacia él. Ansiaba pasar las manos por su bello torso. Al verla moverse, Nikolai cortó su energía con inquietante brusquedad y a continuación recogió la camisa que había a su lado, sobre la cama.

—Creía que era costumbre llamar a la puerta —dijo con sorna mientras se pasaba la camisa por la cabeza.

Jean respiró hondo, temblorosa, y obligó a su deseo a volver a la caja donde lo tenía encerrado a cal y canto.

—He llamado. Pero no me has oído.

Su cara salió de entre el hilo blanco.

—Estaba tan concentrado que no me he dado cuenta. La luz y el fuego son fascinantes.

—Y te estás volviendo muy bueno con ellos. —Se acercó a la ventana para que Nikolai pudiera acabar de vestirse tranquilamente, y alejar la tentación de su vista. Al darse cuenta de que tenía los puños cerrados, se forzó a relajarlos. Eran adultos. Podían controlar el deseo. Luego se dio cuenta de que la imagen de Nikolai se reflejaba en el cristal de la ventana. Cerró los ojos para no verla. El control tenía sus límites—. ¿Eso que llevas colgado del cuello es una bolsa de amuletos?

—Me la hizo Adia —contestó él lacónicamente.

—La magia africana es mucho más divertida que la de los Guardianes —dijo ella melancólica—. Nosotros somos tan mentales… Vosotros tenéis tambores y plumas, y otros objetos interesantes.

Nikolai se rió, sorprendido.

—No lo había pensado, pero tienes razón.

Jean sintió que la energía que fluía entre ellos volvía a la normalidad y al darse la vuelta vio que él había acabado de vestirse. Sopesó si debía referirse a lo ocurrido o guardar silencio.

—Tal vez, la próxima vez no deberíamos ocupar habitaciones contiguas.

—Puede que así sea más fácil. —Su boca se torció en una sonrisa—. Pero lo más fácil no siempre es lo mejor. Creo que me gusta que me vuelvas loco de vez en cuando.

Ella pensó en el delicioso sobresalto de encontrarlo medio desnudo.

—Te entiendo, pero no sé si mi dominio de mí misma está la altura de semejante desafío.

—El mío lo ha estado por poco —reconoció él—. Después de que desayunemos, ¿tienes algún plan en particular para hoy?

—Quiero ir a una librería. Tenemos que buscar periódicos para saber qué está pasando en el mundo. —Sacudió la cabeza—. Todavía me cuesta creer que los colonos americanos hayan derrotado al Imperio Británico. Me pregunto si habrá algún indicio de eso en los diarios.

—Para esa guerra todavía quedan años, pero las causas ya deben de estar gestándose. —Él echó mano de su sombrero de tres picos—. ¿Qué vamos a hacer después de informarnos? Quiero caminar y explorar la ciudad, pero eso puedo hacerlo vayamos donde vayamos.

—Me gustaría intentar encontrar a Kofi, el sacerdote africano del que me habló Adia.

Él enarcó las cejas.

—Creía que el plan era ser lo más discretos posible.

—En general, sí, pero creo que deberíamos buscar a Kofi. Puede que necesitemos su ayuda para poner en funcionamiento la siguiente cuenta mágica.

—Seguramente tienes razón, teniendo en cuenta la cantidad de poder que hizo falta para traernos aquí —dijo Nikolai—. Puede que nosotros no tengamos fuerzas suficientes para hacerlo sin ayuda.

—Además de necesitar ayuda mágica, es probable que tengamos que venir a Londres más de una vez, dado que es el centro político de Gran Bretaña. Puede que necesitemos aliados y una base de operaciones, ¿y cuál mejor que la comunidad africana?

—Y ellos pueden contarnos algo más sobre lo que está pasando. ¿Tienes indicaciones precisas para encontrar a Kofi?

—Sí, bastante precisas, aunque Adia no estaba segura de su localización exacta en esta época. —Jean sonrió de mala gana—. Adia dijo que no hay nada como recabar información para darse cuenta de la propia ignorancia. Sus amigos y ella hicieron lo posible por anotar todos los datos sobre el movimiento abolicionista que pudieran sernos útiles, pero hay muchas cosas que ignoro.

—Me gustaría leer sus notas y sus resúmenes históricos —dijo Nikolai mientras la conducía hacia la puerta.

—Adia dijo que no debía permitir que nadie leyera las notas, ni siquiera tú. Conocer el futuro puede ser peligroso. Cuanta menos gente lo sepa, mejor. —Jean se estremeció—. Tengo la sensación de que estamos jugando con fuego, y ni siquiera vemos las llamas. Cuanto menos influyamos en esta época, mejor.

—Entiendo lo que quieres decir, pero ¿y si te sucede algo?

—Entonces puedes leer las notas —dijo ella alegremente—. Pero te darán dolor de cabeza, de tanto pensar en el viaje en el tiempo. ¿Estamos cambiando lo que sucederá? ¿O formamos ya parte del fluir de los acontecimientos? ¿Estábamos predestinados desde siempre a emprender esta misión y a ayudar al movimiento abolicionista? ¿O estamos abocados al fracaso?

—No me extraña que te duela la cabeza. —Él puso la mano sobre el picaporte—. De todos modos, me gustaría ver qué dice Adia de la abolición.

—Pues tendrás que esperar. —No le reprochaba que quisiera saberlo. Hasta el conocimiento de segunda mano era mejor que la ignorancia.

Hicieron falta dos días de búsqueda, más la habilidad de Nikolai como rastreador, para encontrar al sacerdote africano. La comunidad africana desconfiaba de los blancos, y Nikolai no parecía lo bastante africano para disipar sus temores.

Pero, al final, dieron con Kofi, que era dueño de una pequeña tonelería. Les había indicado el camino otro africano, después de que le aseguraran que no pretendían hacerle ningún daño a Kofi.

—Es él —dijo Jean en voz baja—. Mira la magia que lo rodea.

Nikolai invocó su visión de mago, lo cual le resultaba cada vez más fácil. Como decía Jean, aquel hombre alto y de anchas espaldas irradiaba poder. Estaba ensamblando duelas dentro de una guía metálica, y sus manos se movían con asombrosa rapidez. Se detuvo y se irguió al acercarse ellos, con expresión recelosa. Dos cicatrices paralelas le surcaban las mejillas.

—¿Eres Kofi? —preguntó Nikolai.

Los ojos del tonelero se dirigieron hacia el hacha que había apoyada junto a la pared, a su lado.

—¿Quién quiere saberlo? —rezongó con voz grave y retumbante.

—Soy Jean Macrae, y éste es Nicholas Gregory —dijo Jean apaciblemente—. Una amiga nos ha dicho que podías ayudarnos.

—¿Por qué iba a ayudaros?

—Dijo que te dijera que estamos aquí por Mattie.

Kofi se quedó sin respiración, como si hubiera recibido un golpe.

—En el jardín de atrás.

Los condujo a través de la tienda, hasta un jardín largo y estrecho, repleto de madera desgastada por la intemperie. Los montones eran tan altos que el espacio que se abría entre ellos era como un cuartito privado. Kofi cruzó los brazos sobre el pecho y esperó una explicación.

Jean cambió una mirada con Nikolai, sugiriéndole en silencio que fuera él quien contara la historia. Nikolai asintió con un gesto y comenzó.

—Hemos acudido a ti porque estamos trabajando para la abolición de la esclavitud, y nos han dicho que podías ayudarnos. —Respiró hondo—. Y hemos viajado a través del tiempo para hacer esto.

En lugar de mofarse, Kofi los examinó con repentina intensidad. Su mirada cayó sobre el brazalete de cuentas de Jean.

—Sois brujos y estáis usando la magia africana del tiempo. —Miró a Nikolai—. Tú tienes sangre africana y magia africana. Cuéntame más.

Se sentaron en unos montones de madera, rodeados por el olor a roble recién cortado, y le hablaron de Adia y de su misión. Kofi escuchaba en estado de alerta, como un gato salvaje. Cuando acabaron su relato, los miró a ambos.

—¿Qué queréis de mí?

—Necesitamos aliados. Ayuda mágica e información —dijo Nikolai sin rodeos.

Jean añadió:

—Adia me dijo que vas a vivir en Londres muchos años, así que serás un buen aliado, si estás dispuesto. —Miró a Kofi a los ojos—. También dijo que eras el sacerdote africano más poderoso de Londres.

Kofi bajó los ojos y se quedó mirando el suelo.

—Habladme de Mattie.

—Era tu esposa —dijo Jean en voz baja—. Murió a manos de un hombre blanco en la colonia de Virginia.

Kofi tragó saliva con esfuerzo.

—Lo estrangulé con mis propias manos y luego huí al norte de Canadá. Desde allí, conseguí llegar a Inglaterra trabajando en un barco. Ahora tengo otra esposa, e hijos. Muy pocas personas saben de Mattie.

—Por eso se la eligió como clave para conseguir tu confianza —dijo Jean—. Tú mismo le sugeriste a Adia que usáramos a Mattie para contactar contigo.

Con los ojos entornados, Kofi alargó un brazo y tomó la mano de Nikolai. La energía brilló entre ellos. Nikolai comprendió vagamente que estaba siendo observado, probado y juzgado. Después del primer sobresalto, descubrió que él podía ver en el interior de Kofi tan bien como al contrario. Aquel hombre había llevado una vida turbulenta. Había sobrevivido por estar siempre dispuesto a pelear, y por el don de la magia, que sólo había ido entendiendo poco a poco.

Tras llegar a Inglaterra, encontró trabajo en aquella pequeña tonelería. Cuando el propietario murió, Kofi se casó con su hija y ambos llevaban juntos el negocio. Algunos habían puesto reparos a que un negro se casara con una inglesa, pero la mayoría de la gente del vecindario lo aceptaba encogiéndose de hombros. Al estabilizarse su vida, Kofi había estudiado magia con los ancianos de Londres. Poderoso y decidido, sería un aliado formidable.

—Entonces, nos ayudarás —dijo Nikolai, y no era una pregunta.

Kofi asintió con la cabeza antes de fijar en Jane una mirada punzante.

—También necesitaréis aliados blancos. Tú eres inglesa. ¿Tienes amigos a los que recurrir?

—Soy escocesa, y sí, tengo amigos y familia en Londres. Tendré que pensar en quién recurro. —Torció la boca—. Adia tuvo la ventaja de empezar desde el futuro, así que sabía lo que había ocurrido y que estarías aquí ahora. Pero yo, que vengo del pasado, miro hacia el futuro con ignorancia.

—Usa tu intuición, muchacha. Ella te guiará.

—¿Sólo los africanos pueden viajar en el tiempo usando la magia? —preguntó Nikolai.

—No lo sé —dijo Kofi—. Tengo poca experiencia con la magia europea. Los viajes mágicos en el tiempo son muy raros incluso entre los africanos. Uno de los ancianos que me inició dijo que África es la madre de la humanidad, con raíces que se remontan al principio de los tiempos, y que por eso sólo los africanos podían viajar en el tiempo usando la magia. —Kofi se encogió de hombros—. Puede que tuviera razón. Yo no tengo ese don, pero algunos de los otros ancianos han conocido a sacerdotes que podían viajar en el tiempo. —Se levantó—. Venid. Tenéis que conocer a mi mujer, si vais a usarnos como plataforma los próximos años.

Jane Andrews era una mujer tranquila que conocía los poderes mágicos de su marido y había sido la anfitriona de suficientes reuniones de los ancianos de Londres como para que la idea de viajar en el tiempo ni siquiera la hiciera pestañear.

—Si nos necesitáis, aquí estamos —dijo—. Cuando nuestros hijos sean mayores y podamos decírselo, ellos también echarán una mano.

—Puede que pronto necesitemos ayuda para activar el siguiente conjuro. —Jean tomó a Nikolai del brazo—. Gracias a los dos. Es bueno saber que no estamos solos.

Después de salir de la tienda del tonelero, Jean apartó la mano de su brazo. Él volvió a ponerla con firmeza allí. Le gustaba el suave zumbido mágico que había entre ellos cuando se tocaban.

—¿Estás pensando en revelarle a tu hermano tu presencia y nuestra misión? —preguntó.

Ella negó con la cabeza.

—No es la persona adecuada, y no sólo porque pasa gran parte del año en Escocia. Sería demasiado complicado involucrarlo en nuestra misión. Estamos demasiado unidos. Puede que se pusiera demasiado protector.

—¿Tienes pensado algún otro candidato?

—Me encantaría hablar con lady Bethany Fox, pero puede que ya no viva. Era mayor cuando me fui de Inglaterra. —Jean arrugó el ceño—. Estoy pensando en lord y lady Falconer. Simon es casi como un hermano para mí. Un hermano bastante alarmante, por su poder, pero confío en él plenamente; incluso confío en que no hable con Duncan. Es conde y entiende de política. Simon y Meg están a menudo en Londres, lo cual podría sernos útil. Meg es también muy poderosa, y como pasó años esclavizada, estoy segura de que Simon y ella apoyarían nuestra labor.

—¿Esa condesa estuvo esclavizada? —preguntó él, sorprendido.

—No por corsarios, ni por dueños de plantaciones, sino por un mago renegado —explicó Jean—. La tenía esclavizada para utilizar su poder. Unido a su propia magia, lo hacía muy peligroso. Ella entonces no era condesa, claro. Era sólo una muchacha con un potencial fuera de lo corriente. El mago tenía esclavizadas a otras personas por la misma razón.

—La esclavitud está aún más extendida de lo que pensaba. —Lo que Jean había descrito era violación mental, además de esclavitud. La condesa debía de ser una mujer muy fuerte si había sobrevivido a aquello—. Estoy deseando conocer a los Falconer. —Al ver que Jean fruncía el ceño, preguntó—: ¿No quieres que los conozca por alguna razón?

—Me da miedo lo que pueda descubrir, Nikolai. ¿Y si Simon o Meg han muerto? ¿Y si han muerto otras personas a las que quiero? ¿Y si me hablan de mi propia muerte? ¡No quiero saber nada! —Sus dedos apretaron el brazo de Nikolai como un tornillo de carpintero—. No me había dado cuenta de lo necesaria que es la ignorancia para seguir adelante con la propia vida. Me alegra no ser vidente. Creo que, si viera demasiado, me volvería loca.

—Entonces, iremos a visitar al conde y lo primero que le dirás será que no quieres saber nada del destino de tus seres queridos —dijo—. Si su mujer y él saben escuchar, supongo que lo cumplirán.

—Los dos saben escuchar. —Más relajada, Jean levantó la mirada hacia él—. Ahora, vamos a buscar una librería y un café. Allí podremos tomarle el pulso a los tiempos.

Durante varios días después del ritual que envió a Gregorio y a Jean Macrae al futuro, Adia hizo poco más que dormir, comer y seguir durmiendo. Se sentía tan agotada que no sabía si podría volver a practicar la magia. Incluso sus sueños estaban vacíos.

Pero, pasado un tiempo, despertó sintiéndose llena de energía y lista para enfrentarse de nuevo a la vida. La cuestión era qué debía hacer. Se alojaba en un cuarto de invitados de la casa de Gregorio que daba a la misma terraza que la habitación de Jean. Una doncella le había llevado una bandeja con pan, fruta y té para desayunar. Adia nunca había vivido con tanto lujo; en el futuro, siempre era ella quien llevaba la comida, no quien la recibía. Descubrió que no le gustaba que le sirvieran. Prefería arreglárselas sola.

Después de comer, bajó al despacho en el que Louise trabajaba por las mañanas. La francesa levantó la mirada de sus libros de cuentas.

—Bienvenida al mundo de los vivos.

—¿Tanto se nota? —Adia se detuvo junto a la percha de *Isabelle* para ofrecerle cacahuetes al guacamayo.

—Las últimas veces que te he visto, parecías un fantasma. Estabas lánguida y gris. —Louise echó su silla hacia atrás—. Si quieres compañía, siempre puedes venir a cenar conmigo y con mi familia. Serás bien recibida. El barco de mi marido ha vuelto, y pasará aquí varias semanas. Y a los niños ya los conoces, claro.

—Eres muy amable. Cenaré con vosotros esta noche. —Adia empezó a pasearse por la habitación—. Pero ¿qué voy a hacer conmigo misma? He trabajado toda mi vida, no sé es-

345

tar ociosa. —Se detuvo junto a la librería que cubría media pared—. Qué biblioteca tan maravillosa tiene el capitán Gregorio. Nunca había visto tantos libros juntos. ¿Le importará que lea algunos?

—No, no le importará. —El semblante de Louise adquirió una expresión sombría—. Sobre todo, si no vuelve a Santola. ¿Crees que la bruja escocesa y él volverán?

—No lo sé. Seguramente no —dijo Adia con franqueza—. ¿Estáis muy unidos?

—Él me sacó del arroyo y me enseñó que valía algo. Fuimos amantes un tiempo, pero eso nunca fue lo más importante. —Louise usó su navajita para afilar con esmero una pluma—. ¿Vas a quedarte en la isla? Alguno de nuestros barcos puede llevarte a Francia, a España o a Italia. Desde allí puedes volver a Inglaterra.

—En Inglaterra no tengo nada ahora. Mi marido es todavía un niño, en África. Mis hijos no han nacido aún. —Luchó contra la desesperación que la atravesó al pensarlo. Sabía lo que perdía al invocar el conjuro. Pero no había sido consciente de cuánto le dolería—. Además, siento que debo quedarme aquí como… como un ancla para ellos, si hay alguna posibilidad de que regresen. Así que debo quedarme y buscar algo que hacer para no volverme loca.

—No encontrarás un lugar más acogedor que Santola, y hay mucho trabajo. ¿Te gustaría ayudarme? Hay muchas cuentas que hacer, y mucha correspondencia, y me vendría bien una ayudante que sepa leer y escribir con buena letra.

—Sí, me gustaría. —Adia sacó un volumen de la estantería: *Tom Jones. Historia de un expósito*. Había oído hablar de aquella novela, pero nunca había tenido ocasión de leerla. Daniel y ella no podían gastar dinero en libros.

—¿Por qué no escribes tu historia? —sugirió Louise—. Podrían publicártela en Londres. El relato conmovedor de una niña africana robada de su hogar y vendida como esclava podría concienciar a la gente contra la esclavitud. Hay mucha ignorancia, y las historias de personas concretas conmueven mucho más a la gente que los simples números.

Aquella sugerencia resonó dentro de Adia.

—Puede que tengas razón, pero no sé si escribo lo bastante bien para eso. Y aunque pudiera, ¿cómo voy a conseguir que publiquen una historia así? ¿Cómo voy a escribir sobre asuntos que pertenecen al futuro?

Louise frunció el ceño.

—Siempre hay editores buscando historias emocionantes que publicar. No conozco ningún diario que cuente una historia como la tuya, así que creo que resultaría interesante. Tu otra pregunta es más difícil. Creo que tendrías que prescindir de aquellos acontecimientos que puedan datarse fácilmente. Escribe como «una anónima princesa africana».

—Yo no era una princesa —protestó Adia.

—Ahora lo eres —repuso Louise, que se divertía visiblemente—. Describe los sitios exóticos en los que has vivido, sobre todo en África. A la gente le encantan las historias de viajes. Habla del gran amor entre tu marido y tú y de cómo os separaron cruelmente, de cómo lo arriesgaste todo para estar juntos… A las mujeres en particular les encanta el romanticismo. Y habla de la gran bendición de convertirte en cristiana. Eso todo el mundo lo aprobará.

—No soy muy buena cristiana —dijo Adia con sorna.

—¡Ahora sí lo eres! —Louise sonrió maliciosamente—. Piensa en esto como un modo de llegar al corazón de la gente. Recalcar ciertos aspectos de la realidad ayudará en esa tarea. Algo sabes del cristianismo, ¿verdad?

—He sido bautizada —reconoció Adia—, pero también usábamos símbolos cristianos para adorar a dioses africanos.

—Eso no tienen por qué saberlo los blancos. La historia de cómo te raptaron de niña, de cómo te enamoraste y te casaste… todo eso es verdad, ¿no?

—Sí, desde luego —dijo Adia en voz baja.

—Entonces conviértelo en un relato que sea verídico en el fondo, pero que también esté ideado para hacer que hombres y mujeres lloren por el horror de la esclavitud. —Louise se recostó en su silla y sonrió—. Pero reserva las mañanas para trabajar para mí.

—¿Puedes darme lápiz y papel?

Louise señaló un armario.

—La caja de escribir de Gregorio está ahí. Puedes usarla. —Su expresión se había vuelto seria—. Soy algo vidente, Adia, y siento que un diario como el tuyo podría ser importante.

—Creo que tienes razón. —Adia abrió el armario y sacó la caja. Mientras inspeccionaba su contenido, añadió—: Al menos, me distraeré y dejaré de preocuparme.

Al subir las escaleras, se preguntó cuánto tiempo esperarían el regreso de Jean y Nikolai antes de darse por vencidos. ¿Se sentiría con el tiempo tan sola que tomaría como amante a un hombre de la isla? ¿Encontraría Daniel a otra mujer que calentara su cama? No quería pensar en ello. Pasaría mucho tiempo antes de que la necesidad de calor ahogara los votos que había intercambiado con su marido.

Colocó la caja de escribir sobre la mesa de su cuarto y luego se detuvo a pensar en cómo quería empezar. El papel era caro y no había que desperdiciarlo.

A pesar de que Louise había sugerido que prescindiera de acontecimientos como la Revolución Americana, decidió que sería más fácil escribir su vida tal y como la había vivido. Cuando acabara, podría repasarla y copiarla en limpio, quitando detalles que pudieran delatarla. También podía cambiar los nombres.

Tras ordenar sus ideas, mojó la pluma en el tintero y escribió: «He cambiado los nombres y los detalles relativos a quienes conocí durante mi esclavitud. Algunos son buenas personas que formaban parte de un sistema perverso; no deseo avergonzarlos.

»A los malvados, los dejo al juicio de Dios».

Capítulo 28

—¿Para qué quieres buscar un café? —preguntó Nikolai.

—No sé en otras ciudades, pero en Londres son sitios en los que los hombres se reúnen para poder hablar y comentar las noticias del día —explicó Jane—. Suele haber ejemplares de los periódicos para que los clientes los lean. Puedes conocer lo que ocupa la mente de la gente en este momento. Si te parece apropiado, podrías mencionar la esclavitud y ver cómo reaccionan los demás. Adia tenía razón cuando dijo que el comercio de esclavos no acabará hasta que la masa del pueblo proteste contra él. En Gran Bretaña, la prensa es muy libre. Los periódicos y las sociedades de debate hablan de todo. Ayudaría a nuestra causa que empezaran a hablar de la esclavitud.

Él asintió pensativamente, entendiendo lo que quería decir.

—¿Las mujeres no pueden entrar?

—No, por eso yo voy a buscar una librería. —Ella sonrió—. Además de descubrir qué se ha publicado estos últimos años, me gustaría tener un libro que leer por las noches.

Él observó su linda cara y los mechones de cabello rojo que escapaban de su sombrero, y se le ocurrieron otras formas de pasar las noches. Aunque creía racionalmente que debían desarrollarse como magos antes de convertirse en amantes, otras partes de su anatomía eran más difíciles de convencer.

Paciencia.

El café, de techo bajo y lleno de humo, tenía largas mesas sobre las que había esparcidos periódicos y trastos de escribir. A primera hora de la tarde, el local estaba medio lleno. La variedad de los clientes sorprendió a Nikolai. Mientras que algunos vestían como empleados o comerciantes, otros eran claramente obreros. Unos pocos estaban sentados a solas, con su periódico y su taza de café, pero casi todos se hallaban reunidos en grupos en los que reinaba la cordialidad. Media docena de ellos debatían con vehemencia un asunto, mientras que los demás conversaban con moderación. Varios hombres levantaron la vista cuando entró Nikolai, pero no había hostilidad alguna en su curiosidad.

Pasó un momento situándose en su entorno. Tras colgar su sombrero en una percha, junto con los demás, se acercó a la única mujer, que atendía un mostrador junto a la chimenea. El fuego crepitaba y mantenía las cafeteras calientes. A instancias de Nikolai, la mujer le sirvió una taza alta de café humeante.

Sobre el mostrador había una jarra de leche y cuencos de azúcar molido. Nikolai miró el azúcar un momento, pensando que había sido recolectado con sangre y sudor por los esclavos de las Antillas. Pero ese día no pensaba emprender una revolución. Sólo quería aprender. Añadió azúcar y miel a su taza y tomó asiento junto a una mesa vacía, donde aguardaba un periódico arrugado.

El contenido del periódico le causó gran impresión. El tono era claramente irrespetuoso con el poder. ¿Podían publicar aquellas cosas sin acabar en la cárcel? Tras echar un vistazo al primer periódico, cogió otro de una mesa distinta. Esa aún más sedicioso que el anterior.

Buscó más periódicos. Un hombre de uno de los grupos reparó en su mirada y le ofreció una gaceta que tenía delante.

—¿Quiere éste, amigo?

—Gracias. —Nikolai aceptó la gaceta—. Acabo de llegar a Gran Bretaña, y la libertad de expresión me resulta bastante chocante.

—Sí, somos el pueblo más libre del mundo —dijo el hombre con satisfacción. Por su atuendo, parecía un estibador—. Los ingleses tenemos nuestros derechos; hasta los más míseros.

—Algunos tienen más derechos que otros —dijo otro hombre—. ¿Por qué no pueden votar todos los trabajadores honrados? ¿Por qué sólo votan los propietarios?

Los demás miembros del grupo se echaron a reír.

—Tienes unas ideas muy raras, Tom —dijo uno—. Los que de verdad cuentan son los que tienen dinero.

—Las cosas cambiarán si somos suficientes los que protestamos —repuso Tom tercamente.

—En cuanto nos descuidemos, Tom empezará a decir que las mujeres también deberían votar. —El comentario provocó un estallido de carcajadas, seguido por una viva discusión política. Nikolai dijo poco, pero quedó impresionado por la coherencia y el entendimiento con que hablaban incluso los peor vestidos.

Tenía una expresión pensativa cuando se marchó y se reunió con Jean en la librería de la calle siguiente.

—Ya entiendo por qué me has mandado al café. ¿Todos los ingleses son tan independientes y están tan bien informados?

—No necesariamente. —Ella lo cogió del brazo y emprendieron el camino de regreso a la posada—. Los cafés suelen atraer a hombres a los que les interesa la discusión. Hay distintas clases de clientes, según los cafés. Hay uno llamado Lloyds en el que los hombres se reúnen para contratar seguros de navegación. Los capitanes de barco suelen ir a otro distinto. Para los que sólo quieren beber, hay muchas tabernas y licorerías.

—Me han sorprendido los escritos incendiarios de los periódicos. En París, todos los editores estarían en la cárcel.

Jean enarcó las cejas.

—No sabía que los franceses controlaran tanto a la prensa. Aquí, quejarse del gobierno es normal.

—¿A los escoceses les preocupan tanto sus derechos como a los ingleses?

—Los escoceses son igual de independientes, pero hay diferencias. —Sonrió—. Los ingleses se quejan del gobierno, mientras que los escoceses se quejan de los ingleses.

—Tal vez sea por ese espíritu de independencia por lo que el abolicionismo echará raíces aquí —dijo él, pensativo—. Del mismo modo que el miedo al reclutamiento forzoso puede hacer al ciudadano de a pie más comprensivo con la situación de los esclavos. Si seguimos avanzando en el tiempo, será interesante ver cómo evolucionan las mentalidades en Inglaterra.

—«Interesante» es una de esas palabras que sirven para todo —comentó ella—. Desde que te conocí, mi vida se ha vuelto «interesante». No sé si podré soportarlo mucho más.

Él sonrió provocativamente.

—¿De veras preferirías formar parte de la flor y nata de Londres, empolvarte el pelo y asistir a mil y un entretenimientos?

—Algunos días, sí. —La sonrisa iluminó sus ojos—. Pero no hoy.

· · ·

No era fácil entrar en Falconer House siendo un desconocido que podía decir muy poco sobre los motivos de su visita. Nikolai iba vestido con un traje sobrio (el mejor que tenía) y Jean había ido a una tienda de ropa usada y comprado un vestido negro de luto y un bonete con un velo tan tupido que hasta a Nikolai le costó reconocerla.

Habían quedado en que, para entrar en la casa del conde en Mayfair, sería Nikolai quien hablara. Jean guardó silencio, pero él notó que usaba su magia para «presionar» al mayordomo y persuadirlo de que lord Falconer querría ver a aquellos dos desconocidos.

Falconer también se dio cuenta. Cuando Nikolai y Jean fueron conducidos a su hermoso despacho, el conde levantó la vista con un brillo peligroso en la mirada.

—Ha usado la magia para persuadir a mi mayordomo de que lo traiga hasta aquí, señor Gregory, lo cual resulta interesante. Confío en que lo que lo trae aquí sea digno de mi tiempo.

Jean le había avisado de que el conde era uno de los hombres de ingenio más vivo de toda Inglaterra. Era difícil calcular su edad, aunque debía de tener cerca de cincuenta años. Tenía finas arrugas alrededor de los ojos y la boca, pero era delgado y atlético. Nikolai pensó que llevaba peluca, pero luego se dio cuenta de que era su pelo natural, rubio y acentuado por las canas. Era un aristócrata de la cabeza a los pies.

—No lo lamentará, lord Falconer. Por favor, permítame un momento para explicarle lo inusual de nuestras circunstancias.

—Proceda.

—Jean Macrae y yo hemos viajado en el tiempo para apoyar el movimiento abolicionista —dijo Nikolai sin rodeos—. Jean no quiere saber nada sobre su vida personal, ni sobre las muertes de familiares o amigos. Dijo que respetaría usted sus deseos.

—¿Jean? —La mirada de Falconer voló hacia la figura ataviada de negro que iba del brazo de Nikolai. Se quedó completamente inmóvil.

—Sí, soy yo, Simon. —Retiró el velo negro para dejar al descubierto su cara. Estaba pálida y tensa por el encuentro—. Como ha dicho Nikolai, no quiero conocer ninguna tragedia personal. Prefiero pensar que todos mis amigos y mis familiares están vivos y se encuentran bien, aunque no pueda mostrarme ante ellos. ¡Y tampoco quiero saber si estoy muerta!

—La mayoría están bien, en efecto, pero no diré nada más. ¿Habéis viajado en el tiempo, decís? —Él la observó pensativamente. Si estaba impresionado, lo ocultaba muy bien—. Debe de ser cierto, porque pareces recién salida del colegio. Cuéntamelo todo, empezando por la identidad de tu acompañante. —Sus ojos se entornaron mientras observaba a Nikolai—. No es un Guardián, pero es un mago, no hay duda.

—Ya lo he notado. —Jean se quitó el bonete y el largo velo—. Su verdadero nombre es Nikolai Gregorio, y tiene un pasado de lo más interesante.

—Entonces, nos hará falta un refrigerio para acompañar su historia. —El conde dio instrucciones a un criado, y tomaron asiento alrededor del fuego. Jean contó casi toda la historia. Nikolai pensó que había una hermosa simetría en el hecho de que estuvieran pidiendo ayuda a un trabajador africano y negro y a un pálido aristócrata inglés. Falconer era tal y como Jean le había dicho: inteligente y reconcentrado, e irradiaba poder.

Jean expuso sus dudas.

—¿Estamos persiguiendo un espejismo, Simon? Adia, nuestra sacerdotisa africana, dice que más o menos dentro de veinte años se creará un movimiento abolicionista serio. ¿Tiene alguna posibilidad de éxito?

Una arruga se formó entre las cejas de Falconer.

—La esclavitud nos acompaña desde que el primer guerrero de una tribu derrotó a otro y lo obligó a trabajar. Pero la sociedad está cambiando. Ya hay gente que piensa que la esclavitud está mal, y pronto habrá más. Es muy posible que se estén sentando los cimientos para un movimiento más amplio. —Arrugó el ceño—. Aunque no apruebo la esclavitud, he de admitir que no he examinado mis inversiones pensando en si fomentaban o no el comercio de esclavos. Debo hacerlo.

Jean había dicho que Falconer era uno de los miembros más progresistas de la Cámara de los Lores, así que el hecho de que no hubiera pensado mucho en la esclavitud resultaba significativo. ¿Estarían todos los hombres tan dispuestos a considerar el asunto cuando se les hiciera reparar en él?

—La sociedad tiene muchos problemas que necesitan atención —dijo Nikolai—. ¿Puede competir la abolición con otros asuntos más cotidianos?

—Con el tiempo, sí. Se están desarrollando inventos que reducirán la necesidad de trabajo esclavo. ¿Ocurrirá mientras nosotros vivamos? —Falconer sacudió la cabeza—. Eso no lo sé.

—En realidad, hay dos asuntos —dijo Jean—. Primero, debemos detener el tráfico de esclavos para que deje de apresarse y de enviarse a gente al otro lado del mar. Luego, hay que liberar a los que ya son esclavos.

El conde asintió con la cabeza.

—Poner fin al tráfico es un buen comienzo, y es más factible que la emancipación, pero hay fuerzas poderosas que se os opondrán. El grupo de presión de las Antillas es enormemente rico, y tiene conexiones con todos los recovecos de la clase dominante. Una de las plantaciones más grandes de Jamaica es de la Iglesia de Inglaterra.

Los labios de Nikolai se tensaron.

—No es una conducta muy cristiana.

—Los buenos de los obispos se escandalizarían si oyeran semejante acusación —dijo el conde con cinismo—. Ellos no ven la sangre, el dolor y la miseria de los esclavos que producen su riqueza. Es fácil ignorar lo que nunca se ha visto. Inclinan la cabeza con complacencia y se dicen los unos a los otros que los pobres africanos tienen suerte por disfrutar de los beneficios de una vida cristiana.

Nikolai masculló una maldición. Falconer frunció las cejas.

—Ese lenguaje delante de una dama.

Jean soltó un bufido muy poco femenino.

—Ya me conoces, Simon.

La mirada de Falconer se suavizó.

—Sí, te conozco. Y habéis elegido una noble cruzada, Jean. Tú y tu… ¿marido? —Su mirada reparó en el anillo de boda de Jean.

—El anillo es parte de la farsa —dijo Nikolai—. Para que nos sea más fácil trabajar juntos.

El conde alzó una ceja elocuentemente. No tenía que decir ni una sola palabra para dejar claro que la dama tenía sus paladines, y que cualquiera que hiciera daño a Jean Macrae se vería en un grave apuro. Era una suerte que Jean no hubiera mencionado que había sido secuestrada.

Jean se inclinó hacia delante con mirada intensa.

—Simon, tú tienes muchos contactos en el Consejo de los Guardianes. ¿Nos ayudarán a acabar con la esclavitud?

Falconer movió la cabeza de un lado a otro.

—Ya sabes que tenemos por costumbre intervenir lo menos posible en asuntos mundanos. Si el Consejo apoyara oficialmente vuestra causa, ello podría crear graves disensiones.

—¿Acaso alguien con sensibilidad de Guardián puede aprobar la esclavitud? —replicó ella.

—Te sorprenderías —contestó él lacónicamente—. Como los buenos obispos que dirigen plantaciones jamaicanas desde lejos, la mayoría de los Guardianes no han visto la esclavitud de cerca. Muchos pensarán que no es asunto de nuestra incumbencia. ¿Tú habías pensado mucho en la esclavitud antes de partir hacia el Mediterráneo?

—No —reconoció ella—. Pero podemos concienciar a la gente acerca de sus maldades.

—Por cada historia triste de esclavos que cuentes, habrá diez hacendados de las Antillas diciendo lo felices que son los esclavos. Algunos empezarán a llamarlos «hacendados ayudantes» porque suena mejor. Hablarán de cómo sus «hacendados ayudantes» tienen comida, ropa y techo, y cuidados médicos, y dirán que tienen más suerte que los pobres de nuestras ciudades. Asegurarán que sus esclavos dan gracias por que los hayan sacado de las tierras baldías de África. Y dirán que los negros nacen para ser esclavos: es su lugar en el orden natural de las cosas.

—¡Eso son patrañas! —exclamó Jean.

—Claro que sí —dijo Nikolai—. Pero Falconer tiene razón: contarán esas mentiras con toda seriedad. Y para contrarrestarlas hará falta el esfuerzo de mucha gente. Por eso es necesario un movimiento a gran escala. Tú y yo no podríamos cambiar nada, aunque fuéramos los magos más grandes del mundo. —Miró al conde—. No estoy muy familiarizado con los poderes de los Guardianes. ¿Es posible cambiar la mentalidad de gran número de personas mediante la magia?

Falconer sacudió la cabeza.

—No de forma duradera. Las mentalidades hay que cambiarlas poco a poco, pero las emociones dirigen a menudo la lógica. A muchas personas les horroriza la esclavitud, y van camino de oponerse a ella. Hace unos años hubo un caso terrible; el capitán de un barco esclavista llamado *Zong*, un incompetente, lanzó por la borda a más de un centenar de esclavos enfermos. Luego reclamó el seguro, alegando que había tenido que ahogar a la mitad de su cargamento porque andaba escaso de agua. Aquello creó un sentimiento abolicionista en muchas personas que se enteraron del caso.

»Pero, pese a todo, incluso el mago más poderoso sólo podría crear una repugnancia temporal hacia la esclavitud si lanzara un encantamiento sobre un grupo. La magia apenas tocaría la superficie de la mente de esas personas, y el efecto no duraría mucho.

—Entonces, el truco consiste en mostrar a la gente el verdadero horror de la esclavitud —comentó Nikolai.

—Yo creía que había una forma de magia creada por grupos —dijo Jean en tono interrogativo.

—Sí, pero eso es distinto. La energía la debe generar el propio grupo —explicó Falconer—. Todo el mundo tiene al menos una pizca de magia en el alma, y cuando las creencias están muy arraigadas, el grupo crea una especie de espíritu que refleja la esencia de su fe. No es una energía consciente, pero tiene poder y tiende a atacar, por naturaleza, a quienes se le oponen. Las fuerzas proesclavistas han creado uno de tales espíritus. Para contrarrestarlo, ha de haber mucha gente profundamente convencida de que la esclavitud está mal y debe ser abolida.

Nikolai arrugó el ceño.

—No entiendo.

—No estoy seguro de que alguien lo entienda —dijo Falconer—. Yo me formé hace muchos años, y desde entonces he visto esa energía en acción cuando grandes grupos tienen sentimientos muy arraigados acerca de algún asunto. A veces, ese espíritu es positivo, como en el caso de un grupo religioso. Otras es negativo y destructivo. La lucha entre los grupos a favor y en contra de la esclavitud tendrá lugar en muchos niveles. El más visible es el político, porque sólo una ley parlamentaria puede poner fin al comercio de esclavos. Pero los espíritus en pugna servirán de caja de resonancia y de fuente de energía a lo político. Vuestra labor consiste en ganar corazones, mentes y almas para vuestra causa.

Nikolai miró a Jane.

—¿Tú entiendes de qué está hablando?

—La verdad es que no. —Ella se encogió de hombros—. Puede que más adelante la idea quede más clara.

Falconer pareció divertido.

—Si llegáis a entender los principios de la energía de grupo, os ruego que me los expliquéis. Sólo tengo una idea muy vaga de tales cosas.

A pesar de lo confusa que era la idea, la intuición de Nikolai le decía que sería importante en el futuro.

—Adia dijo que la esclavitud acabaría cuando la masa del pueblo se levantara y gritara «¡Ya basta!». Quizá se refería a eso.

El conde asintió, pensativo.

—Su explicación es mejor que la mía.

—Has dicho que el Consejo de los Guardianes no nos ayudará. ¿Nos ayudarás tú, Simon?

—Por supuesto. Y habrá también otros Guardianes dispuestos a apoyar vuestra causa, empezando por Meg. —Se levantó de la silla—. Creo que está en casa. Le explicaré la situación y le diré que venga para que os conozca.

Cuando el conde se fue, Nikolai se dirigió a Jean.

—Hemos conseguido un aliado formidable.

—Sabía que Simon se pondría de nuestra parte, pero me decepciona que piense que el Consejo no nos ayudará. —Jean se levantó y comenzó a dar vueltas por la habitación, inquieta—. En realidad no creía que fueran a apoyarnos, pero confiaba en equivocarme.

—Falconer está en situación de influir a otros. Tal vez recabar su apoyo forme parte de nuestra tarea. Como ha dicho, hay que sentar los cimientos para que las cosas cambien en el futuro.

Jean pareció pensativa.

—Eso es cierto. Las notas que escribió Adia se refieren sobre todo a acontecimientos públicos, pero estas regiones entre bambalinas también cuentan.

La condesa de Falconer fue otra sorpresa. Nikolai esperaba una mujer tan aristocrática e imponente como el conde. Pero lady Falconer era menuda y de cabello oscuro, y tenía un aire etéreo que equilibraba el calor de su mirada. Jean y ella se abrazaron.

—¡Jean, qué joven estás! Simon dice que has corrido muchas aventuras.

Jean se rió mientras se separaban.

—Parece que me envidias, Meg.

—Sólo un poco. —La condesa se volvió hacia Nikolai—. ¿Cuidará usted bien de ella?

Él hizo una reverencia.

—Si me deja, señora.

—Jean no es precisamente una mujer dócil. —Lady Falconer se dejó caer en el sofá que había junto a la chimenea y con un gesto indicó a los demás que se sentaran—. Siempre he creído que la esclavitud estaba mal, pero nunca pensé que pudiera hacerse nada al respecto. ¿Qué queréis de nosotros?

Su marido se sentó a su lado, y Nikolai se sobresaltó al ver cómo brillaba la energía entre ellos. Su vínculo era palpable. Así era, por tanto, un verdadero matrimonio entre magos. La energía que había entre Jean y él era fuerte, pero no como aquélla.

Jean se dirigió a la condesa.

—Dos cosas. Primero, que habléis contra la esclavitud cuando salga el tema. Que digáis que es abominable y cruel, y poco cristiana. Si defendéis la abolición, otros tendrán valor para hacer lo mismo. En segundo lugar, es muy posible que necesitemos usar vuestra casa como refugio cuando viajemos por el tiempo. —Hizo una mueca—. Aunque no tenemos ni la más remota idea de hasta dónde nos llevará la magia.

—Simon y yo estaremos aquí todavía muchos años. —Lady Falconer parecía muy segura de ello, y puesto que era maga, debía de saberlo.

—Necesitaremos una especie de contraseña que podáis dar al servicio si Meg y yo no estamos aquí. También se lo diremos a nuestros hijos para que sepan que deben ayudaros, si venís. ¿Necesitáis dinero para vuestros gastos? —preguntó el conde.

—Ahora no, pero puede que sí en el futuro —dijo Jean.

—Sólo tenéis que pedirlo, cuando lo necesitéis —ofreció el aristócrata gravemente.

—¡Me alegra tanto que estéis de nuestro lado! —Jean sonrió a Simon, agradecida por que siguiera siendo tan generoso y honorable como cuando eran pequeños—. Como contraseña, podemos usar «libertad».

Acordaron que así fuera y luego Nikolai y Jean se dispusieron a marcharse.

—Seguramente será mejor que no volváis aquí a menos que sea necesario. Podrías encontrarte con alguien a quien no debes ver, Jean —advirtió Falconer.

Ella asintió con la cabeza. Tras abrazar a los Falconer, cogió a Nikolai del brazo y se marcharon. Al salir a la calle, él intentó analizar su encuentro en busca de alguna señal que indicara que Jean y él (o al menos Jean) sobrevivirían y regresarían al año 1753. Falconer no parecía haberse sorprendido mucho al ver a Jean, lo cual podía significar que ella había vuelto al punto de partida y le había hablado de su viaje en el tiempo. Pero el conde no era hombre que mostrara fácilmente su sorpresa, así que aquello no probaba nada. Aunque se hubiera sorprendido sinceramente al verla, quizá fuera porque Jean había decidido no hablar de su viaje en el tiempo, si había logrado regresar a su propia época.

La condesa parecía loca de contento por verla, lo cual podía indicar que creía que su amiga había muerto tras desaparecer en Marsella. Pero estaba claro que eran muy amigas. Tal vez lady Falconer había visto a Jean la semana anterior, y simplemente se alegraba de volver a verla.

Uno podía volverse loco intentando deducir qué ocurriría. Viajar en el tiempo era un quebradero de cabeza, no había duda. Nikolai quería creer que Jean sobreviviría y volvería a casa porque para ella era más importante volver que para él; sin embargo, no podía preguntárselo a Falconer, porque estaba de acuerdo con Adia en que cuanto menos hablaran de su misión, tanto mejor. Era más sencillo quedarse con las cosas que sabían.

—Me parece que eres feliz por haber visto a tus amigos.

Ella asintió con un gesto.

—Impresiona verlos doce años más viejos, porque te hace tomar conciencia de la realidad del viaje en el tiempo más que cualquier otra cosa. Pero me daba miedo no volver a ver a las personas a las que quiero. Ahora puedo imaginar que mi hermano y su mujer irán a cenar con Simon y Meg, y los echo de menos. —Su sonrisa brillaba—. Me siento menos sola.

Cuando él la secuestró, Jean no se quejó ni una sola vez, ni mostró sus miedos. Nikolai sintió una oleada de remordimientos por lo que le había hecho pasar. Como él, como Adia, como miles de africanos, Jean había sido arrebatada por la fuerza del mundo que conocía. Pero, si él no la hubiera raptado, no la tendría por amiga y aliada.

—Estoy empezando a darme cuenta de que gracias a mí, has vivido una experiencia que te permite compadecerte profundamente de los esclavos. Aunque fue un regalo envenenado.

—Sí, mucho. —Ella le lanzó una mirada traviesa—. Te perdono por raptarme. Pero no dejaré que lo olvides.

• • •

Jean soltó las manos de Nikolai, llena de frustración.

—Tendremos que pedir ayuda a Kofi para que active la siguiente cuenta encantada. Solos no podemos hacerlo.

—Hemos estado a punto. —La cara de Nikolai reflejaba la misma tensión que sentía ella—. He notado el torbellino que intentaba formarse, pero no había suficiente energía para que la magia cobrara vida.

Jean había sentido lo mismo. Observó la cuenta, que se había puesto caliente pero seguía tercamente intacta.

—Tenemos que aprender a hacerlo sin ayuda. No estamos seguros de que siempre vayamos a aparecer en Londres, ni tan siquiera en Inglaterra.

Llevaban un mes en Londres, tiempo suficiente para que Nikolai se familiarizara con la ciudad y sus gentes. Ahora, ambos estaban impacientes por seguir adelante. Jean se recordó que pasar otro día en aquella época no afectaría a su misión. Pero tenían que aprender a manejar la magia del viaje en el tiempo. Sería difícil encontrar sacerdotes africanos fuera de Londres, y era muy posible que la magia de los Guardianes no fuera tan eficaz.

—No sé qué haríamos sin la información que recogió Adia para nosotros —comentó Nikolai—. Será interesante rebasar su época, si es que lo hacemos, y adentrarnos en terreno desconocido.

—«Interesante.» Otra vez esa palabra inquietante. —Jean recorrió la habitación con la mirada, comprobando que no se dejaban nada—. ¡Adelante! ¡A ver a Kofi y a nuestra próxima aventura!

Capítulo 29

De nuevo, el torbellino los arrastró a través del tiempo, desollando y diseccionando cuerpo y alma antes de volver a ensamblarlos dolorosamente. Jean perdió el sentido, todavía cogida de las manos de Nikolai para mantenerse en el túnel del tiempo.

Una brisa fresca despejó su cabeza. Abrió los ojos y se descubrió junto a un camino que discurría entre campos de labor. Hacía un día agradable, seguramente de fines de primavera o principios de verano. Estaba apoyada en Nikolai, que parecía tan aturdido como ella. Junto a ellos había un carro cuyo poni pastaba plácidamente entre la jugosa hierba que crecía en las márgenes del camino.

Nikolai rodeó los hombros de Jean con el brazo, aunque ella no estaba segura de quién sostenía a quién.

—Jean, ¿estás consciente?

Ella exhaló con aspereza.

—No ha sido tan duro como la primera vez.

—Las cosas mejoran con la práctica.

Ella miró el brazalete y vio que la segunda cuenta se había consumido.

—¿Sabes dónde estamos?

Nikolai cerró los ojos e intentó situarse en su mapa mental.

—Creo que estamos en Inglaterra, en alguna parte al nordeste de Londres.

Ella miró en derredor.

—Creo que viajé una vez por este camino hace unos años. Discurre entre Londres y Cambridge. —Se volvió hacia el carro. En uno de sus lados se leía pintado en letras descoloridas: «Caballerizas Welsh, High Street, Ware».

—Uno no alquila un carrito como éste para hacer un viaje largo, así que tenemos que estar en Hertfordshire. Pero ¿qué demonios estamos haciendo aquí con un carro? ¿Pueden procurarnos transporte los ancestros?

—Si pueden hacernos viajar por el tiempo, un carro alquilado no será un gran problema. —Él sonrió—. Me habría impresionado más un carruaje con cuatro caballos.

—Esto es más fácil de manejar. Supongo que, dado que tenemos un carro esperando, deberíamos ir a alguna parte. —Una idea la asaltó de pronto—. ¿Sabes conducir un coche, o montar a caballo?

Él se encogió de hombros.

—No se me da muy bien. Pasé algún tiempo en las caravanas de la sal, así que tengo buena mano para los camellos, pero en el mar hay pocos caballos.

—Me temo que tu habilidad con los camellos va a servirnos de poco aquí. —Ella se recogió las faldas con una mano y subió al carro. Detrás del asiento había una cesta tapada. Miró dentro con interés—. Los ancestros hasta nos han dejado algo de comer. ¿Sabes por dónde tenemos que ir?

Él cerró los ojos un momento.

—A la derecha. —Abrió los ojos y montó en el carro, a su lado—. Afortunadamente, las probabilidades están igualadas, diga lo que diga yo.

Ella sonrió mientras metía su bolsa bajo el pescante; luego, con las riendas, indicó al poni que empezara a moverse. El animal dejó de pastar de mala gana y echó a andar por la carretera, en la dirección que ella le ordenaba.

—Esperemos que nuestra misión se muestre.

Avanzaron tranquilamente por el camino, viendo algunas vacas que pastaban, pero ningún humano. Pasados unos diez minutos, llegaron a lo alto de una larga colina y empezaron a bajar por el otro lado. A medio camino de la pendiente, vieron a un hombre sentado a la izquierda, bajo un árbol; tenía las riendas de su caballo en las manos y miraba a lo lejos con el ceño fruncido.

—¿Crees que será nuestra misión? —preguntó Nikolai en voz baja—. Jonathan Strong fue la primera persona que vimos después de nuestro salto anterior.

Jean contuvo el aliento al ver el cabello rojo y la figura larguirucha del joven. Recordó las notas de Adia.

—¡Creo que puede ser Thomas Clarkson! Adia dijo que es quizá el abolicionista más importante de todos. Ganó un certamen en Cambridge con un ensayo en latín sobre la moralidad de la esclavitud. Es un gran honor. Durante el resto de su vida, la gente dirá que ganó el certamen de ensayos latinos de Cambridge.

»Pero, después de ganar el premio, no podía quitarse de la cabeza el asunto. Se dice que, cuando iba de Cambridge a Londres, se comprometió a luchar por la abolición de la esclavitud. Puede que en este mismo momento esté reflexionando sobre ello. Si es así, estamos en… —Se quedó pensando un momento—… en 1785, creo.

—¿Hemos avanzado veinte años? Nos estamos acercando al momento en que el movimiento empezará a crecer

—dijo Nikolai pensativamente—. Puede que la magia nos haya traído aquí porque Clarkson necesita persuasión. Para el carro a su lado.

Cuando Jane detuvo el carro, Nikolai se dirigió al joven.

—Señor, ¿cojea su caballo? Si necesita ayuda…

El joven levantó la vista, sobresaltado.

—No, pero gracias por su amabilidad, señor. Mi caballo está bien. Soy yo quien está en un apuro.

Nikolai se apeó del carro.

—¿Serviría de algo que un desconocido le escuchara? Sé por experiencia que a veces hablar de los problemas ayuda a encontrar la solución.

Jean añadió:

—Comer algo también ayuda. Estábamos buscando un sitio para que descansara el poni mientras comemos. Hay comida de sobra, si no le importa que le hagamos compañía.

El muchacho se levantó con torpeza y se inclinó ante Jean. Una sonrisa iluminaba su cara alargada. Jean había descubierto muy pronto que los muchachos siempre tenían hambre, así que la comida sería bien recibida.

—Vaya, gracias, señora, es usted muy amable. —Clarkson esbozó una reverencia. Era de impresionante estatura, y llevaba los ropajes negros de un clérigo—. Me llamo Thomas Clarkson. Vengo de la universidad de Cambridge y voy camino de Londres.

—Yo soy Nicholas Gregory y ésta es mi esposa, Jean. —Nikolai sacó la pesada cesta del carro y la puso bajo el árbol. Silbó suavemente al levantar la tapa—. Querida, te has superado. Nosotros y el señor Clarkson cenaremos bien. —Sacó una manta y la extendió sobre el suelo para que no se mancharan con la hierba.

Jean puso unos ojos como platos al bajar del carro.

—¿Es usted el joven diácono Clarkson que ganó el premio de ensayo latino en Cambridge?

—En efecto, soy yo —contestó el joven, sonrojándose con azorado orgullo—. Se me ha concedido un gran honor.

—Es un honor merecido, señor —dijo ella con firmeza—. ¿Querrá hablarnos de su último ensayo? Tengo entendido que versaba sobre si la esclavitud es legítima y buena desde el punto de vista moral.

Clarkson perdió parte de su animación.

—Eso es lo que me tiene desasosegado. He estudiado mucho el asunto de la esclavitud. Aunque empecé simplemente con la esperanza de conseguir honores literarios, mis pesquisas me llenaron de horror. Cuanto más aprendía, menos podía dormir.

—¿Ha hablado usted con personas que hayan vivido la esclavitud de primera mano? —preguntó Nikolai.

Clarkson asintió con la cabeza. Tenía una expresión profundamente angustiada.

—Mi propio hermano, que es oficial de la marina y ha servido en las Antillas, me mandaba cartas describiéndome actos inefables. Ahora, mi ensayo es aclamado y yo voy de camino a Londres para buscar un puesto en la iglesia. Y sin embargo… sin embargo, lo que he aprendido no me deja dormir. Siento que alguien debería hacer algo para poner coto a esas atrocidades, pero ¿quién?

—¿Por qué no usted, señor Clarkson? —preguntó Jean con expresión muy seria y admirativa.

—Yo no sabría por dónde empezar —contestó el joven con franqueza—. ¿Qué puede hacer un hombre corriente solo frente a tanta maldad?

—No está usted solo —dijo Nikolai—. Hay otros que comparten sus preocupaciones, y, si los busca, sin duda los encontrará.

Jean asintió con la cabeza y volvió a recurrir a las notas de Adia.

—Desde hace algunos años, los cuáqueros se esfuerzan por dar a conocer las atrocidades de la esclavitud, pero se les considera unos excéntricos y nadie les hace caso. Podría venirles bien un hombre como usted, que es joven, inteligente y apasionado… y que ha sido ordenado por la Iglesia de Inglaterra.

—A usted la gente le escuchará, mientras que a un cuáquero no le haría caso —comentó Nikolai.

—Eso es verdad —repuso Clarkson lentamente—. Siendo hombre de iglesia, podría hacerme oír en ciertos círculos.

—Debería traducir su ensayo al inglés y hacerlo publicar —dijo Jean—. Hay mucha gente a la que le gustaría leerlo, pero no sabe latín.

—¡Es una idea espléndida! Y también podría añadir material de mis investigaciones para mostrar el estado actual de la esclavitud. —Vaciló, necesitado de apoyo—. ¿De veras creen que alguien querría publicarlo?

—Hay un impresor y editor cuáquero en Londres que ha publicado otras obras contrarias a la esclavitud —dijo Jean—. Creo que se llama James Phillips. Me parece que su ensayo le interesaría mucho.

Clarkson se quedó callado mientras engullía otro bocadillo de jamón y queso, pero la energía que lo rodeaba brillaba, amarilla, lo cual era signo de una intensa actividad mental. Tragó el último bocado y les miró atentamente.

—Están muy bien informados sobre la esclavitud. ¿Han vivido en las Antillas y la conocen de primera mano?

Nikolai torció la boca.

—He visto la esclavitud, sí, pero no en las Antillas. Fui capturado por corsarios cuando era niño y pasé años esclavizado. Fui golpeado en las galeras, azotado en caravanas que cruzaban mortíferos desiertos, y conseguí la libertad encabezando un motín de esclavos en una galera.

Clarkson lo miró asombrado.

—¿Ha vivido esa atrocidad en sus propias carnes?

—¿Duda usted de mí? —Ardiendo de emoción, Nikolai se levantó y se quitó la chaqueta y el chaleco; luego se dio la vuelta y se sacó la camisa de las calzas para dejar al descubierto las marcas de las cicatrices de su espalda—. Llevo la prueba grabada en el cuerpo.

Jean y Clarkson sofocaron una exclamación de espanto. Ella sintió ganas de llorar e, inclinándose hacia delante, trazó con los dedos las cicatrices más profundas. Nada de lo que le había contado Nikolai sobre sus años como esclavo era tan sobrecogedor como la visión de aquellas marcas. Ahora entendía mejor por qué estaba tan decidido a vengarse de los Macrae.

Nikolai se apartó de su mano y ella adivinó que las cicatrices le recordaban su humillación y su impotencia. Volvió a ponerse la ropa y se sentó, otra vez dueño de sí mismo.

—Si lucha usted contra esa perversidad, señor Clarkson, le garantizo que hay muchos hombres como yo dispuestos a ayudarle. Yo soy extranjero y no podría dirigir esa cruzada, pero creo que usted podría convertirse en su líder.

—¿De veras lo cree? —preguntó Clarkson en voz baja.

—Lo sé. —Jean lo miró a los ojos con toda sinceridad. Debía persuadirlo sirviéndose de la verdad, no de la magia—. Soy escocesa, y tengo algo de bruja. Creo de veras que puede usted hacer algo para luchar contra el comercio de esclavos. Puede que sea la voluntad divina la que nos ha traído a mi esposo y a mí por este camino hoy. —La voluntad divina, o los ancestros. Jean no estaba segura de que hubiera alguna diferencia.

—Quizá… quizá deba hacer lo que me sugieren. —La energía de Clarkson volvió a inflamarse, esta vez llena de determinación—. Voy a rezar por ello.

Al recordar lo que Adia había escrito sobre Clarkson, Jean comprendió que ese día también habían hecho bien su trabajo.

Después de su comida campestre y de despedir a Clarkson camino de Londres con un bocadillo envuelto en un paño de estopilla para que no desfalleciera durante el viaje, Nikolai guardó la cesta en el carro.

—Supongo que deberíamos devolver el carro a la caballeriza de Ware. Y luego a Londres, creo.

Jean asintió.

—Han pasado veinte años desde nuestra última visita. Tenemos que ver qué piensa la gente ahora. Eso por no hablar de comprar ropa nueva.

—Me gustaría conducir el carro. Necesito practicar.

—Como quieras —dijo Jean mientras se montaba en el asiento del pasajero—. Este poni tan viejo y tranquilo es una buena elección para un marinero.

Nikolai se alegró de conducir, y no sólo porque tuviera poca experiencia. Le convenía distraerse aprendiendo a usar bien las riendas. Durante años, había ocultado su cuerpo cubierto de cicatrices; odiaba la idea de que alguien viera cómo lo habían maltratado. Ahora que Clarkson se había marchado, esperaba que Jean mencionara las marcas, pero por suerte no dijo nada. Uno podía enamorarse de una mujer que sabía cuándo guardar silencio.

¿Enamorarse? ¿De dónde había salido aquella idea? Sin embargo, cuando miró el delicado perfil de Jean por el rabillo del ojo, tuvo que reconocer que estaba al menos medio enamorado de ella. Gracias a su compañerismo y a su entrega a aquella misión, estaban más unidos que muchas parejas casadas.

Nikolai sintió el impulso de parar el carro, sacar la manta de la cesta y llevar a Jane a algún lugar íntimo donde pudieran unirse más aún. Con sólo pensarlo, se le aceleró el pulso. Pero su condenada intuición insistía en que no era el momento adecuado. Todavía estaban creciendo como magos, y sospechaba que necesitarían todas sus capacidades para completar su empresa.

Esperaba no morir de frustración primero.

Londres era veinte años más ajetreado, más ruidoso y más hediondo. Tal vez fuera simple coincidencia, pero Jean vio más negros por el camino que en su visita anterior. Saltaba a la vista que muchos eran pobres, que intentaban ganar unas pocas monedas sujetando caballos o barriendo las calles de ciudadanos más prósperos. Jean se preguntaba si eran refugiados de la esclavitud americana que habían escapado después de la guerra, como Adia y su familia. Adia había dicho que, en su época, había miles de negros viviendo en Londres.

Nikolai y Jean encontraron una posada limpia y humilde, no muy lejos de donde se habían alojado la otra vez. Eligieron una posada distinta porque cabía la posibilidad de que alguien les reconociera, incluso veinte años después. Pero decidieron ir al mismo café y a la misma librería, porque ambos establecimientos les quedaban a mano y la probabilidad de que alguien les reconociera era casi inexistente.

La librería de Smythe estaba en silencio cuando entró Jean. Miró a su alrededor con placer, disfrutando del olor del papel y la tinta fresca y de las estanterías repletas de libros. En las mesas que había en la parte delantera se apilaban provocativamente nuevos títulos.

Un hombre de mediana edad se acercó a ella. Jean se acordaba vagamente de él; era Smythe, el hijo del propietario. Seguramente ahora llevaba el negocio.

—Buenos días, señora —dijo—. ¿Busca algún título en concreto, o prefiere echar un vistazo?

Jean hizo la misma pregunta que veinte años atrás.

—¿Tienen libros sobre esclavitud y abolición? ¿Relatos de antiguos esclavos, quizá?

Smythe sonrió.

—Tenemos una selección de títulos sobre ese tema tan buena como la de cualquier librero de Londres. De hecho, los tengo expuestos. —La condujo hasta una de las mesas delanteras, donde se apilaban varias docenas de libros—. Las *Cartas* de Ignatius Sancho tienen muchísimo éxito. El autor nació en un barco negrero en medio del Atlántico cuando sus padres eran llevados a las Américas. Más tarde vino a Inglaterra. Su historia es conmovedora.

Puso un ejemplar en manos de Jane.

—Si no tiene ya un ejemplar, quizá disfrute también de los *Poemas sobre diversos asuntos religiosos y morales* de Phillis Wheatley. El libro salió hace doce años, pero sigue siendo muy popular. Es una esclava americana que demostraba un ingenio tan vivo que su ama la hizo educar. Incluso visitó Londres, y fue muy aclamada por su inteligencia y su sensibilidad.

Jean miró los poemas, y puso el libro junto a las *Cartas de Sancho*.

—Precisamente estaba buscando libros como éstos. ¿Qué más tiene?

—Tengo algunos tratados de Anthony Benezet, un americano, y las obras de nuestro Granville Sharp y de los reverendos John Wesley y James Ramsay. —Hablaba como si hubiera leído los libros en cuestión y estuviera de acuerdo con su contenido.

Jean miró cada libro que le mostraba Smythe y luego lo añadía a su montón, intentando ocultar su emoción. Veinte años antes, casi no había publicaciones sobre esclavitud y abolición. Desde entonces, había habido una explosión de interés por el tema.

Mientras Jean pagaba sus compras, el señor Smythe dijo:

—Vuelva por aquí pronto, señora. Cualquier día de estos vamos a recibir un libro nuevo, escrito por una antigua esclava. El editor dice que es impresionante. Ha recibido más suscripciones anticipadas por él que por cualquier otro que haya publicado.

Una muchacha salió de la trastienda llevando un cesto de libros.

—Papá, dijiste que sacáramos éstos en cuanto llegaran.

—¡Justo a tiempo! —exclamó Smythe—. Aquí está el volumen del que le hablaba, señora. *Mi viaje hacia la fe y la libertad*, de Una princesa africana. —Abrió uno de los ejemplares y comenzó a leer.

Jean tomó otro ejemplar y vio que estaba publicado por James Phillips, el editor cuáquero del que había tenido noticia por las notas de Adia. Lo hojeó hasta la primera página y se envaró, sobresaltada.

—Éste también me lo llevo.

Como había comprado muchos libros, el señor Smythe en persona se los llevó en una cesta a la posada. Ella le dio las gracias y luego corrió escaleras arriba. Estaba deseando contarle a Nikolai lo que había descubierto.

A Nikolai, la charla en el café le pareció extremadamente interesante, de modo que la tarde estaba ya muy avanzada cuando regresó a la posada. Se fue derecho a la habitación de Jean, contigua a la suya. Cuando entró, la encontró leyendo junto a la ventana.

Ella levantó la vista en cuanto le oyó entrar.

—Jean, el mundo ha cambiado muchísimo en veinte años. Los clientes estaban hablando del comercio de esclavos cuando entré, y casi todos los presentes estaban en contra. Había un oficial de un barco negrero que intentaba decir que el comercio era beneficioso y de importancia esencial, y cada vez que hablaba lo interrumpían. La gente corriente se apasiona con el tema.

—Lo mismo he descubierto en la librería. —Señaló los volúmenes apilados en la mesa, a su lado—. Había muchos libros y panfletos contra el comercio de esclavos, y varios relatos escritos por antiguos esclavos. Incluido éste, escrito por Una princesa africana. —Le dio el volumen que estaba leyendo—. Mira.

Él miró el grabado del frontispicio, que representaba a una guapa mujer africana.

—¡Santo Dios! ¡Es Adia! ¿Por qué no nos dijo que había escrito un libro? —Una idea lo asaltó—. ¿Pudo mentirnos y contarnos la historia de otra mujer? Puede que leyera este libro y que utilizara su información para engañarnos. Pero ¿por qué?

—Creo que el libro lo escribió Adia, pero no durante sus primeros años en Londres, antes de abandonar su época y visitarnos —dijo Jean lentamente—. Debió de escribirlo en Santola, después de nuestra marcha. Pero, si es así, ¿por qué se ha publicado ahora?

—Puede que haya tardado treinta años en escribirlo. O que le haya costado todo ese tiempo encontrar un editor. —Nikolai frunció el entrecejo—. O puede que lo haya tenido guardado para que se publicara ahora, cuando está creciendo el apoyo público a la abolición.

—Entonces, está viviendo en Londres, aunque seguramente no sabe nada del libro porque, en su tiempo real, todavía no lo ha escrito. Estoy segura de que nos lo habría dicho, si lo hubiera escrito antes de retroceder en el tiempo. —Jean hizo una mueca—. Cada vez que pienso en los viajes en el tiempo, me empieza a doler la cabeza.

—Más vale no pensar en ello —le aconsejó él mientras hojeaba el libro.

—Por lo que dijo el librero, su historia va a venderse muy bien. Estoy segura de que a su familia le vendrá bien el dinero. —Jean suspiró—. Seguro que Adia lo arregló todo para que se beneficiaran de él, aunque ella no pueda volver.

Nikolai notó su tono melancólico y la miró rápidamente.

—Puede que los ancestros la ayuden a volver, porque les está prestando un gran servicio. —Miró el libro—. Veo que ha cambiado algunos nombres, pero que los hechos que cuenta son muy detallados y convincentes.

—Y algunos son horrendos —dijo Jean en voz baja.

Nikolai llegó a la descripción de la violación de Adia cuando era poco más que una niña. Había pocos detalles, pero bajo las palabras ardía la emoción.

—Algún día acabará la esclavitud. —Cerró el libro con expresión adusta—. Y Adia, tú y yo habremos contribuido a acabar con ella.

Capítulo 30

Kofi apenas había cambiado en aquellos veinte años, salvo por unas pocas canas entremezcladas con su cabello negro. Acogió con calma la aparición de Nikolai y Jean.

—Me preguntaba si volvería a veros. Veo que la magia sigue funcionando.

—Sí, y seguimos necesitando ayuda —dijo Nikolai de mala gana—. Hemos cumplido nuestra misión, y es hora de poner en marcha el siguiente conjuro. ¿Puedes volver a ayudarnos?

Kofi asintió.

—Mi hija se ha convertido en una sacerdotisa muy poderosa. Creo que bastará con que unamos nuestro poder al vuestro. ¿Estáis ya preparados?

Habían llevado unos hatillos con sus posesiones y se habían puesto sus discretas ropas de viaje, por si acaso. Sólo tardaron unos minutos en preparar el ritual. Mary, la hija de Kofi, era una muchacha delgada, con la piel de color caramelo. Al igual que su padre, brillaba de poder. Ya conocía su misión, de modo que no hizo falta darle explicaciones.

El círculo quedó sellado, Nikolai y Jean sostuvieron la cuenta entre sus palmas, invocaron la energía… y de nuevo fueron arrastrados a través del tiempo.

Quizás el proceso fue un poco más fácil. Pero no mucho.

• • •

Aparecieron en medio de un vendaval que oscurecía el cielo. Nikolai ahogó un grito de sorpresa cuando una racha de viento le arrancó el sombrero. Lo cogió con una mano mientras con la otra agarraba a Jean.

—Vaya, qué bien —dijo ella casi sin aliento—. ¿Tienes idea de dónde estamos?

Él levantó la mirada hacia los almacenes mojados.

—Huele a mar, así que no puede ser Londres. —Aguzó sus sentidos para descubrir algo más sobre su entorno—. Este sitio tiene un aire venenoso… como si el diablo y sus demonios estuvieran celebrando una fiesta. ¿Tú también lo sientes?

El semblante de Jean quedó inexpresivo cuando volvió la vista hacia dentro.

—Este sitio se construyó sobre sangre y sufrimiento.

—Así es. —Nikolai la cogió de un brazo y echaron a andar hacia el mar—. Me parece que estamos en uno de los puertos esclavistas de la costa oeste. En Bristol o Liverpool. Seguramente en Liverpool, porque parecemos estar más al norte.

La calle acababa en el puerto. Otra racha de viento habría derribado a Jean si Nikolai no la hubiera sujetado. Ella se ciñó el manto con el brazo libre.

—La riqueza de Liverpool se edificó sobre el comercio de esclavos, más que la de cualquier otra ciudad.

—Me pregunto cuál será nuestra misión. Da la impresión de que aquí hay mucho que hacer. —Nikolai dobló hacia la derecha y comenzaron a andar a lo largo del puente. Jane iba acurrucada bajo su brazo. Las pocas personas que había en la calle caminaban a toda prisa, camino de algún lugar cálido donde refugiarse. Ninguna de ellas parecía necesitar la ayuda de dos viajeros en el tiempo.

—Santo Dios. ¿No es ése Thomas Clarkson? —Jean señaló una figura alta y desgarbada que iba hacia un muelle. Debía de querer ver la tormenta, porque allí no se estaba trabajando—. Podría reconocernos, así que supongo que no deberíamos acercarnos a él. A no ser que corra peligro de caer del muelle.

—¿Tenemos poderes que puedan ayudarlo en ese caso? Sería difícil sacarlo estando la mar tan picada —observó Nikolai. Intentaba parecer despreocupado, pero la oscura energía que lo impregnaba todo era demasiado intensa para ignorarla—. Tengo la impresión de que en esta ciudad se encuentran los malos espíritus de África, que vienen a robar las almas de los hombres.

—Teniendo en cuenta la relación de Liverpool con el tráfico de esclavos, puede que ya se las hayan llevado.

Él asintió con un gesto. Se sentía tan sofocado por la energía negativa que no quería hablar. Mientras observaban la escena, un grupo de ocho o nueve hombres salieron de una taberna destartalada y echaron a andar por el puerto, luchando contra el viento. Uno de ellos señaló al hombre solitario del muelle y dijo algo a sus compañeros. El viento hacía imposible oír lo que decían, pero el grupo se dirigió con decisión hacia el muelle. Estaban a medio camino cuando el hombre que se hallaba al final del embarcadero se dio la vuelta y los vio acercarse.

—Es Clarkson, sí —dijo Jean, tensa—. Y creo que va a necesitar ayuda.

Nikolai apretó el paso cuando uno de los hombres del grupo comenzó a gritar a Clarkson. Aunque el vendaval le impedía oír sus palabras, saltaba a la vista que le estaba amenazando. Con sus negros ropajes de clérigo, Clarkson parecía un espantapájaros atacado por una multitud. Dos de los hombres lo agarraron y empezaron a forcejear con él arrastrándole al borde del embarcadero.

—¡Dios mío! —exclamó Jean—. Seguramente no sabe nadar, y aunque sepa no podrá con esas olas.

Nikolai echó a correr. Sentía a su alrededor el espíritu de la maldad, que palpitaba de rabia y de ansia destructiva, y la presión le hacía difícil respirar. Siguió corriendo con denuedo. Clarkson logró desasirse y estuvo a punto de esquivar a los marineros, pero volvieron a atraparlo. Sus atacantes empezaron a propinarle patadas mientras lo insultaban a gritos.

—¡Maldito cerdo entrometido! ¡Te vamos a enseñar a ocuparte de tus asuntos!

Clarkson se protegió la cabeza y logró apartarse de las patadas rodando por el suelo. Se levantó a duras penas, pero los demás eran tantos que no podía hacer nada. Estaba siendo arrastrado de nuevo hacia el agua cuando Nikolai irrumpió en medio del grupo.

Esta vez, no sintió restricción alguna cuando atacó. Usó sus puños, sus pies y su magia para dejar fuera de combate a los asaltantes de Clarkson. Por el rabillo del ojo vio llegar a Jean. Se la veía emborronada por una especie de escudo mágico, y Nikolai sintió que su mirada se desviaba. De no haber sido por su magia, no la habría visto acercarse a Clarkson, ponerlo en pie y alejarlo de allí, soportando la mitad de su peso sobre sus estrechos hombros.

Los marineros se defendían, pero su ira alimentada por el alcohol no era adversario para Nikolai. Había derribado al último y se disponía a arrastrar a su cabecilla al borde del muelle cuando una voz gritó en su cabeza: «¡No!».

Vaciló mientras una fresca claridad lo embargaba, disipando su cólera. Comprendió que había quedado atrapado en el espíritu de la destrucción. Sus metas podían ser distintas a las de los matones que habían atacado a Clarkson, pero la rabia, la sed de destrucción, era la misma.

Apretó los puños y se alejó temblando. La voz de sus ancestros, que sonaba como la de su abuela, lo había apartado del borde del abismo. Invocó la luz para ahuyentar el espíritu oscuro mientras se acercaba a Jean y Clarkson. Rodeó al diácono con un brazo y, sosteniendo la mayor parte del peso del joven, salieron del muelle.

—Hay una taberna a ese lado de la calle —dijo Jean—. Necesita tiempo para recuperarse.

Nikolai asintió con una inclinación de cabeza y se dirigió hacia allí. Clarkson caminaba ya mejor, aunque su paso seguía siendo indeciso.

—Debo darle las gracias, señor —dijo, un poco tembloroso. Miró a Nikolai con los ojos como platos, parpadeando, y luego se volvió hacia Jean—. ¡Pero si son el señor y la señora Gregory, creo! ¿Son ustedes mis ángeles de la guarda?

Jean se echó a reír.

—No, sólo dos abolicionistas que por casualidad aparecen en el momento justo. —Habían llegado a la taberna y ella les abrió la puerta. Era un establecimiento humilde pero limpio, y los pocos clientes que había eran tranquilos y formales.

Tras colgar sus mantos empapados en el perchero, Nikolai condujo a Clarkson a una mesa mientras Jean pedía unas jarras de ponche caliente, hecho con agua, limón, azúcar y whisky. En cuanto les llevaron las bebidas, Nikolai dio un largo trago y agradeció su calor. Junto a él, Jean se dispuso a hacer averiguaciones.

—Desde que coincidimos con usted, hemos estado casi siempre fuera de Inglaterra, señor Clarkson. ¿Qué ha hecho usted para inspirar tal furia?

Clarkson bebió más despacio. Sus largos dedos aferraban con fuerza la jarra de peltre caliente.

—Sé que aquí, en Liverpool, he enfurecido a mucha gente, pero no esperaba que nadie intentara asesinarme —dijo, tembloroso.

—Creo que estaban lo bastante borrachos y lo atacaron impulsivamente —dijo Jean—. Aunque el resultado podría haber sido fatal.

—Uno de ellos es oficial de un barco negrero. Intenté que lo acusaran de asesinato porque mató a un marinero de su barco. —La boca de Clarkson se curvó sin humor—. Borracho o sobrio, bailaría de buena gana sobre mi tumba. Esta ciudad ha engordado a costa del padecimiento de los esclavos.

—Tengo entendido que los dos dueños del *Zong*, el barco negrero cuyo capitán masacró a tantos esclavos, fueron ambos alcaldes de Liverpool —dijo Jean.

—Es cierto. —Los ojos intensamente azules de Clarkson tenían una expresión adusta—. Y no sólo son los esclavos los que sufren. He estado estudiando las listas de carga de los barcos en la Aduana, y el resultado es impactante. En las travesía mueren tanto marineros británicos como esclavos. A los oficiales no les importa: los marineros muertos no cobran. Pero cuesta convencer a los marineros para que presten testimonio contra sus capitanes, porque temen perder sus trabajos. El comercio de esclavos es casi tan destructivo para ellos como para sus desgraciadas víctimas.

—No debería aventurarse en las calles sin protección —dijo Nikolai—. Una pistola, un guarda, o las dos cosas.

—A menudo me acompaña mi amigo Falconbridge, que es un tipo muy fuerte, pero hoy tenía otras cosas que hacer. Está escribiendo un libro sobre sus experiencias como médico en varias travesías en barcos negreros. —Clarkson suspiró. Parecía tener más de treinta años, y no veintipocos—. No quiero vivir como un conejo asustado, siempre con miedo.

—Nadie quiere —dijo Jean en voz baja—. Pero su vida es preciosa, señor Clarkson. Si muere a manos de hombres ignorantes, la causa retrocederá años enteros. Quizá décadas.

—Lo tendré en cuenta. —Sonrió un poco—. El comité abolicionista quiere que vuelva a Londres. Puede que, por el camino, visite Manchester. He oído que allí las nuevas ideas son bien recibidas.

—¿Ha considerado la posibilidad de poner en marcha una demanda en apoyo de la abolición? —sugirió Jean—. Si el Parlamento ve la firma de miles de abolicionistas, comprenderá que somos una fuerza a tener en cuenta.

—El comité abolicionista ha debatido esa posibilidad. Puede que Manchester sea el sitio por el que empezar. —Sus ojos se iluminaron—. ¡En estos dos años, desde que les conocí, han pasado tantas cosas…! Traduje mi ensayo, y James Phillips lo publicó. Les agradezco mucho que me lo recomendaran. Sus sugerencias fueron de tanta ayuda como sus prensas de imprimir. El libro ha ido muy bien. El descontento contra la esclavitud llevaba años creciendo lentamente, y de pronto el abolicionismo estalló en llamas. Mi ensayo ayudó a prender el fuego.

—Ha mencionado cierto comité abolicionista —dijo Nikolai—. ¿Es nuevo?

Clarkson asintió.

—A principios de este año, una docena de personas nos reunimos en la imprenta de Phillips y formamos un comité abolicionista. Éramos nueve cuáqueros y tres anglicanos. —Sonrió con afecto—. Los cuáqueros son los mejores aliados que uno pueda pedir. Viven y trabajan para sus creencias.

—¿Cómo piensan conseguir sus fines? —preguntó Jean.

—Mediante la ley, naturalmente. Debemos persuadir al Parlamento de que declare ilegal el tráfico de esclavos. —Se inclinó hacia delante, irradiando entusiasmo—. He conocido a un hombre extraordinario: William Wilberforce. Es sólo un año mayor que yo, y ya es miembro del Parlamento. Es un evangélico devoto que cree que la abolición es una cruzada moral. Hay mucho que hacer, pero con hombres como Wilberforce en el Parlamento, no hay duda de que algún día lo conseguiremos.

Aceptó que volvieran a llenarle la jarra de ponche y se puso a hablar de las cosas que había descubierto gracias a sus pesquisas y a sus entrevistas con personas implicadas en el tráfico de esclavos. Nikolai entendía por qué la magia de los ancestros los había llevado junto a Clarkson dos veces. Aquel hombre era un defensor poderoso y apasionado de su causa.

Cuando la tormenta amainó, Nikolai y Jean acompañaron a Clarkson a sus habitaciones. Luego fueron en busca de una posada respetable para ellos.

—Tengo ganas de dormir un rato —dijo Jean, sofocando un bostezo—. Viajar en el tiempo y salvar vidas es agotador.

Y también lo era sentir la energía oscura e implacable que envolvía a Nikolai desde su llegada a Liverpool. Una siesta podía ayudar. Aunque él lo dudaba.

●　●　●

—Esto es interesante. —Jean levantó la mirada del periódico local que había comprado al reservar habitaciones en una posada cercana. Habían cenado bien en un salón privado, y Nikolai y ella estaban leyendo antes de retirarse a dormir. Habían avanzado poco más de dos años: esta vez, no necesitaban ropa nueva.

—Este país tuyo, tan raro, es interesante en general. —Nikolai apartó los ojos del libro de Adia, el único que habían llevado con ellos—. ¿Qué es lo que te ha llamado la atención?

—Acaban de celebrarse comicios locales para sustituir a un miembro del Parlamento que murió. En esta zona es costumbre dar cerveza a los votantes para asegurarse su lealtad. Pero esta vez alguien decidió ahorrarse el dinero porque pensó que el resultado de las elecciones estaba asegurado de antemano. Y otro abrió un par de barriles de cerveza y ganó.

Nikolai hizo una mueca.

—¿La gran democracia inglesa se alimenta de cerveza y sobornos?

—Desafortunadamente, sí. —Ella volvió a mirar el periódico—. Pero lo que me ha llamado la atención es que el parlamentario recién elegido es el capitán James Trent. Así se llamaba el patrón del barco negrero que llevó a Adia a las Antillas; y el cazador de esclavos que estuvo a punto de atraparla en Nueva York cuando acabó la guerra americana.

—Me pregunto si será el mismo. No parece un nombre infrecuente.

—Este Trent procede de una familia importante, dueña de una de las compañías navieras más grandes de Liverpool, y especializada en el tráfico de esclavos. Si es el mismo hombre, eso explicaría por qué capitaneaba un barco negrero siendo tan joven. —Cerró el periódico y se lo pasó a Nikolai—. Mañana, Trent va a dar una fiesta para agasajar con cerveza a sus partidarios y celebrar su victoria.

—Quizá deberíamos asistir —dijo él pensativamente—. Puede que esa fiesta no esté en la agenda de los ancestros, pero podría ser muy reveladora.

Jean asintió, preguntándose si los hombres que votaban a Trent apoyaban la esclavitud, o si sólo le agradecían la cerveza. No sabía qué respuesta le gustaba menos.

Cuando Nikolai y Jean llegaron a la plaza del mercado en la que se celebraba la fiesta por la victoria electoral del capitán Trent, el gentío estaba ya ahíto de cerveza. Nikolai no dejó que Jean se acercara a la tarima que se había levantado. Confiaba en que no hubiera un tumulto, pero los borrachos eran impredecibles. Si era necesario, podrían escapar rápidamente por un callejón.

Una banda de música que compensaba con estruendo lo que le faltaba en afinación tocó una fanfarria cuando un caballero bien vestido se subió a la tarima para presentar al nuevo parlamentario. El largo discurso, en el que se habló de las vivencias del capitán en América y de su experiencia en el tráfico de esclavos, parecía encajar con el James Trent de Adia.

La gente aplaudió cuando el diputado electo se dispuso a tomar la palabra. Trent era un hombre atildado y corpulento, que vestía con lujo y exudaba satisfacción. La maldad en su aspecto más respetable.

Nikolai se puso alerta cuando vio a un africano delgado y fibroso unos pasos por detrás de Trent. Tenía la piel del color del ébano, porte militar y una mirada afilada que escudriñaba la plaza del mercado. A su lado, Jean sofocó una exclamación.

—¡El africano es mago! Mira su campo de energía.

Nikolai ajustó su visión y de pronto el africano comenzó a brillar con un latido oscuro que reflejaba la luz opaca de la ciudad. ¿Creaba el mago aquella energía, o bebía de ella?

—Adia dijo que Trent siempre iba con un africano que parecía peligroso, un hombre llamado Kondo. Pegaba a los esclavos y ayudaba a cazarlos. Ése podría muy bien ser Kondo. Teniendo en cuenta que es mago, me pregunto si ha ayudado a Trent a ganar las elecciones.

—Es muy probable. A fin de cuentas, estaba dispuesto a maltratar a su propia gente a cambio de privilegios especiales. —Nikolai había conocido hombres como aquél. Se hacían particularmente odiosos a los esclavos a los que aterrorizaban. Nikolai escudriñó al africano, deseoso de saber algo más. Kondo era de África oriental, al parecer, y Trent lo había incorporado a su tripulación antes incluso de que el barco negrero llegara a las Antillas. Tal vez había reconocido en él un espíritu afín en su maldad.

Nikolai indagó más profundamente, intentando percibir su carácter. Entonces se tambaleó hacia atrás, empujado por una fuerte ráfaga de poder. Se habría caído si Jean no lo hubiera agarrado del brazo.

—¿Qué ocurre? —susurró ella.

—No estoy… seguro. —Le costaba articular palabra. Se sentía como si se ahogara entre brea negra y maloliente.

Jean lo llevó al callejón y lo hizo apoyarse en una pared de ladrillo. A la vuelta de la esquina se oían voces roncas vitoreando al nuevo parlamentario, pero en el callejón todo estaba en calma. Aquella energía oscura comenzó a disiparse, dejando a Nikolai débil y trémulo.

—¿Estás haciendo algo? —logró decir.

—Te estoy rodeando con un escudo. Es lo que mejor se me da. Nos salvó, después de Culloden. —Apoyó la mano derecha en el centro de su pecho, con los dedos abiertos, y apretó con firmeza. La oscuridad se retiró aún más.

Él sólo consiguió articular unas palabras.

—Ya usas mejor tu magia.

Ella sonrió con ironía.

—Siempre he sido buena en momentos calamitosos, y tú, capitán Gregorio, ahora mismo eres una calamidad. ¿Te sientes con fuerzas para andar?

Él se rehizo e intentó apartarse de la pared. Su corazón latía como un tambor, y estuvo a punto de caerse otra vez. Jean lo apoyó contra los ladrillos. Nikolai exhaló un suspiro largo y trémulo.

—Parece que no.

—Lo que te ha golpeado, fuera lo que fuese, te ha dejado sin energías, y vas a necesitar tiempo para recuperarlas. Me pregunto…

Le rodeó el pecho con los brazos y levantó la cara para darle un beso lleno de ardor. Hacía ¿cuánto? ¿Treinta años que no se besaban así? Nikolai se hundió de cabeza en la pasión que tan cuidadosamente habían refrenado hasta entonces. El cuerpo esbelto de Jean se apretaba contra el suyo, y él era vivamente consciente de la deliciosa feminidad que se ocultaba bajo su corsé y sus enaguas.

—Jean… —susurró mientras deslizaba las manos por su espalda para tocar su trasero bellamente redondeado—. ¿A qué estamos esperando?

Sofocada y risueña, ella se apartó de su abrazo.

—De eso podemos hablar luego. Si te has recuperado, tenemos que volver a la posada.

Nikolai se dio cuenta de que había recobrado casi todas sus fuerzas. Se sentía como si acabara de levantarse del lecho después de pasar una fiebres: cansado, pero completo otra vez.

—Quiero echar un vistazo a Trent y a Kondo antes de irnos.

—Eso sería una insensatez —dijo ella con firmeza.

Él dejó que lo agarrara del brazo y lo alejara de la plaza del mercado.

—¿Qué ha pasado en la plaza? Nunca había sentido nada parecido, ni siquiera durante la iniciación.

—Tengo una teoría. De la que también podemos hablar luego. —Le dio el brazo, transmitiéndole en silencio nuevas energías—. Liverpool está resultando ser de lo más interesante.

Capítulo 31

Por suerte, estaban a menos de una milla de la posada. De camino a sus habitaciones, Jean hizo una rápida transacción con el posadero para conseguir una botella de coñac. Cuando estuvieron a salvo tras las puertas cerradas de sus habitaciones, dio a Nikolai una vaso de coñac a palo seco y para ella mezcló el licor con agua.

La quemazón del coñac disipó por completo el aturdimiento de Nikolai.

—¿Y tú teoría sobre lo que ha pasado?

Ella se acurrucó en un sillón, frente a él, y comenzó a mecer el vaso entre las manos con nerviosismo.

—¿Recuerdas que lord Falconer dijo que las creencias apasionadas pueden generar una especie de espíritu en el que se manifiestan las emociones de la gente? —Cuando él asintió con un gesto, añadió—: Esa energía favorable a la esclavitud pende sobre Liverpool como una nube emponzoñada. Tú la sientes especialmente, quizá por tus experiencias con la esclavitud. Yo también la percibo, pero no con tanta intensidad.

Nikolai analizó con cautela la energía que saturaba incluso aquella apacible habitación.

—Eso explica la negatividad que lo invade todo, pero ¿qué me dices del mitin de Trent?

—Kondo es un mago oscuro, y creo que magnifica la oscuridad de la ciudad. La usó como arma contra ti, aunque no sé si lo hizo conscientemente. Puede que sólo reaccionara por instinto a tu intrusión. Dado que los dos tenéis magia africana y que la magia africana es rara en estos contornos, tal vez seáis vulnerables el uno respecto al otro.

—Una idea encantadora. —Arrugó el ceño—. Adia y sus amigos crearon las cuentas mágicas para encontrar personas que protegieran el movimiento abolicionista. Ella dijo que al principio el movimiento era tan frágil que la muerte de un solo hombre podía hacerlo fracasar. Después de conocer a Thomas Clarkson, comprendo lo vital que es para la causa, y sin duda habrá otros igual de vitales. Pero, como siento la voraz energía perversa de esta ciudad, me pregunto si nuestro cometido no será en parte luchar contra el espíritu proesclavista. ¿Es posible?

—Sé tanto como tú. —Ella bebió su coñac pensativamente—. Me pregunto si el espíritu perverso de la esclavitud es lo que poseyó a los marineros para que atacaran al señor Clarkson. Podrían haber pasado de largo fácilmente. En medio de un vendaval, era más lógico que no le hicieran caso que intentaran asesinarlo. Sin embargo, las circunstancias eran propicias para un asesinato. Tal vez su ira y su resentimiento atrajo al demonio de la esclavitud y fue eso lo que desencadenó el ataque.

—Lord Falconer dijo que esos espíritus suelen atacar a quienes se oponen a lo que representan. También dijo que la lucha contra la esclavitud tendría lugar a muchos niveles. —Nikolai cogió la botella de coñac y se sirvió más. Sentía la necesidad de fortalecerse—. No podemos ayudar en cuestiones políticas, ni concienciar a la gente respecto a la esclavitud, así que tal vez nuestra tarea principal sea luchar contra el espíritu proesclavista. —Cerró los ojos, sintiendo la energía corrosiva que erosionaba su alma—. No sé si tengo fuerzas suficientes.

Jean se inclinó y tomó su mano.

—Nos mandaron juntos porque nos complementamos. Tú eres sensible a la magia africana, incluidos esos espíritus malignos, pero eso significa también que tienes un don especial para combatirlos.

Él abrió los ojos y se extrañó de haberla creído frágil alguna vez.

—¿Qué parte es la tuya en nuestras tareas?

—Yo soy la experta en Inglaterra y en su funcionamiento —contestó ella al instante—. Además, mi trabajo consiste en mantenerte en buen estado, puesto que eres más importante que yo para realizar este cometido.

—¿Por eso me besaste? ¿Eso forma parte de tu programa de mantenimiento?

—Por supuesto —dijo ella remilgadamente—. ¿Por qué si no iba a besarte?

Él se rió. Su mal humor se había disipado un poco.

—Después de ver un poco más de Liverpool, me gustaría visitar Manchester y comprobar si allí la energía es distinta.

—Es buena idea. Cuanto más sepamos, mejor.

Y cuanto más sabían, más ardua parecía su tarea. Pelear con marineros borrachos era sencillo. Pero ¿cómo se luchaba contra los demonios de la avaricia y la violencia?

—Necesitamos un nombre para esa fuerza que apoya la esclavitud —pensó Nikolai en voz alta.

—¿No podemos llamarle simplemente el Demonio de la Esclavitud?

Él se quedó pensando un momento; luego se encogió de hombros.

—Muy bien, que sea el Demonio de la Esclavitud. El Demonio, para abreviar.

—A partir de ahora, lucharemos por la seguridad de los abolicionistas claves, y contra la maldad del Demonio. —Jean suspiró—. Es más fácil luchar contra marineros borrachos que contra espíritus malignos.

Él le cogió una mano y se la besó.

—Y puede que algún día tengamos tiempo sólo para nosotros. Gracias por salvarme hoy, Jean.

Ella se sonrojó y le apretó la mano.

—No hay de qué, capitán mío. No hay de qué.

Manchester era, en efecto, muy distinta de Liverpool. Era una ciudad llena de esperanza y nuevas ideas, y de gente trabajadora que confiaba en prosperar con esfuerzo. Aunque no había un fuerte sentimiento abolicionista visible, Nikolai y Jean coincidieron en que sería terreno abonado para los abolicionistas.

Tras varios días de recorrer la ciudad, Jean tuvo una idea.

—Es hora de activar la siguiente cuenta. ¿Intentamos hacerlo nosotros solos? Aquí, en Manchester, hay una energía fuerte y positiva, y puede que nos ayude a seguir sin tener que volver a Londres y buscar a Kofi y su hija.

Él asintió.

—Vamos a recoger nuestras cosas y a buscar un sitio tranquilo para intentarlo.

Encontraron un lugar propicio a las afueras de la ciudad, en una arboleda, cerca de un pequeño camino.

—¿Por qué aquí? —preguntó Nikolai.

—Hay un lindero… una línea de energía en la tierra —dijo ella cuando llegaron a un claro apacible—. ¿Lo sientes?

Él se concentró.

—Sí, pero no muy bien. Me pregunto si los Guardianes están más en sintonía con la energía.

Ella movió una mano un metro por encima de la tierra y sintió un fuerte zumbido procedente del lindero.

—Puede ser. Tenemos que escribir acerca de las diferencias que estamos encontrando entre las habilidades de los africanos y las de los Guardianes. Mi cuñada Gwynne es una estudiosa de las tradiciones Guardianas, y le encantará saberlo. —Se paró en seco, abrumada por un sentimiento de pérdida—. Quiero decir le interesaría mucho si es que todavía vive y hubiera un modo de hacerle llegar la información.

—Vamos a escribir nuestras experiencias de todos modos. —Él se echó su bolsa de viaje al hombro—. No podemos averiguar nada sobre tu cuñada, pero podemos dejar la información en Falconer House. Así nos aseguraremos de que está en buenas manos.

Sus palabras tranquilizaron a Jean. Nadie vivía eternamente, pero los Guardianes existían desde tiempo inmemorial. Aunque su información no llegara a Gwynne, cada generación producía nuevos Guardianes de la tradición. El saber perduraba, no como los frágiles seres humanos.

—¿Estás listo? —Jean colocó la siguiente cuenta encantada en medio de su palma y tomó la mano de Nikolai.

Se turnaron para pronunciar las palabras del ritual, y ella sintió que la energía comenzaba a alzarse a su alrededor. Poder personal, energía natural, energía positiva de la ciudad cercana. Se formó el torbellino, pero no era lo bastante fuerte.

—¡Casi! —exclamó Jean—. Un poco más de energía y podremos desencadenar el conjuro.

El rostro oscuro de Nikolai estaba crispado por el esfuerzo. Luego, de pronto, se echó a reír.

—Tenemos otro método para reunir energías.

Se inclinó para besarla y la energía sexual estalló entre ellos. Ella sofocó un gemido, aturdida y eufórica, y comenzó a girar a través del tiempo y el espacio…

Aparecieron en un camposanto, tan enlazados que Jean casi no se dio cuenta de que habían viajado en el tiempo hasta que Nikolai se apartó de ella, lentamente. Él hizo una mueca.

—Hemos descubierto el secreto para crear energía suficiente con la que viajar en el tiempo solamente con nuestro esfuerzo.

El cuerpo de Jean palpitaba por completo, lleno de energías más íntimas y primigenias.

—Ha sido más suave y menos desagradable que las otras veces, al menos para mí —dijo, intentando parecer tranquila y no llena de ardor lujurioso.

—Para mí también ha sido mejor —murmuró él. Sus ojos oscuros estaban cargados de promesas—. Creo que se acerca el momento de unirnos.

Fijó su atención en el cementerio. Alrededor de las tumbas y del castaño que daba sombra a un rincón crecían desiguales matas de hierba. La iglesia estaba en una colina, y desde aquel punto elevado se veían las calles y los edificios que se extendían a lo lejos.

—¿Dónde estamos ahora? En Londres, creo.

Ella escrutó el horizonte.

—Me parece que sí. Me pregunto en qué año.

Nikolai cerró los ojos.

—No creo que hayamos avanzado mucho en el futuro, aunque no sé por qué. Puede que esté desarrollando una capacidad de juzgar el tiempo parecida a mi habilidad para orientarme. —Le ofreció el brazo—. Nos hemos convertido en unos expertos en llegar a épocas nuevas. Vamos a buscar una posada.

Ella se cogió a su brazo y al salir por la puerta del cementerio se encontraron de pronto en una calle muy transitada. No tardaron en encontrar una posada respetable. Las pocas personas que veían por la calle vestían ropas que parecían idénticas a las que habían visto en su último viaje.

Sólo había una habitación libre, no dos contiguas. Jean miró a Nikolai con recelo, pero asintió con la cabeza. Lo que tuviera que ocurrir entre ellos, ocurriría aunque tuvieran habitaciones separadas.

El posadero tenía un periódico que alguien se había dejado en la taberna, y Jean se lo llevó. En cuanto estuvieron solos, ella miró la primera página.

—Estamos en abril de 1788, así que sólo hemos avanzado unos seis meses. Y hemos superado la época que conocía Adia.

Se dejó caer en un sillón y hojeó velozmente el periódico, levantando de vez en cuando la vista para admirar a Nikolai, que se paseaba por la habitación, acomodándose en ella. Se movía con la elegancia de un animal salvaje, y ella nunca se cansaba de mirarlo.

Él la sorprendió observándolo.

—Hay varios artículos relacionados con la esclavitud y la abolición. En este dice que una señora habló en una sociedad de debate acerca de la inmoralidad de la esclavitud y que lo que dijo fue muy contundente. Naturalmente, no se da su nombre, pero el artículo dice que tal vez sea la primera mujer que ha disertado en una sociedad de debate. ¿Conoces esas sociedades? —dijo Jean.

Él colgó su bolsa de uno de los postes de los pies de la cama y luego puso su sombrero sobre el pomo.

—En realidad, no, aunque has hablado de ellas una o dos veces.

—Celebran conferencias públicas y debates sobre temas que interesan a suficientes personas como para que los organizadores obtengan un beneficio. La entrada cuesta sólo seis peniques, más o menos, y asiste gente de todas clases —explicó ella—. Hace veinte años, no vi que se anunciaran debates sobre la esclavitud. Ahora, la mitad de los debates que aparecen tratan de la esclavitud y de la abolición. En el que habló esa mujer, se votó al final y el resultado fue casi unánime en contra de la esclavitud. La opinión pública ha despertado y está de nuestra parte.

—Muy interesante, sí —dijo él—. En nuestra época, pocas personas pensaban en la abolición porque pensaban que era imposible. Ahora ya no lo creen así.

Antes de que pudiera continuar, lo interrumpió una llamada a la puerta. Cuando la abrió, vio a una de las sirvientas de la posada.

—Esta nota acaba de llegar para usted y su esposa, señor. —Le entregó el mensaje, hizo una reverencia y se marchó.

Nikolai rompió el sello y leyó enarcando las cejas.

—Nos invitan a una recepción en casa de William Wilberforce, miembro del Parlamento. La fiesta tiene como objeto homenajear a quienes apoyan la abolición.

Jean se quedó boquiabierta.

—¿Cómo lo hacen los ancestros? ¿Cómo han conseguido una invitación y sabían dónde mandarla? ¡No sabíamos que estaríamos aquí hasta hace media hora! ¿De dónde han sacado una invitación?

—Vale más no pensar en ello para que no te entre dolor de cabeza —dijo él—. Es lo que yo he decidido. Pero, si tuviera que aventurar una hipótesis, diría que los ancestros están tejiendo un gran tapiz cuyo tema es la abolición. Los hilos están entrelazados, de modo que los acontecimientos se conectan. Wilberforce es una fuerza importante dentro del abolicionismo, eso es evidente, y nosotros también lo somos. En cuanto llegamos aquí, nos convertimos en parte de la escena, y eso nos conectó con el movimiento abolicionista.

—No estoy segura de que eso tenga sentido, pero suena bien. —Ella pasó otra página del periódico—. ¿Cuándo es la recepción?

Él miró de nuevo la invitación.

—Esta noche.

—¡Dios mío! —Se levantó de la silla, horrorizada—. ¡Hay que buscar ropa adecuada!

Nikolai frunció el ceño.

—¿Podremos hacerlo? No hay tiempo para ir al sastre.

—En Londres, todo es posible. Estoy segura de que el posadero podrá indicarme una tienda que venda ropa usada de calidad y donde puedan arreglárnosla en un par de horas.

Y así fue. Pasaron el resto de la mañana buscando las tiendas que les recomendó el posadero, eligiendo prendas de su talla adecuadas para la ocasión, y esperando luego mientras les hacían rápidamente los arreglos necesarios. Jean descubrió que tanto hombres como mujeres llevaban la ropa más ceñida que en su época. En caso de que la década de 1750 todavía pudiera considerarse la suya.

Jean encontró un bonito vestido cuya fina tela de algodón tenía rayas blancas y de dos tonos de verde. Le sentaba bien y era lo bastante discreto como para no llamar la atención. Compró también polvos de arroz para el pelo. Aunque le desagradaba empolvarse, cubriendo su cabello rojo ocultaba su rasgo más característico.

A Nikolai era imposible disfrazarlo. Las mujeres se fijarían en él inmediatamente, con su bonita levita azul oscura, y los hombres reaccionarían ante su aura de energía viril.

—Estás espléndido —dijo ella—. Espero que nadie te rete en duelo.

Él pareció sobresaltado.

—¿Por qué iban a retarme?

—A los hombres no va a hacerles ninguna gracia que sus mujeres revoloteen a tu alrededor —explicó ella.

Nikolai se rió.

—Lo dudo. Pero me pregunto por qué los ancestros quieren que asistamos a esa fiesta. Puede que Clarkson esté allí y se encuentre en apuros.

Ella agitó el abanico de seda chino que había comprado para acompañar su vestido, y se alegró de no haber perdido práctica.

—Es más probable que esté en provincias, agitando el movimiento abolicionista y haciéndose cada vez más fuerte.

Nikolai le ofreció el brazo y bajaron para tomar el ligero carruaje que habían alquilado. La recepción se celebraba en la casa de Wilberforce en Clapham, una aldea a unas tres millas al sur de Londres, de modo que les pareció conveniente llevar su propio medio de transporte.

Al llegar, se encontraron con un atasco de carruajes y un enérgico gentío. Cuando se apearon y se encaminaron hacia la espaciosa casa, Nikolai dijo en voz baja:

—Esta zona irradia luz y energía positiva.

—El periódico decía que aquí viven muchos evangélicos y que todos ellos trabajan para mejorar la sociedad. —Jean recordó las notas de Adia, en las que había dos páginas dedicadas a Wilberforce—. El señor Wilberforce comparte su casa con un primo, Henry Thornton, que también es un reformador evangélico muy activo. Toda la buena gente que hay en esta zona tiene por fuerza que ahuyentar la oscuridad del Demonio.

La expresión de Nikolai se hizo vaga mientras estudiaba las energías que los rodeaban.

—Siento la oscuridad más allá de este foco de luz. Es como un lobo que merodeara alrededor de una hoguera con la esperanza de que alguna persona débil o estúpida se acerque lo suficiente para convertirse en su presa.

—Una idea encantadora. —Ella le apretó el brazo con más fuerza mientras subían la escalinata de entrada—. Esperemos que los lobos no se acerquen esta noche.

—Eso deséalo tú —dijo él con un brillo travieso en la mirada—. Yo prefiero un poco de movimiento y emoción.

Capítulo 32

Jean y Nikolai entraron en la casa y se encontraron en la corta fila que se había formado para entrar al salón. Al otro lado, había un joven menudo y pálido, no mucho más alto que Jean. Ni siquiera las patillas que llevaba le daban un aire mundano.

Jean se sorprendió cuando el joven sonrió y dijo:

—Soy William Wilberforce. Es un placer dar la bienvenida a mi casa a los mayores partidarios de nuestro movimiento.

Nikolai se presentó y presentó a Jean, y charlaron un momento con su anfitrión. Wilberforce podía ser de apariencia anodina, pero tenía una voz notable y un encanto cordial que le hacía parecer diez centímetros más alto.

Mientras Nikolai seguía hablando con su anfitrión, Jean se adelantó para saludar a Henry Thornton, coanfitrión y primo de Wilberforce. Conoció a algunos otros abolicionistas antes de que una voz que le resultaba familiar dijera:

—La señora Gregory, creo.

Jean levantó la vista y se encontró con la mirada divertida de lord Falconer. Calculó que debía de tener más de setenta años; estaba más delgado y tenía todo el pelo canoso, aunque seguía pareciendo capaz de vencer a un hombre al que le doblara la edad. Resultaba extraño verlo y darse cuenta de que el hombre que había sido como un hermano mayor parecía ahora su abuelo. Pero seguía siendo su amigo, y por suerte estaba vivo y se encontraba bien.

Jean lo cogió de la mano.

—Lord Falconer, no esperaba verlo aquí. —Aunque sus palabras sonaban neutras, no podía ocultar el placer que impregnaba su voz.

—Ahora se me considera la voz cantante del abolicionismo en la Cámara de los Lores —explicó Simon—. Algunos días parece que soy la única voz. Mis colegas los lores no creen que todos los hombres sean iguales y que, por tanto, deban ser libres, pero a veces responden si se les suplica piedad.

Jean quería preguntarle por Meg, pero no se atrevía. ¿Y si había muerto? Quizá notándolo en su expresión, Simon la tranquilizó.

—Lady Falconer está por aquí. Seguro que le encantará verte.

Jean sonrió, agradecida, y siguió avanzando mientras Simon y Nikolai se estrechaban las manos. Casi todos los invitados se habían congregado en una biblioteca grande y de altos techos, y bebían vino y charlaban animadamente. Aunque no vio a Thomas Clarkson (incluso entre tanta gente habría sobresalido por su estatura), no pasó mucho tiempo antes de que Meg la encontrara.

Lo mismo que a su marido, a lady Falconer se le notaba la edad en el pelo blanco y en un asomo de fragilidad, pero pese a todo la abrazó vigorosamente.

—¡Jean! —Dio un paso atrás y observó a su amiga antes de decir en voz baja—. ¿Alguna vez fui yo tan joven?

—Y más joven aún. La primera vez que te vi, parecías tener quince años. —Jean recorrió con la mirada a su vieja amiga, que vestía con elegancia e irradiaba dignidad. Aunque aparentaba su edad, no era menos encantadora que cuando niña. A Jean le recordó a lady Bethany Fox, que era ya vieja, sabia y maravillosa cuando Jean acababa de llegar a Londres—. Parece que te has acostumbrado a ser condesa.

—He aprendido a hacer bastante bien el papel de condesa en público. Con el hombre adecuado, todo es posible. —Su mirada voló hacia su marido, que seguía saludando a los invitados—. Por cierto, ¿qué me dices de ese caballero tuyo?

—No estoy segura de que sea el hombre adecuado y probablemente no es un caballero, pero mi vida es mucho más interesante desde que nos conocimos, desde luego. —Jean miró hacia el otro lado de la sala, donde Nikolai estaba hablando con un africano bien vestido—. ¿Sabes con quién está hablando Nikolai?

—Es Gustavo Vasa, un ex esclavo americano que ganó suficiente dinero para comprar su libertad y ahora vive en Inglaterra. Es muy conocido por sus escritos y sus conferencias sobre la abolición. —La sonrisa de Meg se tornó cínica—. Hasta los abolicionistas más fervientes suelen apoyar a los negros desde lejos. En un salón, sólo puede encontrarse a un negro tan elocuente y encantador como Vasa.

—Más vale la caridad ejercida a distancia que ninguna —comentó Jean—. Pero ¿Gustavo Vasa no era un rey sueco?

—Al primer propietario del señor Vasa le pareció divertido poner un nombre regio a un niño esclavo —explicó Meg—. Ahora el señor Vasa está escribiendo un libro sobre sus vivencias, y Simon lo está animando a publicarlo con su nombre africano.

—Parece muy interesante.—Confiando en tener ocasión de hablar con él, Jean paseó la mirada por la habitación atestada de gente—. Me pareció ver a otro africano cuando entré.

—Seguramente sería Queobna Cuguano, otro escritor y conferenciante africano al que se acepta en los salones respetables. —Meg suspiró—. Puede que algún día se pueda asistir a una fiesta en la que haya blancos, negros, chinos e indios y nadie se fije en el color de la piel, pero para eso falta mucho tiempo.

Jean pensó en Santola.

—Conozco un lugar en el que gente de todas las razas vive en armonía, así que es posible. Pero en Inglaterra tardará aún en pasar.

—Yo me conformaría con que acabara el comercio de esclavos. La libertad es lo primero. La igualdad vendrá con el tiempo. —Su mirada se deslizó más allá de Jean—. Hay una persona a la que tengo que ver. Volveremos a hablar antes de que acabe la fiesta.

La condesa se marchó y Jean se quedó observando tranquilamente a la multitud, sirviéndose tanto de los ojos como de la visión mágica. Algunos invitados eran tan elegantes como los Falconer, y otros eran evangélicos vestidos con sobriedad, pero todos compartían el deseo sincero de poner fin al tráfico de esclavos. Muchos habían dedicado grandes cantidades de tiempo y dinero a la causa.

Sin embargo, el Demonio no andaba lejos. Como decía Nikolai, se sentía aquella energía negativa más allá de aquel foco de buena voluntad. Los partidarios de la esclavitud podían actuar por motivos egoístas, pero eran tan apasionados como los abolicionistas. Incluso allí, en el salón de William Wilberforce, el espíritu de la esclavitud andaba cerca.

Tan cerca que resultaba inquietante. Jean miró a su alrededor con desasosiego, preguntándose si el grupo de presión de las Antillas habría enviado un espía cuya energía estaba sintiendo.

Sus conjeturas terminaron cuando Wilberforce subió a un podio portátil colocado sólo a unos pasos de donde estaba ella. A pesar del alza, apenas se elevaba por encima de los invitados. Pero cuando empezó a hablar, atrajo la atención de todos los presentes en la espaciosa estancia.

—Amigos míos, me alegra darles la bienvenida aquí hoy para celebrar los grandes avances que hemos hecho para poner fin al comercio de esclavos.

La sala estalló en aplausos. Wilberforce esperó pacientemente con una leve sonrisa en la cara. Jean vio que Nikolai se abría paso discretamente entre el gentío, hacia ella. Llegó a su lado cuando Wilberforce volvió a tomar la palabra.

—He creído que les interesaría conocer nuestra estrategia para el curso parlamentario que está a punto de empezar —dijo Wilberforce—. Se están celebrando vistas que ofrecen pruebas abrumadoras e irrefutables de la perversidad del comercio de esclavos. Tengo intención de presentar esas pruebas ante la Cámara. Mis colegas tal vez decidan mirar hacia otro lado, pero ya no podrán decir nunca más que no lo sabían.

Hubo otro estallido de aplausos. Wilberforce continuó:

—Se han hecho borradores para elaborar una ley que declare ilegal el tráfico de esclavos. Desde todos los rincones de Inglaterra se han enviado al Parlamento grandes listas de peticiones apoyando la abolición. Más peticiones de las que se han recibido nunca sobre cualquier otro asunto. ¡Nuestros apoyos aumentan de día en día!

Más aplausos. Wilberforce sabía cómo encender el entusiasmo de una multitud. Aprovechando el bullicio, Nikolai le susurró a Jean:

—Falconer dice que aunque la Cámara de los Comunes apruebe la ley, la Cámara de los Lores jamás la aprobará. Muchos lores obtienen riquezas de la esclavitud, y sólo unos pocos se compadecen o entienden a los menos afortunados.

Jean asintió de mala gana. Sabía que todo aquello era cierto.

—Al menos Wilberforce presentará la legislación abolicionista ante el Parlamento. Eso es un gran avance. Seguramente habrá que presentarla una y otra vez antes de que sea posible que salga adelante.

Wilberforce volvió a hablar, detallando sus planes y sus apoyos. Su voz seguía siendo igual de hipnótica, pero Jean vio que estaba sudando y que se agarraba con fuerza a los bordes del podio.

—Creo que se encuentra mal —murmuró.

—Está rodeado de energía oscura —contestó Nikolai en voz baja—. ¿Lo ves?

Ella afinó su visión y se sobresaltó al ver la negrura que envolvía al parlamentario. Al indagar, se dio cuenta de que tenía el sabor del espíritu del Demonio de la Esclavitud.

—¿Cómo ha podido traspasar toda esta energía positiva que lo apoya?

Nikolai entornó los ojos.

—Parece proceder del otro lado de la habitación. ¿Ves ese rastro oscuro y tenue?

Jean siguió la dirección de su mirada. Tardó un momento en encontrar el vaporoso rastro de poder que llevaba desde Wilberforce hasta un lugar desconocido al otro lado de la habitación.

—Lo veo.

—Voy a ver de dónde sale —dijo Nikolai con decisión.

Se alejó. Jean volvió a fijar su atención en el orador. En lugar de atacar a sus adversarios, Wilberforce se servía de su voz cautivadora para describir metas y sueños. Animaba a la gente a vivir conforme a sus elevados ideales, en lugar de agitar la ira y el odio.

Pero su voz meliflua empezaba a desfallecer. En medio de una frase, Wilberforce pareció desvanecerse.

—Lo... lo siento, amigos míos. No me encuentro... bien.

Se movió para bajarse del podio. Algunas manos se alargaron para ayudarlo, pero antes de que pudiera agarrarse a una, Wilberforce dejó escapar un gemido ahogado y se desplomó. Su cuerpo frágil estaba tan envuelto en energía oscura que Jean apenas veía sus contornos.

Instintivamente corrió hacia él, abriéndose paso entre personas que la superaban en estatura. Vio que Simon hacía lo mismo, pero él estaba en la entrada de la biblioteca y era demasiado grande para moverse con facilidad entre la multitud.

Jean usó un aguijonazo de poder para abrirse paso entre el corro que rodeaba al parlamentario caído en el suelo. Wilberforce parecía al borde de la muerte. Sus amigos estaban preocupados y atemorizados, y ninguno sabía qué hacer. Proyectando un halo de eficacia, Jean cayó de rodillas junto a él.

Le desató la corbata y puso la mano sobre su cuello. No tenía pulso. Se le había parado el corazón. Con todos sus sentidos afinados, Jean se dio cuenta de que el espíritu de Wilberforce empezaba a separarse de su cuerpo.

Aunque ella no era tan buena sanadora como su madre, los esfuerzos que había hecho por fortalecer su poder acudieron en su auxilio. Echó mano de la luz que inundaba la casa y la canalizó hacia el cuerpo inerme de Wilberforce, rodeando de vitalidad y vigor su corazón. *Por favor, Dios...*

El tiempo pareció detenerse. Ella era el conducto por el que discurría un poder mucho mayor, y el hombre que yacía bajo sus manos era esencial para la causa más elevada de la historia de la humanidad.

Sintió un latido y luego otro. Wilberforce aún tenía salvación. *Por favor, quédate,* suplicó en silencio mientras seguía enviándole energía curativa. *Haces falta.*

El corazón de Wilberforce latía débilmente cuando Simon se arrodilló a su lado. Simon era un sanador muy dotado, tan poderoso como la madre de Jean. En cuanto puso la mano sobre el pecho del hombre caído, Jean sintió su torrente de poder.

Pasados unos momentos, notó un cambio de energía y comprendió que el alma de Wilberforce había vuelto a acomodarse en su cuerpo. El parlamentario abrió los ojos, aturdido.

—Siento causar tantos problemas… —murmuró.

Su primo, Henry Thornton, se abrió paso entre la gente, con la cara muy pálida.

—¿Está…?

—Estoy bien. —Wilberforce intentó sentarse y luego volvió a tumbarse sobre la alfombra, temblando—. Creo… creo que necesito descansar.

Varios evangélicos se acercaron y Wilberforce fue levantado con delicadeza mientras Thornton subía al podio.

—El señor Wilberforce no se encuentra bien, pero no está gravemente enfermo. Yo les explicaré brevemente el resto de las cosas que él quería compartir con ustedes.

Mientras la multitud, aliviada, prestaba atención a Thornton, Jean se levantó y se acercó a Simon.

—Gracias a Dios que estabas aquí.

—Mis rodillas no aguantan estos trotes —dijo él al levantarse con una mueca—. Si no hubieras estado tú aquí para atender a Wilberforce, yo no habría llegado a tiempo. Todavía está muy enfermo. Todos los órganos de su cuerpo se han debilitado. Es probable que no pueda presentar su proyecto de ley ante el Parlamento esta temporada.

Jean suspiró.

—Me lo temía. ¿Crees que ha sido una coincidencia? Estaba rodeado de energía negativa cuando se desplomó.

Nikolai apareció. Tenía una expresión sombría, de ira reprimida.

—No ha sido una coincidencia. Venid. Debo hablar con vosotros.

Simon asintió, pero esperó unos instantes antes de seguir a Jean y Nikolai. Salieron de la biblioteca y encontraron un cuartito vacío a un lado del pasillo. Cuando hubieron entrado y cerrado bien la puerta, Nikolai los miró.

—Kondo, el mago africano del capitán Trent, ha estado aquí. Ha sido él quien ha estado a punto de matar a Wilberforce sirviéndose de la energía del Demonio. Intenté atraparlo, pero logró escapar.

—¿El Demonio? —preguntó Simon.

—Así es como llamamos al espíritu generado por las fuerzas proesclavistas —explicó Jean—. Su energía es muy poderosa y destructiva. Creemos que fue lo que desencadenó el intento de asesinato de Thomas Clarkson en Liverpool.

—Dios mío, ¿Clarkson estuvo a punto de morir? Eso sería tan desastroso como la muerte de Wilberforce. —Simon parecía preocupado—. Conozco a Trent, por supuesto. Es uno de los partidarios de la esclavitud más prominentes de Inglaterra, y ahora que está en el Parlamento, tiene una plataforma poderosa. ¿Y decís que tiene un mago africano que trabaja para él?

Nikolai asintió.

—No sé si Kondo es un esclavo o un sirviente. Yo diría que es un sirviente, porque un mago no se dejaría esclavizar mucho tiempo. Lleva más de treinta años sirviendo a Trent, según Adia Adams.

—Y al parecer puede canalizar y controlar el espíritu del Demonio —dijo el conde—. Tenéis razón. Los defensores del abolicionismo necesitan más protección. Y no sólo guardias, sino también magos que mantengan a raya a los espíritus destructivos.

—Tal vez los sacerdotes africanos puedan ayudar en eso —sugirió Nikolai—. Por lo que sé, la magia africana tiene una conexión especial con esos espíritus.

—Quizá los sacerdotes africanos puedan crear un escudo protector y los Guardianes puedan ayudar a mantenerlo. Tengo una idea sobre cómo podría hacerse —dijo Jean lentamente—. Pero será una labor de años.

—La protección es esencial si queremos tener alguna oportunidad de éxito —dijo Nikolai—. Y creo que nuestra labor consiste en ofrecer ese escudo protector. La energía del Demonio es intensa porque procede de lo más ruin de la humanidad, de los impulsos más egoístas. La avaricia, la ira y el odio tienen más poder en bruto que la bondad, la compasión y la razón. Para que florezcan las mejores cualidades, debemos combatir las energías demoníacas.

Simon asintió con la cabeza.

—Organizad un encuentro entre sacerdotes africanos y Guardianes dispuestos a apoyar ese escudo. Jean tiene un don excepcional para ofrecer protección, pero para decidir cómo crear ese escudo y cómo mantenerlo tendremos que estar todos. Me gustaría llevar a mi hijo y a mi hija, y Meg querrá participar.

—Hablaremos con los sacerdotes y buscaremos una fecha y un lugar convenientes. —Nikolai miró a Jean—. Pareces agotada. Creo que es hora de irse.

Al oírlo, ella cobró conciencia de lo cansada que estaba.

—Nunca había hecho una labor de curación tan intensa. Me alegra haber tenido poder suficiente para ayudar.

Simon la miró pensativamente.

—Eres mucho más hábil de lo que creía.

—Adia me dijo que tengo poder, pero que los canales para usarlo están torcidos. He estado haciendo visualizaciones para intentar enderezarlos. —Jean sonrió con ironía—. Además, cuando estoy mejor es en las emergencias, y últimamente ha habido muchas.

La mirada de Simon se hizo más intensa.

—Te has curado, creo.

Ella pensó en sus años de frustración y los comparó con cómo había aumentado su habilidad mágica desde el comienzo de aquel viaje. No se había dado cuenta de hasta qué punto había avanzado.

—Estaría bien creer que las emergencias sirven para algo bueno.

Nikolai la rodeó con un brazo cariñosamente.

—Vámonos ya, antes de que acabe la fiesta y pidan todos los carruajes a la vez. Hasta luego, lord Falconer.

Ella estaba tan cansada que apenas notó que Nikolai la acompañaba fuera y la subía al carruaje. Estaba oscureciendo cuando emprendieron el camino de regreso a la ciudad. Nikolai sentó a Jean sobre su regazo y la abrazó.

—Lo has hecho muy bien, brujita.

—Wilberforce vive, pero el movimiento sufrirá un retraso.

—Lo más importante es que Wilberforce sobreviva. —Nikolai le frotó la espalda suavemente—. Sabíamos que cambiar el mundo no sería rápido, ni fácil.

Tenía razón, por supuesto, pero Jean no había conocido aún a ninguna pelirroja paciente. Con un suspiro, se acurrucó contra su cuerpo cálido, sintiéndose a salvo. A salvo e increíblemente cansada.

Capítulo 33

Jane durmió en brazos de Nikolai todo el trayecto de regreso a Londres. Ni siquiera despertó cuando llegaron a la posada y Nikolai la subió en brazos por la escalera. Él se decía que Falconer no la habría dejado marchar si Jean hubiera agotado sus fuerzas hasta el punto de que su vida corriera peligro, pero cuanto más dormía y más profundo era su sueño, más se preocupaba.

La tumbó en la cama, le quitó el vestido, el corsé y las enaguas. Ni siquiera al desvestirla se despertó. Fue un esfuerzo no acariciar su cuerpo irresistible, pero Nikolai logró mantener a raya el deseo. Cuando se convirtieran en amantes, quería que estuviera despierta.

El pelo empolvado, Jean estaba pálida como un fantasma. Nikolai mojó una toalla y se la pasó por la cara. Ella no reaccionó; siguió respirando lentamente, con inhalaciones cortas. Nikolai la zarandeó suavemente.

—Jean, ¿estás bien?

Al ver que no respondía, la escudriñó mentalmente con delicadeza. Jean era como un fuego acotado. Aunque en ella refulgían las brasas de la vida, estaba profundamente inconsciente. Nikolai frunció el ceño.

—Antes de pedir ayuda a Falconer, voy a intentar devolverte un poco de energía. Hoy empezaste el día dándome la tuya, así que supongo que no es de extrañar que estés agotada.

Se tendió a su lado en la cama y se inclinó para besarla al tiempo que visualizaba un torrente de energía radiante y diáfana que brotaba de lo alto. Mientras la luz lo atravesaba e inundaba a Jean, los labios de ésta comenzaron a moverse levemente. Nikolai le acarició el pelo, preguntándose a qué necio se le habría ocurrido la idea de cubrir hermosos cabellos con feos y engorrosos polvos de arroz.

Cuando ella respiró profundamente, Nikolai aprovechó la ocasión para besarle la garganta. En su piel pálida aparecieron pétalos rosados de pudor. Jean dejó escapar un murmullo de placer.

Animado, él preguntó:

—Jean, ¿estás despierta?

—Qué manera tan deliciosa de despertar —musitó ella con los ojos cerrados.

—Estabas tan dormida que me tenías preocupado —dijo él, aliviado—. Se me ha ocurrido ver si podía transmitirte energía.

—No he estado tan cansada en toda mi vida, pero lo has hecho muy bien: has conseguido que recupere las fuerzas. —Levantó una mano y deslizó los dedos entre su pelo, haciéndole bajar la cabeza para darle otro beso. Él accedió encantado.

El deseo se agitaba entre ellos, denso y tentador. Al hacer una pausa para respirar, Nikolai quiso advertirla.

—Sabes dónde acabará esto si no paramos ahora mismo.

—Lo sé. —Abrió los ojos, en cuyo fondo de color castaño relucía, dorada, un sabiduría antigua y profunda—. Ha llegado el momento de dejar a un lado nuestros miedos y convertirnos en compañeros de verdad.

—¿Son nuestros miedos los que nos han mantenido separados? —Nikolai tomó sus manos. Quería creer que había llegado el momento de convertirse en uno solo, pero seguía sin estar seguro—. Creía que estábamos esperando a que los dos hubiéramos desarrollado nuestros poderes.

—Y así es —contestó ella—. Pero tú ya estás iniciado y has aprendido a reconocer al Demonio de la Esclavitud y a oponerte a él. Y yo he practicado con todo mi empeño desde que Adia identificó el problema. Mantener a Wilberforce con vida me ha servido para ligar todo lo que he aprendido, y por fin siento que domino por completo mi magia. Creo que el poder que canalicé para salvar a Wilberforce me atravesó como un fuego, despejando de una vez por todas los canales tapados.

Él frunció el ceño al acordarse de algo.

—Vi ese resplandor desde el otro lado del salón. Era un poder extraordinario.

—Los dos teníamos que completar nuestro potencial, pero el miedo también era real. —Levantó las manos hacia él con expresión traviesa—. Los dos temíamos que el otro consumiera nuestra alma. Mis miedos están perfectamente justificados, claro, pero los tuyos son absurdos.

Él se rió, comprendiendo que Jean se encontraba bien, si su sentido del humor estaba intacto.

—Subestimas tu poder, brujilla. Cualquier hombre sensato te consideraría alarmante.

Ella parpadeó recatadamente.

—En mi familia se me consideraba inofensiva y muy útil.

—Tu familia no se fijaba bien. —No se había dado cuenta de lo largas que eran sus pestañas de color caoba. Sus ojos castaños, con un toque dorado, invitaban a perder el control sin necesidad de mirar siquiera el resto de su cuerpo—. Me duele reconocerlo, pero seguramente tienes razón sobre eso del miedo. Eres una mujer aterradora, Jean Macrae. Y no me gustaría que fuera de otro modo.

Se apoderó de su boca con ansia, besándola esta vez no con ánimo de curarla, sino con pasión. Un relámpago brilló entre ellos. Jean rodeó su cintura con los brazos y lo atrajo hacia sí, haciendo que se tumbara sobre ella. El contacto de sus cuerpos fue como acercar el fuego a la yesca. Nikolai desató la cinta del escote de su camisa para besar sus pechos, redondos y en perfecta proporción con su figura esbelta.

Ella sofocó un gemido y arqueó la espalda al tiempo que clavaba las uñas en las ropas de Nikolai. Iba demasiado vestido. Jadeando, Nikolai se tumbó de lado y tiró de los botones de su chaleco. Los dedos de Jean, que se movían con torpeza, demoraron el proceso, sobre todo cuando llegó a los botones de las calzas. Él se puso rígido y se quedó paralizado; después, tuvo el buen sentido de levantarse de un salto y quitarse toda la ropa con prisa frenética. Por costumbre, le dio la cara mientras se desvestía, ocultando las cicatrices que cruzaban su espalda.

Jean era un antídoto irresistible contra esa costumbre. Se bajó de la cama y, poniéndose tras él, comenzó a acariciar con las palmas de las manos las protuberancias y los surcos de su espalda. Nikolai estaba tenso. Oía vagamente las risas de la taberna del piso de abajo y el traqueteo de un carro en la calle, y recordaba por qué siempre había evitado exponer su espalda desnuda a la vista de los demás.

Los labios cálidos de Jean se apretaron contra su espalda, y su lengua acarició una vieja cicatriz.

—Insignias del valor —dijo en voz baja—. ¿Qué serías si mi padre no hubiera cambiado el curso de tu vida para bien o para mal?

A él nunca se le había ocurrido hacerse esa pregunta. Reflexionó antes de responder.

—Seguramente sería un navegante maltés. No un marinero. Un contramaestre, quizá. —Respiró hondo—. Y quizás habría acabado de todos modos en una galera de esclavos. No es raro que quienes navegan por el Mar Medio corran esa suerte.

Ella rodeó su cintura con los brazos y se apretó contra él. Sólo la fina camisa los separaba.

—Una vida apacible puede ser fácil, pero son las penurias las que forjan el carácter. Sin un pasado difícil, no serías el paladín de la libertad que eres ahora. Redimiste la vida de muchas personas gracias a tu valor. Puede que ahora tus esfuerzos ayuden a miles y miles de esclavos. Y eso no habría pasado si hubieras tenido una vida regalada.

Todo eso era cierto. Y tampoco habría podido abrazar a aquella mujer asombrosa. Se dio la vuelta y la estrechó entre sus brazos.

—Entonces, ¿debería agradecerle a tu padre que me destrozara la vida?

—Eso sería demasiado pedir, creo. Pero podrías considerarlo una parte del tapiz de tu destino. Si no lo hubieras conocido, no serías como eres.

—Empezaré por darle las gracias por ti, mi bruja escocesa. —La noche era fría, de modo que Nikolai apartó las mantas antes de tomarla en brazos y tenderla sobre la fresca sábana de hilo. Había logrado controlar admirablemente su pasión desde el inicio de su cruzada, pero ya no podía seguir haciéndolo. La deseaba, la necesitaba con cada fibra de su ser.

Y ella sentía lo mismo. Cuando la cubrió con su cuerpo, las caderas de Jean comenzaron a frotarse contra él, y su íntimo contacto se volvió embriagador.

—Bébete mi alma, si quieres —jadeó él al tocar sus pechos, acariciando sus pezones hasta que se pusieron duros—. Ya no me importa.

—Tu alma sería un licor demasiado denso para mí. —Levantó la cabeza y mordisqueó su oreja. Una oleada de ardor atravesó a Nikolai—. Pero tu cuerpo... eso es muy distinto.

Él le levantó la camisa y al deslizar la mano entre sus muslos sintió su carne caliente y mojada. Ella sofocó un grito cuando la tocó y sus músculos se estremecieron. Por un momento, Nikolai se preguntó frenéticamente si aguantaría lo suficiente para penetrarla.

La mano de Jean lo guió con urgencia al interior de su cuerpo tenso y acogedor. Cuando Nikolai se hundió en ella, Jean dejó escapar un grito y comenzó a retorcerse febrilmente. Él alcanzó el clímax inmediatamente, con una intensidad que, como el torbellino del tiempo, hizo añicos su conciencia, sólo que esta vez el dolor se transmutó en placer. Sus energías se fundieron, se mezclaron y volvieron a forjarse. Nikolai sintió en la médula de los huesos que habían cambiado para siempre. Era lo que había temido desde que se conocían... y sin embargo ahora aquel cambio era perfecto, inevitable y justo.

Estuvo a punto de perder el sentido, y poco a poco recobró la conciencia y sintió a Jean jadear en sus brazos, todavía aferrada a él.

—Ha sido... extraordinario —logró decir.

—Hemos estado negando esta atracción desde que nos conocimos, y el deseo ha ido creciendo, como la presión en las máquinas de vapor que construye Simon. —Se rió un poco—. Esas máquinas son muy peligrosas cuando estallan. Y también lo es la pasión.

No habrían podido unirse tan fácilmente si ella hubiera sido virgen, de modo que su novio escocés había sido su amante en todos los sentidos. Nikolai no se sorprendió: cuando Jean amaba, se entregaba por entero. Se tumbó de lado y la abrazó.

—No se me ha ocurrido controlarme para evitar el riesgo de dejarte embarazada.

Ella sofocó un bostezo.

—Tengo ciertas habilidades para controlar esas cosas. Una guardiana con capacidades curativas rara vez tiene hijos si no quiere tenerlos.

Él parpadeó.

—Eso es maravillosamente útil.

—Lo fue durante el Levantamiento, desde luego, cuando nos vimos atrapados en largas marchas, en emboscadas y retiradas desordenadas. —Hubo un largo silencio—. Luego lamenté no haber tenido un hijo de Robbie. Pero cuando seguimos al príncipe de Inglaterra yo era demasiado joven para creer que Robbie podía morir. Imaginaba que tendríamos tiempo de formar una familia.

Él la besó en la frente, porque no tenía palabras para aliviar una pérdida así.

—Antes has dicho que era hora de que estuviéramos juntos. Ahora que lo hemos hecho, siento que nos hemos transformado de un modo que no puedo describir.

—Yo también lo siento —dijo ella en voz baja—. Creo que nos hemos templado y que nos hemos convertido en un arma más poderosa para nuestra causa.

Él sopesó aquella idea y descubrió que estaba de acuerdo.

—Es verdad que teníamos que alcanzar cierto punto de madurez mágica antes de unirnos de este modo, así que supongo que era necesario pasar tanta frustración.

Ella sonrió.

—Es como cocinar. Como poner en remojo las manzanas secas antes de hacer la tarta. Si los ingredientes no están listos, el resultado no será bueno.

Por alguna razón, a Nikolai pensar en ellos como en una tarta de manzana le pareció digno de una carcajada. Jean se unió a él, y se rieron juntos hasta que se quedaron sin aire. Cuando se relajaron, entrelazados todavía, Jean siguió hablando.

—Adia me habló del poder mágico de la unión de las energías masculina y femenina. Recuerda que por eso sus ancianos buscaron una pareja para que llevara a cabo la misión. No lo he entendido hasta esta noche. ¡Mira!

Hizo un gesto con la mano y una cinta que había caído de su pelo se levantó flotando del suelo y fue a depositarse sobre su palma.

—Esto demuestra que los senderos torcidos de mi mente ahora funcionan correctamente. Nunca había podido mover objetos sólidos. La magia sin trascendencia siempre me había resultado difícil. —Enredó la cinta entre sus dedos—. Entre intentar salvar a Wilberforce y acostarme contigo, mis nudos mentales han desaparecido.

Él tocó la cinta, asombrado.

—Es lógico que los ancestros nos estén forjando para convertirnos en las herramientas necesarias para desempeñar nuestra tarea. Pero resulta inquietante pensar que tal vez estén observándonos.

—No creo que vayamos a escandalizar a esos viejos truhanes. —Se volvió de modo que su espalda quedó pegada al pecho de Nikolai. Encajaban a la perfección—. Y si los hemos escandalizado... ¡espero que sigamos haciéndolo una y otra vez!

—He acabado de anotar los gastos en el libro de cuentas. —Adia se echó el pelo hacia atrás con los dedos manchados de tinta—. ¿Tienes alguna otra tarea para mí?

Louise movió la cabeza de un lado a otro.

—No, puedes irte a dar un paseo. —Miró el suelo—. Y llévate a ese bicho feo.

—Viene y va como se le antoja. —Adia se inclinó para acariciar el cuello del gran gato anaranjado. Debía de haber llegado a la isla en uno de los barcos de Santola. En la isla había otros gatos, útiles para cazar alimañas, pero ninguno tenía el aire arrogante y la altanería de aquel macho de pelo rojizo.

El animal se había pegado a Adia poco después de que Jean y el capitán se desvanecieran en el tiempo; de día la seguía a todas partes y de noche solía dormir sobre su cama. Ella lo llamaba *Toro*. El gato e *Isabelle*, el guacamayo, podían pasar horas en la misma habitación sin que delataran haberse percatado de la presencia del otro moviendo un bigote o una pluma.

—Nos vemos a la hora de la cena, Louise.

—Esta noche, pescado estofado con arroz. Muy sabroso.

—Me muero por probarlo. —Adia se levantó y se desperezó, pensando que Louise se había convertido en una gran amiga. La francesa tenía la lengua afilada, pero también un corazón generoso, y se alegraba de tener ocasión de aprender algo más sobre África. Adia se había convertido de hecho en un miembro de la familia, y todas las noches cenaba con Louise y sus hijos. Aunque el marido de Louise estaba a menudo en el mar, cuando estaba en casa recibía a Adia como a una hermana.

Pero aquello no era lo mismo que tener a su familia. Incluso la presencia de su abuela parecía haberse difuminado en su conciencia, quitando algún cálido roce de cuando en cuando. Adia imaginaba que se debía a que ahora estaba a salvo y era libre, y había cumplido su misión en la gran cruzada para poner fin a la esclavitud. Ya no necesitaba que su abuela le diera ánimos y la guiara constantemente. Pero añoraba su presencia socarrona y cariñosa.

Cuando salió de casa de Gregorio, llevaba un sombrero de paja de ala ancha para protegerse del sol ardiente de mediodía. Durante las semanas que llevaba en la isla había adoptado una cómoda rutina. Ayudaba a Louise con los libros de cuentas de la isla, trabajaba en su diario, que estaba resultando ser sorprendentemente interesante, y daba largos paseos para desfogar su inquietud. Comía bien, tenía amigos y un trabajo interesante.

Su vida habría sido casi paradisíaca si no hubiera echado tanto de menos a su marido y sus hijos. Cuando había dejado Londres, a Molly la cortejaba un apuesto joven inglés cuyo padre tenía una taberna. ¿Se casarían? ¿Sería su hijo aceptado por caridad en la escuela, donde podría aprender mucho más de lo que había aprendido ella? ¿Qué tal se las arreglaría Daniel sin ella? Pensaban que vivirían o morirían juntos. No habían considerado la posibilidad de otra separación indefinida.

Toro echó a andar a su lado con aire aburrido. Adia supuso que le parecía indigno de él que lo vieran siguiendo a una humana como si fuera un perro cualquiera. O quizás había sido un perro en otra vida y todavía no se había hecho a las costumbres felinas. Fuera por lo que fuese, Adia agradecía su compañía y lo echaba de menos cuando estaba por ahí, dedicado a misteriosos asuntos privados.

Adia empezaba siempre sus paseos bajando hasta el pequeño puerto para ver qué pasaba por allí. Nunca había vivido junto al mar, y le gustaba el ajetreo del puerto. Las barcas de pesca zarpaban y regresaban cargadas de pescados fresco para los isleños. A veces había algún mercante de Santola cargando o descargando, o en reparación. El *Justicia* de Gregorio ya estaba arreglado y había vuelto a zarpar.

Ese día, el lugar estaba tranquilo. No había ningún mercante atracado, y era muy temprano para que volvieran las barcas de pesca. En un extremo, un barco corsario berberisco apresado estaba siendo remodelado para convertirlo en un mercante, pero los trabajadores estaban comiendo. Adia oía a su espalda los chillidos ocasionales de los niños que jugaban, el cacareo de los pollos, el rebuzno de los burros. Los sonidos del paraíso.

Se sentó en un banco desgastado colocado frente al agua y se empapó de la paz y el calor abrasador. El sol del verano le recordaba a las Antillas. *Toro* dio un salto a su lado y el banco se sacudió cuando cayó sobre él. Dio varias vueltas y luego se echó a dormir, apretando su cuerpo afelpado contra el muslo de Adia.

Aunque no se lo esperaba, Adia no se sorprendió cuando apareció Tano y se sentó a su lado, al otro lado del gato. Le resultaba fácil hablar con el ayudante del capitán Gregorio. Los dos eran cultos y curiosos.

Los dos se sentían solos.

Tano se sacó del bolsillo un trozo de hueso de ballena y se puso a tallar.

—¿Qué estás haciendo hoy? —preguntó ella.

Él le mostró su talla, casi acabada.

—A *Isabelle*. Vi su forma en el hueso e intento liberarla.

—¡Qué bonito! —dijo Adia, admirada. Tano había plasmado a la perfección la gran cabeza y la expresión juguetona del guacamayo. Cada una de sus plumas parecía haber sido labrada con delicadeza.

Él siguió con su talla, ahondando meticulosamente las líneas alrededor de un ala.

—Mi hijo pronto estará listo para la iniciación. Y otros niños del pueblo también.

—Hablaré con los ancianos y elegiremos el día. —Adia y los demás sacerdotes y sacerdotisas habían estado enseñando a los jóvenes africanos. Aunque la iniciación nunca podía tomarse a la ligera, no esperaba que los muchachos de Santola corrieran el mismo riesgo que Gregorio.

Ya había dirigido la iniciación de varias niñas, y los resultados habían sido profundamente satisfactorios. Como los chicos, las niñas habían aprendido a moverse entre mundos distintos. Habían regresado más fuertes y mucho más seguras de sí mismas. La hija de Tano formaba parte de aquel grupo.

Tano pasó el pulgar por el formón de tallar.

—¿Crees que nuestros viajeros volverán alguna vez?

—No lo sé. —Adia sintió en el pecho la tensión que la acometía siempre que empezaba a pensar en la pareja a la que había mandado a lo desconocido—. Me parece poco probable.

Tano asintió con la cabeza, triste, pero no sorprendido.

—El capitán no se arrepentirá, si consigue cambiar las cosas. La joven hechicera está hecha de la misma pasta. Pero ¿y tú, señora? ¿Qué harás tú si no vuelven?

—Quedarme aquí y hacer algo útil. —Sonrió, burlona—. En todos los pueblos se necesitan tías solteronas.

—No tienes por qué estar sola para siempre —dijo él con calma—. Eres una mujer hermosa en la flor de la vida. Santola necesita mujeres así.

Adia advirtió en su voz un ofrecimiento tácito. Tano le daría la bienvenida en su hogar y en su cama, y era un hombre bueno y sabio. Ella mentiría si dijera que no había notado su interés, o que no se había preguntado cómo sería tenerlo por compañero.

—Tengo marido. No quiero traicionarlo.

—Un marido que en esta época sólo es un niño. —Apartó de un soplido una partícula del hueso—. Un marido al que seguramente no volverás a ver.

Ella tocó la bolsita que colgaba bajo su túnica. Dentro estaba la piedra guía que una vez las había conducido a ella y a Molly hasta Daniel.

—Pero existe en algún lugar en el tiempo.

—Mi esposa también. Si pudiera remontarme cinco años atrás, ella estaría viva. —Miró fijamente su talla—. Pero ahora no está, y no querría que yo estuviera solo para siempre. ¿Lo querría tu marido?

Ella pensó en Daniel, tan generoso y tierno.

—No. Pero no llevamos tanto tiempo separados. No tanto como en la guerra americana. Para mí sigue siendo mi marido, y mi mayor esperanza es que volvamos a encontrarnos.

—¿Cuánto tiempo te aferrarás a esa esperanza? —Levantó la vista de la talla, y sus ojos oscuros eran más intensos que sus palabras.

—No lo sé. —Daniel y ella habían pasado dos años separados en América, pero entonces ella sabía que estaba vivo. Aquello era distinto—. Un año, al menos. Seguramente más. Pero… puede que llegue el día en que deje de tener esperanzas.

—Avísame, cuando llegue.

—Lo haré.

Él sonrió y le dio el guacamayo labrado. Adia pasó los dedos por el hueso pulido. Tenía un aro labrado en la parte de atrás, de modo que podía colgarse de un cordel y llevarse alrededor del cuello.

—Haces unas tallas preciosas.

Cuando quiso devolverle la pieza, él le dijo que no con un gesto.

—Es para ti, porque te elevas como ninguna mujer que haya conocido.

Adia le sostuvo la mirada un momento.

—Lo guardaré siempre. —Cerró la mano sobre la talla. El hueso conservaba aún el calor del contacto de Tano. Se lo colgaría del cuello, fuera de la túnica, como señal de su vínculo con Santola.

Ya no se sentía sola.

Capítulo 34

Más de una docena de personas se habían congregado en la espaciosa habitación de encima de la sastrería. A Jean no le sorprendió que los aristócratas ingleses estuvieran a un lado y los africanos al otro. Nikolai y ella estaban en medio.

Saltaba a la vista que, con excepción de Kofi, a los africanos les ponía nerviosos la presencia de los Falconer, de sus hijos y de varios Guardianes más. Jean no se lo reprochaba: no les había ido bien en manos de ingleses ricos e influyentes. Muchos de ellos formaban parte del círculo de ancianos que había mandado a Adia al pasado.

A pesar de sus recelos, tenían poder. Entre los africanos y los Guardianes, aquella habitación contenía energía suficiente para hacer arder Londres.

Habían tardado más de quince días en acordar aquel encuentro y escoger un lugar. El sastre dueño de la tienda era un abolicionista cuáquero, y su negocio estaba situado en una bulliciosa zona comercial. Teniendo el edificio entradas por ambos lados, era improbable que alguien reparara en lo extraño de aquella reunión.

Falconer se acercó a Jean y Nikolai.

—Wilberforce se ha ido a Bath, a tomar las aguas y reponerse. Tardará en recuperarse.

Jean asintió con una inclinación de cabeza, sin sorprenderse.

—Es una lástima, pero el movimiento sigue creciendo. Quizá cuando esté bien haya más apoyo para su propuesta de ley.

—Tendrá más tiempo para oponerse a las fuerzas proesclavistas. —Nikolai escudriñó la habitación, contando a los presentes—. Estamos todos. Es hora de empezar.

—Espero que esto funcione. Lo que vamos a intentar no tiene precedentes, creo. —Deseaba poder preguntar a su cuñada Gwynne, la estudiosa de los Guardianes, sobre lo que iba a intentar aquel pequeño grupo. Gwynne sabría si alguna vez se había creado un escudo semejante —dijo Jean con suavidad..

Alto e imponente, Nikolai se colocó tras una mesa que habían dispuesto al fondo de la habitación, frente a unas cuantas sillas. La sala solía usarse para cortar telas; por eso había otras mesas cargadas de rollos de tela.

—Por favor, tomad asiento para que podamos empezar. —Aunque no hablaba alto, los años que había pasado dando órdenes a bordo de un barco le habían enseñado a proyectar la voz.

Esperó a que todos se hubieran acomodado.

—Soy Nikolai Gregorio y ella es Jean Macrae. Estamos aquí por el deseo compartido de poner fin a la esclavitud. Quizá debamos empezar diciendo cada uno quién es y por qué trabaja para la abolición. Empezaré yo, diciendo que nací en Malta y soy mestizo. Me crió principalmente mi abuela, una ex esclava que procedía de la tribu iske del África occidental. Siendo un niño me apresaron unos piratas berberiscos y viví durante años como un esclavo. Desde que escapé, he consagrado mi vida a combatir la esclavitud por todos los medios a mi alcance. —Señaló con la cabeza la zona de la habitación donde se agrupaban los africanos—. Kofi, ¿quieres hablarnos de ti?

Kofi se levantó, fibroso como un látigo y atlético a pesar de sus años.

—Primero quiero saber qué hacen aquí estos blancos. Tú confías en ellos, pero quisiera oír de sus propios labios por qué desean luchar con nosotros cuando la mayoría de los blancos prefiere aprovecharse de la sangre de los esclavos.

Simon hizo amago de levantarse, pero Meg le puso una mano sobre el brazo y se levantó.

—En otro tiempo fui una muchacha a la que llamaban Meggie la Loca —dijo con calma—. Durante diez años fui esclava de un mago malvado que me despojó de mi voluntad, de mi identidad, de mi psique y de mi poder. Nadie debería sufrir esa servidumbre. Lloré de alegría el día que supe que había personas que luchaban contra una maldad tan grande. —Se sentó con expresión serena.

Simon se levantó a continuación.

—Aunque mi mujer no hubiera sido tan maltratada, creo que yo estaría aquí hoy sencillamente porque oponerse a la esclavitud es lo correcto. Todos los Guardianes han jurado hacer cuanto puedan por sus congéneres. Somos humanos y no siempre sabemos qué es lo correcto, así que, por lo general, tenemos la costumbre de no interferir en el curso normal de la vida. Pero en este caso no hay ninguna duda. La esclavitud está mal, y compartimos la obligación moral de ponerle fin lo antes posible.

Kofi asintió con un gesto y resumió brevemente su vida. Su hija, Mary Andrews, una muchacha alta y llamativa, fue la siguiente en hablar.

—Nací libre gracias al coraje de mi padre, pero puesto que otros de mi misma sangre corren el riesgo de convertirse en esclavos, me consagro a esta causa.

Después de que hablaran todos los presentes, el ambiente se relajó. Cuando el último Guardián se hubo presentado, Nikolai prosiguió.

—Todos habéis acordado convertiros en salvaguardas y ayudar a crear y mantener un escudo protector contra las fuerzas proesclavistas. Jean Macrae es nuestra experta en la creación de escudos, así que será ella quien explique su propuesta.

Jean respiró hondo, se puso en pie y se acercó a Nikolai.

—Para quienes no estén familiarizados con los seres energéticos que generan las emociones y las creencias de grupo, son como grandes nubarrones, o como un torrente de lodo que fluye y lo engulle todo. Esos seres energéticos, o espíritus, no son en realidad conscientes como nosotros, pero poseen un instinto primitivo que los induce a apoyar a energías similares y a intentar destruir a energías opuestas.

»Nikolai y yo hemos presenciado manifestaciones de un espíritu al que llamamos el Demonio de la Esclavitud. En todos los casos estuvo a punto de morir un abolicionista importante. Hay muchas personas que comparten nuestras convicciones, pero la energía antiesclavista está menos concentrada. Debemos aprender a concentrar el poder positivo para que cada vez que el Demonio amenace nuestro movimiento, el escudo le impida dañarlo.

—¿Quiénes eran esos hombres que estuvieron a punto de morir? —preguntó una sacerdotisa.

—Thomas Clarkson y William Wilberforce —contestó ella. Una exclamación de asombro cundió por la habitación.

—¿Cómo funcionará el escudo? —Quien hablaba era lord Buckland, el hijo de Falconer. Rondaba los treinta y cinco años, era inteligente y sereno, y tenía el pelo oscuro y un aire de peligro latente.

—Crearé un hechizo de enlace que una las energías positiva y negativa. Cuando la energía del Demonio se manifieste, el escudo se fortalecerá para equilibrarla.

—¿Por qué no intentamos destruir el espíritu proesclavista? —preguntó un joven sacerdote africano.

—Es mucho más fácil protegerse de sus perjuicios que eliminar por completo la energía oscura —contestó Jean—. No creo que pueda destruirse el espíritu, habiendo tanta gente que apoya la esclavitud. Sus emociones son como un lago que renuevan constantemente los ríos que desembocan en él. Los creyentes mantendrán vivo el Demonio hasta que llegue el día en que todo el mundo esté de acuerdo en que la esclavitud está mal. —Su comentario produjo risas irónicas.

—¿Quieres proteger a toda Inglaterra? —preguntó Mary Andrews—. Es una tarea ingente. Creo que supera nuestras habilidades.

—Pensaba concentrar el escudo en Londres. El Parlamento está aquí, y en definitiva es a sus miembros a quienes debemos persuadir para que cambien la ley —dijo Jean—. Si nuestro escudo es eficaz, será más fácil que los diputados voten con conciencia, porque reduciremos su temor a enfrentarse a los ricos hacendados de las Antillas.

—Los diputados también se sentirán más inclinados a escuchar a sus esposas y madres —dijo Mary, pensativa—. Los abolicionistas más apasionados son en su mayoría mujeres.

—Quizá porque las mujeres saben bien lo que es la falta de libertad. —Jean y Mary cambiaron una mirada de comprensión. Jean prosiguió diciendo—: Si el escudo de Londres funciona, más adelante podemos pensar en proteger otras ciudades, o en proteger a miembros especialmente valiosos del movimiento abolicionista. —Se detuvo, pensando en Wilberforce—. De hecho, es una muy buena idea. Pero lo primero es Londres. Lo que vamos a intentar no tiene precedentes. Deberíamos ir paso a paso.

—¿Cómo construiremos el escudo? —La pregunta procedía de la hija de Falconer, lady Bethany March, una joven casada. Tenía el cabello rubio de su padre y el aire engañosamente etéreo de su madre.

—Habrá que reunir y concentrar la energía de la libertad. Luego, invocaremos un hechizo de enlace para unirla al Demonio. El escudo lo mantendrán los defensores que se han comprometido a sostener la energía. Creo que tiene que haber en todo momento al menos dos personas manteniendo la energía para que, si pasa algo, como que un carruaje atropelle a uno de los defensores, el otro pueda mantener el escudo.

—Sería sensato que hubiera también un defensor de refuerzo cuya energía se activara si los defensores principales fallaran. —Falconer frunció el ceño pensativamente—. Habrá que fabricar el hechizo con mucha astucia, pero estoy seguro de que puede hacerse. —Su hijo asintió con la cabeza.

Un joven sacerdote africano alzó la mano.

—¿Cómo mantendremos la energía?

—Es fácil, en realidad —contestó Jean—. Imaginas una línea de poder entre el escudo y tú. Luego, dejas que parte de tu poder fluya hacia el escudo. La mayoría del tiempo se necesitará muy poco poder, y muy poca atención. Cuando se haya establecido la conexión, seguirá fluyendo mientras el defensor se ocupa de sus asuntos. Si el defensor desea hacer otros hechizos mientras está de guardia, dispondrá de menos poder, pero, en general, no debería ser una tarea que exija mucho esfuerzo. Sin embargo, este compromiso durará años, seguramente. Es vital establecer un horario, para no desatender nunca el escudo.

—Habrá veces en que la exigencia de energía sea mucho mayor —añadió Nikolai—. Cuando las fuerzas proesclavistas se unan para evitar el cambio de legislación, por ejemplo.

—Normalmente, deberíamos recibir avisos, pero es posible que todos los que estén conectados con el escudo experimenten una absorción inesperada de energía. —Jean volvió las palmas hacia arriba—. No puedo predecir qué ocurrirá. Todos los aquí presentes tenemos poder y creemos en la causa. Creo que encontraremos soluciones sobre la marcha. Pero si alguno cree que esta tarea es una carga demasiado grande, puede marcharse ahora. No tiene por qué avergonzarse si las circunstancias le impiden comprometerse.

Dejó de hablar. Los presentes se miraron unos a otros, pero nadie se movió. Llena de ímpetu, Jean continuó.

—Ahora, ha llegado el momento de fabricar el escudo. —Ya había diseñado su hechizo de enlace, que podía invocar con unas pocas palabras cuando estuvieran listos—. Tenemos que hacerlo en círculo, cogidos de las manos.

Rodeó la mesa y le tendió la mano a Kofi. Él miró su mano como si fuera una serpiente antes de cogerla con aire receloso.

—Nos alternaremos blancos y negros —añadió ella—. Nuestros poderes son un poco distintos, así que tenemos que entretejerlos.

—¿Y qué hay de los que somos ambas cosas? —preguntó Mary Andrews con ironía.

—Usad vuestra intuición para escoger qué manos tomar —respondió Jean al instante—. De lo que se trata es de equilibrar energías.

Se dieron la mano con cierto embarazo, y la forma alargada de la habitación hizo que formaran un óvalo, más que un círculo. Pero no importaba.

—Primero, sellaré el círculo. —Jean cerró los ojos y pronunció las palabras que los unirían.

—¿Ya está? —preguntó con escepticismo una sacerdotisa—. ¿Sin hierbas, ni ritual?

Jean se rió.

—La magia de los Guardianes es en su mayoría bastante sencilla. Ahora cada uno de nosotros debería enviar un pulso de energía al círculo para que fluya en redondo y vuelva a cada uno.

Un momento después comenzó a sentir las notas peculiares de cada uno de ellos, desde el gong profundo y terrenal de Kofi al tintineo aflautado de la más joven de los Guardianes. Juntos formaban un coro sin igual. Cuando todas las notas estuvieron en armonía, Jean siguió hablando.

—Ahora debemos recoger y concentrar las energías positivas del abolicionismo. Nikolai nos guiará en esto.

—Es como coger bayas —dijo él tranquilamente—. Bayas de luz. Cerrad los ojos, y las cosecharemos.

Jean sabía que Nikolai había desarrollado aquella habilidad como resultado de su iniciación. Al cerrar los ojos, sintió que él levantaba en volandas su espíritu y el de los demás y los hacía volar en una alfombra mágica que se elevaba sobre la noche londinense. Aquí y allá brillaban luces, algunas intensas y radiantes como estrellas, otras como tenues brasas. Cuando Nikolai los tocaba, aquellos destellos se incorporaban a un tejido más extenso, a un refulgente entramado de luz.

Dentro de aquella red, Jean sentía mentes individuales. Algunas eran de trabajadores, de obstinados ingleses que amaban su libertad y creían que todo el mundo merecía lo mismo. Algunas pertenecían a personas profundamente religiosas que consideraban un pecado tener la propiedad sobre otro ser humano hecho a imagen y semejanza de Dios. Y había también africanos, muchos de ellos antiguos esclavos que habían luchado por recuperar la libertad y lucharían para conservarla.

La red recién creada, fina como una gasa pero resistente, flotaba al mismo tiempo sobre el tejido de la ciudad y a través de él. Al fin la última chispa quedó incorporada a ella.

—A medida que otras personas empiecen a creer en la abolición, sus energías se sumarán automáticamente a este escudo —informó Nikolai—. Ahora que está construido, hará falta poca energía para mantenerlo, a menos que el Demonio lo ponga a prueba. Cuando eso ocurra, a quienes debemos custodiar el escudo se nos extraerá más energía.

—¿Y si se nos exige más poder del que podemos permitirnos? —preguntó alguien.

—Uno puede controlar la cantidad que da, o escindirse por completo de la red. Pero si demasiada gente corta la conexión cuando la red esté amenazada, el entramado fallará, de modo que no debe uno dejarlo a la ligera.

—¿Cómo controla este escudo el espíritu del Demonio? —preguntó un hombre.

—Eso es lo difícil —dijo Nikolai—. ¿Jean?

—He creado un conjuro que unirá nuestra red al espíritu proesclavista. Seguramente sentiréis una sacudida cuando eso ocurra. —Vaciló—. Nunca había hecho algo así. Por favor... preparaos.

Esperó hasta que sintió que estaban preparados y luego invocó su hechizo. Mientras saturaba la red de energía unificadora, Nikolai se concentró en el Demonio. Aquel ente era más pequeño que su red, y mucho más denso. Dentro de él, Jean sentía fogonazos de avaricia, de ira, de crueldad y de ansia de poder que se deslizaban velozmente, como pececillos en un mar fangoso. Aquéllos eran los componentes esenciales del esclavismo: un sopa turbia que daba a Jean ganas de bañarse en agua hirviendo.

Movió la red cargada de energía de modo que quedara colocada en paralelo junto al nubarrón, y luego pronunció las palabras que completaban el hechizo de unión. Al instante, los dos seres energéticos se fusionaron y la red cubrió como una pálida telaraña la superficie del nubarrón.

Pasado un instante de retumbante conmoción, el Demonio se encabritó como un caballo asustado que intentara librarse frenéticamente de su jinete. Su sobresalto recorrió el círculo como un rayo, y ella oyó gritar a un hombre.

—¡Aguantad! —gritó, aterrorizada porque alguien rompiera el círculo y se encontraran todos a merced de explosiones de energía salvaje y destructiva.

—Aguantad, aguantad, aguantad... —repetía Falconer con calma. Jean sentía la profunda fortaleza de su poder, al que un instante después se sumaron el de Kofi y Meg y otros sacerdotes mayores. Poco a poco, la sacudida pasó. El Demonio se apaciguó como un caballo que se acostumbra a la silla. No tenía conciencia para darse cuenta de que también le habían puesto la brida.

Jean exhaló, aliviada.

—Lo hemos conseguido. El Demonio representa las opiniones de muchos hombres poderosos, pero creo que hemos contrarrestado su capacidad de dañar el movimiento abolicionista y a sus líderes. ¿Sentís todos su vínculo con nuestro escudo de red?

Después de oír murmullos de asentimiento, Jean cerró el círculo y estiró luego sus músculos agarrotados. ¡Dios, qué delicia era acceder fácilmente a su magia en circunstancias que no eran desesperadas! Fuera el cielo empezaba a oscurecerse. Llevaban horas trabajando. Pero lo habían conseguido. Ahora estaba ansiosa por volver a su posada para que Nikolai y ella pudieran reponer fuerzas mediante la pasión.

Habían concluido su trabajo allí. ¿Dónde les llevaría a continuación el hechizo del tiempo?

Adia despertó con un zumbido en la cabeza. Era una sensación extraña, como si estuviera en medio de una docena de conversaciones pero no pudiera distinguir lo que se decía. Se habría quedado en la cama, pero *Toro* bostezó y fue a sentarse sobre su pecho.

—¿*Mrrruop*? —preguntó.

No era difícil descifrar la pregunta.

—Sí, es hora de desayunar.

Adia se levantó, se lavó y vistió y bajó a la cocina. El gato comía siempre el primero, puesto que no destacaba por su paciencia.

A Adia le había costado adaptarse a la quietud de la villa del capitán después del ajetreo de su casa en Londres. Ahora disfrutaba desayunando tranquilamente té y pan con miel. Se llevó la bandeja a la terraza para contemplar la caldera mientras comía. La mañana estaba un poco nublada, pero pensó que el cielo se despejaría más tarde.

El zumbido de su cabeza se había disipado y había quedado en segundo plano mientras se arreglaba y preparaba el desayuno, pero al quedar su mente en reposo se volvió más evidente. Preguntándose qué estaba pasando, cerró los ojos y meditó sobre aquel ruido, que no era en realidad un sonido, sino más bien un nivel bajo de actividad que parecía... ¿mágica?

Atrapó mentalmente un pedazo del zumbido para estudiarlo más de cerca. Para su sorpresa, la energía que lo componía le resultaba familiar. Le producía la misma impresión que... personas que conocía, por sorprendente que fuera la idea. Se concentró y captó retazos del sacerdote Kofi, y luego de otros ancianos de Londres. Pero todos ellos se hallaban en el futuro, a una distancia de más de treinta años, no en su época.

Indagó un poco más y se sobresaltó al identificar la impronta energética del capitán y Jean Macrae. ¿Estaban conectando el tiempo en el que ella se hallaba y el tiempo que había abandonado? Tenía que ser eso. Se zambulló en el zumbido y comprendió que era una masa de energía en conflicto, en parte proesclavista y en parte abolicionista. La parte proesclavista era como un pozo sin fondo, mientras que la energía abolicionista era una cuerda de salvamento en la oscuridad. Las dos energías parecían unidas.

Comprendió que el zumbido que sentía era un lazo fabricado por sus amigos y otros abolicionistas dotados de poder. ¿Era algún tipo de mecanismo espía para descubrir los planes de las fuerzas proesclavistas? Pero eso parecía innecesario: el círculo de poder de las Antillas tenía dinero de sobra, y aún más desfachatez. No hacía falta que se anduviera con secretos, ni que los abolicionistas lo espiaran.

Quizá la energía abolicionista tenía como objetivo equilibrar a las fuerzas proesclavistas. Jean y el capitán debían de haberse reunido con el consejo de ancianos para crear un espíritu protector. Si estaba en lo cierto, habían logrado viajar al futuro y estaban cumpliendo su misión. Pero ¿por qué estaba sintiendo aquel zumbido en 1753?

Frunció el ceño. Nadie sabía en realidad cómo funcionaba la magia temporal, pero había una teoría que afirmaba que uno de los otros mundos paralelos a éste era un lugar sin tiempo. Para pasar de un tiempo de su mundo a otro, había que atravesar ese otro mundo. Dado que allí no había tiempo, uno podía entrar y salir en cualquier punto. Las cuentas mágicas eran las puertas a ese otro mundo.

Si era así, tal vez el zumbido energético de su cabeza también estaba atravesando ese otro mundo. Dado que estaba conectada con Jean y Kofi y el capitán, también estaba conectada con el espíritu protector que habían creado. Quizá. Era una teoría tan buena como otra cualquiera.

Ordenó firmemente al zumbido que cesara. El zumbido remitió, hundiéndose en las profundidades de su mente. Ya no la distraía, pero seguía allí. Tal vez algún día pudiera encontrar un modo de usarlo.

Capítulo 35

Nikolai y Jean pasaron otras dos semanas en Londres después de formar el escudo, pero, como no parecía necesario acometer ninguna otra tarea, se dedicaron a disfrutar de la vida. Vieron los leones de la Torre de Londres, visitaron los jardines de recreo de Ranelagh, fueron al teatro y asistieron a exposiciones. Como andaban escasos de dinero, tuvieron que pedir fondos a Falconer. Aunque se sentía un poco incómodo por tener que aceptar ayuda, Nikolai tenía que reconocer que las relaciones de Jean con los Guardianes eran de incalculable valor.

También hicieron el amor. Ahora que se habían unido, les costaba recordar por qué había sido necesario permanecer separados tanto tiempo. Pero los ancestros sabían lo que hacían. En el curso de su viaje, Nikolai y Jean habían cambiado hondamente, y ahora estaban tan unidos como el Demonio y el escudo de red.

No era el amor romántico lo que les unía, o al menos no sólo eso, aunque Nikolai se sintiera cautivado por Jean. En un sentido más profundo, era aquélla la unión que deseaban los ancestros. Sus habilidades mágicas complementarias les habían transformado, convirtiéndolos en una herramienta contra la esclavitud con más poder del que cualquiera de los dos tenía por separado.

¿Se disolvería aquel vínculo cuando hubieran cumplido su misión? ¿O acaso no sobrevivirían para averiguarlo? Nikolai sospechaba que el vínculo era tan fuerte que, si uno de los dos moría, el otro no podría sobrevivir. No era aquélla una idea en la que quisiera detenerse. Fuera lo que fuese lo que les reservaba el futuro, Jean era la mejor compañera que había tenido nunca, y la mejor amante.

Tras aquellas dos semanas de relajación, recogieron sus pertenencias y volvieron al apacible cementerio en el que habían aparecido en 1788.

—Me ha gustado 1788 —dijo Jean con una mirada traviesa—. Hemos aprendido mucho. Me pregunto dónde iremos ahora.

—Eso depende de los ancestros. Ahora que hemos superado la época de Adia, volamos a ciegas. O, mejor dicho, más a ciegas que antes. —Besó la punta de su nariz pequeña y elegante y luego la cogió de las manos, con la siguiente cuenta entre las palmas de los dos—. Espero que podamos usar el conjuro sin tener que pedir ayuda otra vez.

—Si no, al menos la ayuda está cerca —dijo Jean en tono pragmático. Juntos invocaron el conjuro de siempre, poniéndole fin con un beso.

Nikolai se preparó para el viaje a través del tiempo mientras invocaban la magia. Sintió una sensación extraña, una especie de bamboleo, como un barco que se meciera en la depresión de una ola. La cuenta que tenían entre las palmas se disolvió en un fogonazo de calor. Era la primera vez que sentía aquello; las otras veces, la desaparición de la cuenta se perdía entre sensaciones mucho más intensas, mientras eran despedazados, batidos y arrastrados a través del tiempo.

Preguntándose si el conjuro habría fallado, abrió los ojos y miró a su alrededor. Otra vez un callejón: los ancestros eran muy aficionados a ellos. Jean le soltó las manos.

—Parece que hemos ido a alguna parte, pero la travesía ha sido mucho más fácil. Me pregunto si nos habremos movido a través del tiempo. —Levantó la mirada—. Tenemos que habernos movido algo. Es casi por la tarde.

—Todavía estamos en Londres, aunque en un sitio distinto. —Nikolai estudió las paredes y el suelo—. Este callejón parece de clase más alta que los callejones a los que estamos acostumbrados. Puede que sólo hayamos atravesado la ciudad.

Jean se acercó al fondo del callejón y miró fuera.

—La ropa no parece muy distinta, excepto por algunos detalles. Parece que estamos en un barrio elegante. En Mayfair, quizá. La calle me suena vagamente.

—¿Vamos a explorar?

—Primero quiero comprobar el escudo. —Los ojos de Jean se desenfocaron—. Está vivo y bien. Reconozco la energía de algunas de las personas que estaban allí cuando lo creamos, así que no creo que hayamos ido lejos.

Consciente de que se le debería haber ocurrido hacerlo a él, Nikolai fijó su atención en la red protectora, observando la energía, más que a los individuos.

—El Demonio es mucho más fuerte que antes, pero el escudo tiene fuerza suficiente para equilibrarlo.

—Puede que el público en general esté más preocupado por la esclavitud; eso alimentaría ambos espíritus —sugirió Jean.

—Seguramente tienes razón. Hay una cantidad ingente de energía en acción. Y también hay en segundo plano otro grupo de energías grandes y fuertes. No las reconozco. —Estudió más profundamente el vínculo entre las energías proesclavista y abolicionista—. Nuestra energía protectora se ha hecho relativamente más fuerte, pero la energía proesclavista sigue siendo más densa y más reconcentrada.

—Me pregunto qué hacemos aquí —dijo Jean pensativamente.

—Teniendo en cuenta la eficacia de los ancestros, pronto lo descubriremos. —Le ofreció su brazo—. ¿Nos vamos?

Ella se cogió de su brazo y juntos se adentraron en la calle. Cuando habían recorrido dos manzanas, Jean la miró.

—Es Mayfair, no hay duda. Ahora las calles tienen placas con su nombre en las esquinas de los edificios.

—Una buena mejora. —Nikolai se disponía a añadir algo cuando un carruaje se detuvo a su lado.

Se abrió la puerta y un hombre elegantemente vestido se apeó del carruaje. Era lord Buckland, el hijo de Falconer. No parecía mucho mayor que cuando se conocieron, en 1788.

—¡Ah, el señor y la señora Gregory! —dijo tranquilamente—. ¿Me permiten que les ofrezca mi coche?

—Será un placer —dijo Jean cuando Nikolai le ofreció la mano para que montara, y se sentaron en el asiento que miraba hacia atrás.

Cuando estuvieron todos dentro y el vehículo volvió a ponerse en marcha, la expresión desapasionada de Buckland se convirtió en alegría entusiasta.

—¡Me alegro de verlos otra vez! Tenía la vaga sensación de que debía decirle al cochero que tomara este camino, pero no sabía por qué. Por lo visto era para encontrarles.

—¿Es usted vidente, lord Buckland? —preguntó Jean.

Él movió la cabeza de un lado a otro.

—Tengo las habilidades de la familia, pero entre ellas no se incluye ver el futuro. Creo que he sentido que venían por nuestra conexión a través de la red del escudo. Aunque no era consciente, parece que eso ha bastado para influirme a la hora de elegir una ruta.

—Por cierto —dijo Nikolai, pensando que, si iban a quedarse en aquella época, le apetecía saber el nombre del sastre de Buckland—, ¿en qué año estamos? ¿Y sabe por qué nos han traído aquí?

—En 1791 —dijo Buckland al instante—. En cuanto al por qué... Hoy, la Cámara de los Comunes votará posiblemente la propuesta de ley de Wilberforce para abolir el comercio de esclavos.

—¿De veras? —Nikolai sintió que una llamarada de emoción lo recorría—. ¿Es probable que la aprueben?

—No estoy seguro —contestó Buckland lentamente—. Las cosas han cambiado mucho estos tres últimos años. El sentimiento antiesclavista ha hecho furor entre el público.

—¡Qué bien! —exclamó Jean—. Si el Parlamento no está de acuerdo, es hora de elegir nuevos disputados.

—Los diputados pueden cambiarse, pero no la Cámara de los Lores. —Buckland frunció el ceño—. El resultado de hoy es muy incierto, y los vientos políticos están cambiando. Si la propuesta de ley no se aprueba hoy, puede que no haya otra oportunidad hasta dentro de mucho tiempo.

—¿Por qué? —preguntó Nikolai con inquietud.

Buckland tocó con nerviosismo el maletín de piel que había a su lado.

—Hay una revolución en Francia, un levantamiento popular de emancipación, parecido a la Revolución Americana. Al principio, los ingleses progresistas eran optimistas y creían que la nación sería más justa y democrática, pero la Revolución Francesa se está torciendo. Los mejores videntes Guardianes creen que el país caerá en la guerra civil. Con Francia sumida en el caos, las fuerzas conservadoras están en auge en Inglaterra. Aquí nadie quiere que la sociedad se divida.

—Es comprensible —convino Jean—. El caos sólo beneficia a los violentos. Pero esos temores no pueden ser buenos para el abolicionismo.

Buckland asintió con la cabeza.

—Para empeorar las cosas, los esclavos de la isla Dominica, en las Antillas, se han levantado. Las fuerzas proesclavistas de Inglaterra aducen que poner fin al comercio sería una calamidad y provocaría mayores turbulencias que pondrían en peligro a todos los europeos de las Antillas.

Nikolai enarcó las cejas.

—Seguramente no es necesario ponerse tan alarmista.

Buckland hizo una mueca.

—Cuando la gente tiene miedo, la razón no tiene nada que hacer. Es muy notable cuánta gente apoya la abolición, aunque no hayan vivido directamente la esclavitud. Pero la revolución de Francia y el miedo a ella que hay en Inglaterra van unidos y son alarmantes. Empieza a parecer que lo más seguro es eludir grandes oportunidades.

—Por eso, si hoy perdemos la votación, puede que pasen años antes de que la propuesta vuelva a considerarse siquiera —dijo Jean lisa y llanamente.

—Exacto. Aunque la propuesta sea aprobada, también tendrían que aprobarla la Cámara de los Lores y el rey, y muy bien podrían negarse. Pero ganar hoy en la Cámara de los Comunes sería un paso poderoso en la dirección adecuada.

Nikolai cerró los ojos y repartió su atención entre las energías generadas por la bulliciosa población de Londres.

—Siento el miedo y el conservadurismo del que nos ha hablado, y ya están influyendo en el modo en el que la gente ve la esclavitud. Pero hoy cabe la posibilidad de que tengamos éxito, creo, si nuestro escudo puede mantener al Demonio a raya.

La expresión de Buckland se volvió pensativa.

—Eso podría explicar por qué les han traído aquí. Hemos mantenido la red del escudo sin ningún problema, y no ha muerto ningún abolicionista importante. Pero ninguno de nosotros trabaja con el escudo tan bien como ustedes, quizá porque lo crearon. Las fuerzas proesclavistas se han vuelto expertas en retrasar la cuestión exigiendo continuamente más pruebas, más vistas, y diciendo que no había información suficiente. La votación ha tardado tres años en llegar. Puede que ustedes hayan llegado para decantar la balanza a nuestro favor con su poder sobre el escudo.

Nikolai miró a Jean y notó que estaba tan insegura como él.

—Podemos intentarlo, claro. Por cierto, ¿dónde estamos?

—En el Parlamento. Conozco un palco bonito e íntimo desde el que pueden seguir la sesión sin peligro de que les vean. —Buckland suspiró—. Las probabilidades no son buenas, pero el hecho de que estén ustedes aquí me da un poco de esperanza.

El carruaje se detuvo traqueteando frente al palacio de Westminster, sede del Parlamento. Jean se echó sobre la cara el velo del sombrero.

—Muéstrenos el camino, milord.

Entraron en el imponente edificio.

—Hoy es el segundo día de debate, y la votación debería celebrarse hacia el final de la sesión —dijo Buckland—.. Van a oír argumentos asombrosos a los partidarios de la esclavitud. Un diputado ha asegurado que la abolición destruiría nuestras pesquerías en Canadá porque son los esclavos de las Antillas los que comen el peor pescado.

—¿Qué? —dijo Nikolai, incrédulo.

—No esperen encontrarle sentido. —Buckland los condujo a través del palacio, hasta una galería, y se detuvo frente a una pared vacía. Hizo un gesto cargado de magia y apareció una puerta. Cuando Nikolai y Jean entraron, comentó—: Ayer disfracé esta habitación por si hacía falta hoy. Y fue extraño que lo hiciera, ahora que lo pienso. Debió de espolearme la red.

—Siempre pasan cosas raras cuando intervienen los ancestros —comentó Nikolai.

La habitación, parecida al palco de un teatro, se hallaba junto a la gran galería pública situada a un lado de la sala en la que se reunían los miembros de la Cámara de los Comunes. Las galerías de ambos lados estaban repletas de gente, pero en su pequeño palco había media docena de sillas y una buena vista sobre la sala. Debido a su enmascaramiento, nadie parecía reparar en ellos.

—Tengo que irme. Yo también soy diputado. —Buckland sacó un puñado de papeles de su maletín—. Si se aburren, tal vez quieran echar un vistazo a esto. Es un resumen de los relatos sobre la esclavitud expuestos en las casi dos mil páginas del sumario de la vista. Queríamos un documento lo bastante corto como para que hasta el diputado más torpe encontrara tiempo para leerlo. Les veré luego. Buena suerte. Tal vez ustedes puedan hacer cambiar de signo la marea.

Se marchó justo en el momento en el que, allá abajo, se pedía orden en la sala. Jean dijo en voz baja:

—Simon debe de estar vivo aún, o Buckland tendría un puesto en la Cámara de los Lores, y no en la de los Comunes. Me alegra saberlo.

También Nikolai se alegraba. A pesar de tener más de setenta años, Falconer era un mago formidable, y tal vez necesitaran su poder antes de que acabara el día.

Tal y como Buckland había dicho, los discursos fueron interesantes. Wilberforce intervino para decir con su voz serena y profunda que abolir el comercio de esclavos sólo podía beneficiar a las plantaciones de las Antillas, porque se trataría mejor a los esclavos y aumentaría la productividad. Un hombre de aspecto extravagante, con uniforme de dragón, se levantó de un salto y, agitando una mano con sólo tres dedos, afirmó que ni los propios africanos ponían reparos al tráfico de esclavos.

Cuando la siguiente persona en intervenir se levantó, Jean agarró el brazo de Nikolai.

—¡Es el capitán Trent, de Liverpool!

Efectivamente, allí estaba Trent, varios kilos más gordo y algunos años más untuoso. Hablaba con voz retumbante.

—Todos ustedes han oído hablar de la revuelta de esclavos de la Dominica, una de nuestras mejores islas azucareras en las Antillas. ¡Esa revuelta, señores, es resultado directo del movimiento abolicionista! ¡Esos necios sin sentido del patriotismo han agitado las pasiones de los paganos africanos, y ahora la riqueza y el bienestar de Gran Bretaña misma están en peligro!

Mientras Trent despotricaba, Nikolai sintió que la energía proesclavista se intensificaba. Sintió también una energía oscura que ya conocía.

—Kondo, el sacerdote de Trent, está cerca y en activo —dijo secamente—. Voy a buscarlo.

—Ten cuidado —dijo Jean—. Seguramente estará intentando aumentar la energía del Demonio.

Así pues, ella también lo sentía. Nikolai le tocó el hombro.

—No me pasará nada.

Salió de su palco privado y se detuvo fuera un momento, aguzando sus sentidos para encontrar a Kondo. En casa de Wilberforce había sentido muy claramente la energía del sacerdote. Ahora sólo era cuestión de identificar su energía individual entre las improntas de los cientos de personas que había en el palacio. Kondo era tan especial que Nikolai no tardó mucho en dar con su rastro. Sobre todo porque su energía estaba entretejida en la corriente del poder del Demonio.

Siguiendo su pista, Nikolai subió un tramo de escaleras y recorrió largos pasillos, y pronto descubrió que la energía se intensificaba a medida que se acercaba a su origen. Aquella zona del edificio estaba casi vacía, debido a que se estaba debatiendo un proyecto de ley controvertido.

El rastro de energía lo condujo hasta una puerta cerrada. Nikolai utilizó un furioso estallido de poder para abrirla. Se había acostumbrado a utilizar su poder como una herramienta, o como un arma.

La puerta daba paso a un despacho pequeño y cómodamente amueblado. Tras el escritorio se hallaba Kondo, con los ojos cerrados y ataviado como un caballero inglés. La energía del Demonio irradiaba a su alrededor, palpitante, como una luz viscosa y negra que se difundía a través del edificio de la Cámara de los Comunes. Allí intensificaría las fuerzas proesclavistas y debilitaría las abolicionistas.

Adivinando que Kondo había elegido el despacho al azar porque necesitaba un lugar tranquilo para trabajar, Nikolai entró. El africano abrió los ojos y su mirada denotó que lo había reconocido.

—Tú —dijo con voz gutural y fuerte acento—. El esclavo inglés. Sabía que volveríamos a encontrarnos. Esta vez no me detendrás.

—No soy inglés, ni soy un esclavo. —Nikolai concentró su poder y tiró de la cuerda de energía que conectaba a Kondo con el Demonio. Si podía apartarlo rápidamente del espíritu maligno…

Fue como golpear en acero. Su energía rebotó y volvió hacia él con fuerza atroz. Kondo soltó una risotada.

—No puedes hacerme daño. Yo protejo el espíritu oscuro, y él me protege a mí.

Nikolai intentó reponerse.

—¿Cómo puedes trabajar contra tu propio pueblo? Tienes poder para conseguir riqueza y libertad sin servir a un blanco repugnante como Trent.

Kondo pareció aburrido.

—Los esclavos africanos no son mi pueblo. ¿Por qué iba a esforzarme intentando ayudar a bestias de carga inútiles? —Sus ojos brillaron—. Vivo mejor que cualquier rey africano, y he descubierto que las inglesas tienen mucha curiosidad por los amantes africanos. Tengo exactamente la vida que deseo.

—Entonces, ¿sigues siendo un esclavo?

Alrededor del africano ardía una energía escarlata.

—¡No! Tengo los papeles de manumisión. Sirvo a Trent porque quiero, y me paga muy, muy bien.

Por su reacción, parecía sentirse mucho menos libre de lo que hubiera querido. Pero eso era problema suyo.

—Muy bien, no quieres esforzarte por los esclavos. Pero ¿por qué trabajar para las fuerzas proesclavistas? No tienes por qué hacerlo. Como mago, podrías ganarte muy bien la vida por otros medios.

—Porque tengo poder, y disfruto utilizándolo. —Kondo se puso en pie con actitud amenazante. Aunque debía de tener más de cincuenta años, poseía el cuerpo atlético y el aura de peligro de un guerrero, y la energía demoníaca que giraba a su alrededor intensificaba la oscuridad de su alma—. ¡Más poder del que tienes tú, y voy a demostrártelo!

Levantó los brazos y lanzó a Nikolai un rayo aniquilador de energía demoníaca. Nikolai se tambaleó hacia atrás y chocó contra la puerta. Paralizado, se deslizó hasta el suelo. Pero, mientras caía, una red de luz blanca y diamantina se encendió en torno a él, rechazando la oscuridad.

Kondo se tambaleó y tuvo que agarrarse al borde de la mesa para no perder el equilibrio.

—¡Maldito seas! —exclamó con voz sofocada.

Cuando el aturdimiento comenzó a disiparse, Nikolai comprendió que el escudo lo había defendido, del mismo modo que el Demonio protegía a Kondo.

—Estamos en tablas —logró decir—. Yo no puedo matarte, y tú no puedes matarme a mí.

—No por medios mágicos, quizá. Pero hay métodos más primitivos. —Kondo sacó una daga de debajo de su chaqueta elegantemente cortada e intentó apuñalar a Nikolai en el corazón. Nikolai trató de esquivarlo, pero estaba aún muy débil y no podía moverse con rapidez.

La hoja lo golpeó con la fuerza de un mazazo y rasgó su camisa y su chaleco, pero resbaló sin penetrar en su pecho. Kondo comenzó a jurar ferozmente.

—Esa zorra y tú construisteis bien el escudo. Pero todavía puedo machacarte los sesos.

Mientras el Demonio se expandía y se hacía más poderoso, Kondo dio la vuelta al puñal y golpeó a Nikolai en la cabeza con su empuñadura. Nikolai se sumió en la oscuridad… y vio con espanto que a su alrededor giraban esquirlas arrancadas al escudo.

Capítulo 36

Durante los momentos en los que el debate se amansaba, Jean revisaba las notas del sumario de la vista. Aquellos relatos eran impactantes y a menudo repulsivos.

Empezaba a preguntarse qué le había pasado a Nikolai cuando la puerta del palco se abrió. Levantó la vista esperando verlo, pero quien se asomó fue una joven vestida con el sobrio atuendo de los evangélicos.

—¿Le importa que la acompañe? He llegado tarde y no quedaban asientos en la galería.

—Claro que no. Se están acercando a la votación, creo. —Jean imaginó que Nikolai no había camuflado la puerta al salir. Tomó nota de que debía enseñarle aquel truco. En Nikolai se mezclaban de manera interesante un gran poder y extrañas lagunas de conocimiento. Entre tanto, no le importaba tener compañía.

—¡Quiera Dios que aprueben la propuesta de ley del señor Wilberforce! —La recién llegada se sentó, dejando una silla vacía entre Jean y ella. Aunque no parecía tener más de veinte años, llevaba anillo de casada—. Me llamo Elizabeth Heydrick. He venido desde Leicester para oír los debates y ver la votación.

—Yo soy Jean Gregory. Acabo de volver a Inglaterra, pero, como usted, rezo por que se apruebe la ley.

—Apenas he podido pegar ojo desde que vi el dibujo del *Brookes* —le confesó Elizabeth al dejar su bolsito de tela en el suelo y quitarse el chal de color oscuro—. Cuesta creer que haya hombres capaces de tratar al prójimo con tanta crueldad.

—¿El dibujo del *Brookes*? No sé qué es eso.

—¿No lo ha visto? —exclamó Elizabeth—. Pero, claro, ha estado usted fuera del país. Espere, deje que se lo enseñe. Siempre llevo una copia para no olvidarlo. —Abrió su bolso y sacó un trozo de papel manchado y doblado. Entregándoselo a Jean, dijo—: Es un dibujo del *Brookes*, un barco negrero auténtico, y muestra cómo se hacinan los esclavos durante la travesía del Pacífico.

Jean desdobló la amplia hoja y contuvo el aliento. A pesar de lo que sabía acerca del comercio esclavista, la imagen de los esclavos hacinados como arenques en salazón resultaba horrenda.

—¡Es espantoso! No me extraña que mueran tantos durante la travesía.

—En el dibujo aparecen cuatrocientos ochenta y dos esclavos —dijo Elizabeth con amargura—. Los conté, para asegurarme. En algunos viajes, el *Brookes* llevaba hasta setecientos esclavos.

—Nadie que vea esto puede permanecer indiferente —musitó Jean.

—Los capitanes de los barcos negreros y los propietarios de las plantaciones lo consiguen —respondió la otra mujer—. Cuando se aprobó una ley muy suave estipulando que los esclavos debían disponer de más espacio, los negreros dijeron que aquello acabaría con la vida de todos los blancos de Jamaica. Y luego ni siquiera cumplieron esa mejora tan leve.

Jean sacudió la cabeza al devolverle la ilustración. Empezaba a acostumbrarse a la retórica política de los esclavistas, cargada de histerismo.

—Puede que eso cambie después de la votación de hoy.

Cuando volvieron a fijar su atención en la sala, Jean se sintió embargada por un torrente paralizador de energía demoníaca que se regocijaba cruel y oscuramente en la avaricia, la dominación y la crueldad. El flujo era tan intenso que apenas podía respirar. Horrorizada, comprendió que el escudo empezaba a resquebrajarse, arrollado por el poder del espíritu al que debía controlar.

Defiéndete. Vertió en el escudo su conciencia y su poder, extrayendo fuerzas de la energía conjunta de sus amigos y aliados. Sintió sobresalto y aturdimiento cuando la demanda de poder de la red asaltó a los dos custodias que estaban de guardia y empezó a chupar energía de todos los que se hallaban conectados con ella. Jean se fundió con la red y sintió sus fisuras como si fueran horrendas heridas abiertas en su propio cuerpo.

Se estremeció cuando varios defensores, aterrorizados, cortaron la conexión, pero otros comenzaron a verter su energía en el escudo. Otras energías más difusas, procedentes de abolicionistas, se dejaban sentir en segundo plano. Poco a poco, las grietas de la red empezaron a restañarse.

Cuando las fisuras desaparecieron, el dolor de Jean se disipó. El escudo aguantaría, pero no tenía fuerzas para impedir que el Demonio influyera en la votación que iba a tener lugar.

Tras reparar los últimos eslabones del escudo, Jean respiró hondo, aturdida, y se replegó en su cuerpo. Tenía la impresión de que las heridas que había sufrido en la red le dejarían cicatrices, pero parecía normal, aunque seguramente se desplomaría si intentaba levantarse. Por suerte, Elizabeth Heydrick estaba tan concentrada en la votación que no había notado nada. Por su expresión tensa, la votación parecía ir en su contra.

Agotada hasta la médula de los huesos, Jean vio cómo se contaban los últimos votos. Al final, dos tercios de los diputados presentes votaron contra la abolición del comercio de esclavos. Los partidarios de la esclavitud prorrumpieron en gritos de júbilo que resonaron en la sala. Los parlamentarios abolicionistas parecían perplejos por la magnitud de su derrota. Después de la advertencia de Buckland acerca de lo incierto del resultado, Jean no se sorprendió, pero se sintió profundamente decepcionada.

Elizabeth comenzó a sollozar incontrolablemente. Su cuerpo se sacudía, lleno de desesperación.

—Todos mis conocidos de Leicester están en contra de la esclavitud —murmuró con voz ahogada—. ¿Dónde se esconden todos estos amantes de la esclavitud? ¿Cómo puede una persona decente votar a favor del comercio de esclavos?

—El dinero y el poder se entrelazan como serpientes. La esclavitud produce mucha riqueza, y la riqueza da poder. Poder suficiente para comprar a tantos políticos como haga falta. —Jean señaló el piso de abajo, donde los hombres pululaban de acá para allá, dándose palmadas en la espalda y congratulándose por su victoria.

—Es terrible que una minoría pueda permitir una atrocidad que la mayoría detesta. —Las lágrimas de Elizabeth empezaron a secarse cuando la ira fue ocupando el lugar de la aflicción—. Pero ¿qué pueden hacer las personas corrientes como yo para luchar contra tanta maldad?

—Atacar a la industria esclavista en el bolsillo —dijo Jean lentamente, mientras una idea empezaba a formarse en su cabeza. Los panfletos que había comprado en 1788 describían la industria azucarera con todo detalle, hasta el último penique—. En Inglaterra se venden cada año enormes cantidades de azúcar. Si suficientes personas dejan de comprarla, los dueños de las plantaciones verán caer sus beneficios. Si uno de cada diez británicos se niega a comprar azúcar, los hacendados lo notarán. Si se niega uno de cada cinco, la industria cambiará para siempre.

Elizabeth contuvo el aliento mientras consideraba su sugerencia.

—Me pregunto si es posible una cosa así. Muchos de nosotros estaríamos dispuestos a dejar de comprar azúcar, pero hay muchos más que no querrán prescindir de ella, ni siquiera para salvar vidas. Mi madre es una abolicionista acérrima, pero daría sangre de sus venas antes que beber el té sin azúcar.

—He leído que para producir el azúcar de la India no se utilizan esclavos. —Jean sonrió con ironía—. Puede que las condiciones de vida de los indios que la producen no sean mucho mejores que las de los esclavos del Caribe, pero al menos son libres. El azúcar de la India es más caro, pero ¿acaso no merece la pena pagar ese pequeño precio por tener la conciencia limpia?

El rostro de Elizabeth se iluminó.

—¡Eso podría funcionar! También podríamos negarnos a comprar a los pasteleros que usen azúcar producido por esclavos, o los alimentos que lo lleven. Si se une gente suficiente a la campaña, los comerciantes tendrán que usar azúcar indio o perder gran parte de su negocio.

—Una campaña así requeriría tiempo —la advirtió Jean—. Sospecho que al principio nadie se la tomará en serio.

—Pero negarse a tomar azúcar es algo que puede hacer cualquiera, hasta un niño. Habrá muchos que se nos unan, lo sé. Sobre todo, si podemos comprar azúcar de la India. —La perspectiva de la acción puso una mirada de determinación en los ojos de Elizabeth—. Cuando vuelva a Leicestershire, empezaré con el grupo antiesclavista del pueblo, y escribiremos a otros grupos de todo el país. ¡Juro que dentro de un año nos tomarán en serio!

Jean no era vidente, pero tenía la poderosa sensación de que aquella joven cambiaría el movimiento abolicionista.

—Estaré atenta a las noticias de personas que se nieguen a comprar azúcar, y yo también haré correr la voz.

Elizabeth se levantó. Parecía haber superado ya la derrota y estar dispuesta a emprender la siguiente batalla.

—Puede que las fuerzas del comercio se hayan salido con la suya hoy, pero vendrán días mejores.

Recogió su chal y se lo echó sobre los hombros. Al hacerlo, Jean notó que su pañuelo de muselina estaba sujeto por un broche que representaba un africano de rodillas y encadenado. El broche tenía unas letras grabadas alrededor del borde, pero Jean no pudo distinguir lo que decían.

—Discúlpeme, pero ¿qué dice su medallón?

Elizabeth tocó el metal labrado.

—Dice: «¿Acaso no soy un hombre y un hermano?» El diseño lo hizo el señor Wedgwood, el fabricante de cerámica, para recordarnos que los africanos son tan humanos como los europeos.

Al igual que la ilustración del barco, era una imagen potente.

—Tengo que conseguir uno.

—Tenga. —Elizabeth desabrochó el cierre y le ofreció el medallón—. Es suyo.

—Oh, no, nada de eso —protestó Jean, un poco sorprendida—. Puedo comprarme uno.

—Acéptelo, por favor. —Elizabeth sonrió—. Un broche es un precio muy pequeño a cambio de la esperanza.

Jean le tendió la mano y la otra mujer se la estrechó. Una vez más, habló la intuición.

—Usted cambiará las cosas, señora Heydrick. Ya lo creo que sí. Vaya con Dios.

—Gracias, señora Gregory. —La joven abrazó a Jean y luego salió del palco con la cabeza muy alta.

Al quedarse sola, Jean pudo entregarse a su preocupación por Nikolai. Llevaba fuera demasiado tiempo. Se acomodó en una silla y lo buscó mentalmente. Acababa de comprender que estaba vivo, pero herido, cuando la puerta del palco se abrió y entró Nikolai. Jean sofocó una exclamación al ver su ropa rasgada.

—Santo cielo, ¿qué te ha pasado? —Se lanzó en sus brazos, con cuidado de no abrazarlo demasiado fuerte.

—Encontré a Kondo, y me ha vencido —contestó Nikolai de mala gana. Él no tuvo cuidado al abrazarla: la apretó con todas sus fuerzas—. El escudo me protegió de sus rayos de energía y de sus intentos de apuñalarme, pero consiguió dejarme inconsciente. Pensé que el escudo no aguantaría, pero parece que está bastante bien. ¿Qué me he perdido?

Antes de que ella pudiera responder, lord Buckland entró en el palco. Parecía agotado.

—Ha sido la primera vez que el escudo nos ha exigido tanto poder. Ha aguantado a duras penas. Tenemos que encontrar defensores más preparados.

—Debemos aprender a delegar en un abanico más amplio de abolicionistas. Quizá podamos extendernos más allá de la zona de Londres. —Jean explicó brevemente lo ocurrido a Nikolai y luego añadió—: No creo que hayamos venido a esta época para conseguir el éxito. Creo que los ancestros nos han enviado para impedir un desastre total. Hemos estado a punto de perder el escudo. Un solo defensor menos habría marcado la diferencia entre salvarlo y perderlo por completo. Además, una señorita se ha reunido conmigo aquí y, después de recuperarse de su desilusión, se ha marchado decidida a convencer a todos los abolicionistas de Inglaterra de que dejen de usar azúcar cultivada por esclavos.

Buckland levantó las cejas.

—¡Atacar sus beneficios! Qué buena idea. Haré todo lo que pueda por que se corra la voz.

—Los simpatizantes de nuestra causa se alegrarán de tener algo concreto que hacer —predijo Nikolai.

—El movimiento está vivo. Aunque la corriente política esté en contra nuestra, perseveraremos. —Buckland esbozó una sonrisa cansada—. Pero sería mucho más agradable haber ganado.

Su comentario era un prodigio de comedimiento lleno de caballerosidad. Jean se apoyó en Nikolai. Ansiaba dormir un día entero.

—¿Hay alguna buena posada en la que pueda dejarnos de camino a casa?

Buckland asintió con la cabeza.

—¿Van a quedarse mucho tiempo?

Jean miró a Nikolai. Ya no necesitaban hablar para tomar tales decisiones.

—Un par de semanas. Deberíamos ir a visitar a nuestros amigos africanos, y luego descubrir cómo podemos canalizar hacia el escudo la energía del movimiento abolicionista en general.

—Creo que eso sé cómo hacerlo. —Nikolai sonrió, fatigado—. No hay nada como verse vapuleado por la energía negativa para entenderla mejor. Deja que lo piense un poco. Luego podemos convocar otra reunión de defensores del escudo.

Buckland parecía un poco más animado.

—Lo estoy deseando —dijo—. En cuanto a esta noche, o más bien esta mañana, conozco la posada idónea. Es tranquila y confortable.

Lo siguieron a través del palacio, hasta la calle, y vieron que el alba empezaba a asomar por el este. Las sesiones del Parlamento solían empezar a media tarde y prolongarse hasta la noche, y los debates podían durar hasta el amanecer. Jean enlazó del brazo a Nikolai.

—Amanece un nuevo día. Me gusta el símbolo.

—Sabíamos que esto llevaría tiempo. —Él le dedicó una media sonrisa—. Y tenemos más tiempo que la mayoría.

Al principio, Adia no entendió el tremendo esfuerzo exigido a su mente y su poder. Se acercó tambaleándose a la cama y cayó hacia atrás, aturdida. ¿Qué…?

Poco a poco fue dándose cuenta de que la red que, según sospechaba, habían tejido Jean y el capitán para combatir las energías proesclavistas estaba absorbiendo su poder. Estaba teniendo lugar una lucha ingente, y la red había llegado hasta ella extendiéndose a través del tiempo. Sentía a Jean muy vivamente, y bastante menos al capitán.

Paulatinamente, el escape de energía disminuyó y Adia comprendió que la red había superado la prueba. Era una lástima no saber qué había ocurrido.

Pero al menos podía ayudar, aunque estuviera allí, enterrada en el pasado.

La posada era tal y como les había asegurado Buckland, y uno de los empleados estuvo dispuesto a aceptar a aquellos dos extraños al amanecer. Cuando llegaron a su habitación, Nikolai sintió tentaciones de tumbarse en la cama sin desvestirse siquiera, pero se sentiría mejor después, si se desnudaba. Con un suspiro, Jean hizo lo mismo.

—Ha sido un día muy largo. Ha durado tres años.

—Pero hemos sobrevivido. Por un momento pensé que no lo lograría. —Al ver descender el puñal de Kondo, dos pensamientos habían asaltado a Nikolai: no quería morir antes de cumplir su misión. Y no quería dejar a Jean.

Mientras ella se soltaba el pelo y volvía a recogérselo en una trenza holgada, Nikolai descubrió que el cansancio no le impedía dejar de admirarla. Si ella no hubiera tenido fuerzas para mantener unido el escudo cuando empezó a desmoronarse, hombres como Clarkson y Wilberforce volverían a estar en peligro. Aunque el sentimiento antiesclavista se había fortalecido, todavía hacían falta líderes, y pasaría tiempo antes de que aparecieran otros nuevos, si los que había morían.

Nikolai se puso tras ella y, rodeándole la cintura con los brazos, se inclinó para besar su cuello. Ella se derritió en sus brazos, con los ojos cerrados.

—Puedes hacer eso otra vez, si quieres —murmuró.

Animado, él besó su oreja al tiempo que deslizaba las manos hacia arriba para tocar sus pechos.

—Seguramente estás demasiado cansada para esto —dijo. No quería pedirle demasiado.

Ella se rió y se volvió en sus brazos para deslizar los brazos alrededor de su cuello.

—Trabajo constantemente con energía. ¿Por qué será que ésta es la única actividad que nos da más energía que cuando empezamos?

—Una pregunta interesante. —Nikolai la levantó en brazos y la depositó sobre la cama—. Podemos hablar de ello mañana.

Jean tenía razón. Después, Nikolai tenía más energía que al empezar.

Les costó más de un mes, pero Jean y Nikolai lograron reforzar el escudo recurriendo a la energía de abolicionistas de buena parte de Inglaterra. Aunque aquellas personas tenían poco poder por separado, al juntarlas su apoyo a la abolición fortaleció sustancialmente el escudo.

Después de visitar a Kofi y su familia y a los Falconer, llegó el momento de seguir adelante. Pagaron la factura de la posada y encontraron un trastero semivacío al fondo del edificio que sería un lugar desde el que partir.

Jean se quitó el brazalete de Adia de la muñeca y se quedó mirándolo.

—Sólo queda una cuenta. Esperaba que nos llevara de vuelta a casa… a 1753 y a Santola. ¿Es posible que el trabajo que hemos hecho hasta ahora baste para que podamos regresar a casa? ¿O crees que hay algún otro punto crítico que requiere nuestra atención? —Suspiró—. ¿O es la esclavitud tan inmensa e incurable que la magia de los ancestros no puede hacer nada contra ella?

—No lo sé —dijo Nikolai con serenidad—. Desde nuestra primera visita, hace veintiséis años, hemos visto cambiar muchas cosas en los corazones y la mentalidad del pueblo británico. Como dijo Adia, la masa del pueblo se está levantando para decir «¡Ya basta!».

—Al principio, tú y yo protegíamos a individuos —dijo ella pensativamente—. Ahora estamos protegiendo el espíritu mismo del movimiento. Puede que, dentro de unos años, el movimiento y el deseo de libertad sean tan fuertes que ya no seamos necesarios. Eso es lo que espero. Eso, y que la última cuenta nos devuelva al punto de partida. Pero... puede que no sea así. Podría llevarnos más adelante en el tiempo y dejarnos allí.

—¿Soportarías vivir en otro tiempo?

—No me quedaría otro remedio, ¿no? —Sonrió con ironía—. Me apenaría no volver a ver a mi familia y mis amigos, pero pensar en las separaciones y las privaciones que ha soportado Adia hace que vea las cosas con perspectiva. Puedo aprender a vivir en otra época. Y no estaré sola. Los Guardianes nunca abandonan a los suyos.

—Eres afortunada por tener tanta gente a la que querer. —Nikolai intentó que su voz no denotara envidia, pero no lo consiguió del todo.

Jean lo miró, pensando en lo lejos que habían llegado desde su primer encuentro en el almacén de Marsella.

—¿Y tú, capitán? Cuando la gran meta de tu vida, poner fin a la esclavitud, se cumpla ¿qué harás?

Él se encogió de hombros.

—Sigo siendo un marino. Siempre puedo encontrar trabajo en el mar. Me gustaría visitar Santola para ver si la isla sigue siendo próspera y si hay allí sitio para mí. Si es que todavía me recuerdan.

—Te recordarán. —Jean notó que ninguno de los dos hablaba de su relación. ¿Se separarían y seguiría cada uno su camino? ¿O acaso el vínculo que había hecho de ellos una eficaz herramienta contra la esclavitud sobreviviría cuando hubieran cumplido su tarea?

Era imposible saberlo. Jean se puso en pie y colocó la última cuenta en el centro de la palma de su mano. Cuando desapareciera, el brazalete sería una sosa colección de pequeños abalorios ensartados con excesiva holgura en su cordel.

—¿Damos el último paso, a ver adónde nos lleva?

—Esperemos que no haya sorpresas. —Nikolai la agarró de la mano y juntos empezaron a activar el conjuro. Jean cerró los ojos y pidió al cielo que, al abrirlos, viera Santola y su tiempo.

Capítulo 37

El viaje a través del tiempo esta vez fue muy suave, apenas más inquietante que cruzar una habitación a oscuras. Aterrizaron con un golpe seco en el interior de una casa... y no era la villa de Nikolai en Santola. Jean tragó saliva y procuró no echarse a llorar al comprender que nunca volvería a ver su hogar y a los suyos. A pesar de sus intentos de tomarse con filosofía aquella posibilidad, la realidad era angustiosa.

Mientras intentaba combatir su desilusión, soltó las manos de Nikolai y observó la habitación.

—Parece un dormitorio de una casa de Londres, una casa bastante grande. ¿Intuyes dónde estamos?

—En Londres, no hay duda. —Suspiró, tan desilusionado como ella—. Lo siento, Jean. También a mí me gustaría irme a casa, pero eres tú quien más pierde.

—Por lo menos estamos en Inglaterra y no en Berbería. —Se acercó a la ventana y miró la calle. Era media tarde, a juzgar por la luz, y estaban en invierno. La casa se hallaba ubicada en una de esas bonitas plazas londinenses dispuestas alrededor de un parquecillo—. Creo que estamos en Mayfair, aunque me parece que nunca había estado en esta casa. Está claro que aún tenemos cosas que hacer.

Vio pasar a varias mujeres y contuvo el aliento.

—Puede que hayamos recorrido una gran distancia en el tiempo. ¡Veo mujeres que llevan vestidos que casi parecen combinaciones! —Los vestidos, de cintura alta, eran holgados y bonitos, pero no se habrían considerado decentes en ninguna época que Jean hubiera conocido.

—Como hombre, apruebo el estilo —dijo Nikolai al reunirse con ella junto a la ventana—. La indumentaria de los hombres no ha cambiado tanto, y esas mujeres de allí van más tapadas. Puede que esté surgiendo un estilo nuevo que aún no se ha impuesto del todo.

Jean estudió más atentamente el escenario que ofrecía la calle.

—Tienes razón. Me ha sorprendido tanto la novedad que no he visto lo que ya conocía. Puede que no hayamos avanzado tanto como pensaba.

Oyeron pasos firmes que se acercaban y se miraron con inquietud. Estaban en casa de un extraño y tenían tan pocos motivos para estar allí como un ladrón. Nikolai la cogió de la mano.

—Los ancestros no nos han fallado todavía.

La puerta se abrió y Jean le apretó la mano con fuerza al ver entrar a una mujer. Tardó un momento en reconocer a lady Bethany March, la hija de Falconer. Lady Bethany había formado parte de la red del escudo desde el principio, y siempre había estado a la altura de la tradición familiar, demostrando un gran poder. Tan impasible como su padre, apenas pestañeó al verlos.

—Mi hermano me contó cómo se encontró con vosotros en la calle, pero entrar en mi casa supera eso con creces. ¡Bienvenidos, viajeros!

—Me parece que los ancestros tienen cada vez mejor puntería —dijo Jean—. ¿En qué año estamos? La ropa ha cambiado mucho.

—Estamos en 1807, dieciséis años después de vuestra última visita. —A Bethany, una mujer madura, de más de cincuenta años, le sentaban bien aquellos vestidos nuevos, tan finos y delicados—. Wilberforce ha presentado fielmente diversas propuestas de ley contra el tráfico de esclavos a lo largo de estos años. Una incluso fue aprobada, aunque fracasó en la Cámara de los Lores. Pero las circunstancias han cambiado, y esta vez hay posibilidades de que sea aprobada. —Parecía esperanzada—. Puede que estéis aquí para equilibrar la balanza a favor de nuestra victoria.

—Eso pensó lord Buckland en 1791. Y sin embargo parece que visitamos ese año sólo para limitar los daños —dijo Nikolai secamente—. ¿En qué sentido han cambiado las circunstancias?

—Venid al salón y tomaremos el té mientras os lo explico. —Los condujo a través de la casa, hasta un bonito conjunto de habitaciones que daban al jardín de atrás. Tras pedir té, se acercó a una puerta lateral y la abrió diciendo—: Mary, han venido unos viejos amigos. ¿Nos acompañas?

Una mujer alta y de piel oscura entró en la habitación. Nikolai exclamó:

—¡Mary Andrews! ¡Qué alegría volver a verte!

Ella sonrió.

—Ahora mi nombre es Mary Owens. Soy la secretaria de lady Bethany.

—Y apuesto a que sigues haciendo de las tuyas. —Curiosa, Jean añadió—: Owens es un apellido Guardián, aunque no sólo, claro.

Mary asintió con la cabeza.

—Mi marido es Guardián. Nuestros hijos tienen aptitudes muy interesantes.

—Gran parte del trabajo de Mary está relacionado con la abolición —dijo Bethany—. Mi marido es ministro del gobierno, así que en esta casa no andamos escasos de política. Venid, sentaos, y Mary y yo os contaremos qué ha pasado desde vuestra última visita.

Después de que llegaran el té y las pastas, Bethany y Mary les resumieron rápidamente cómo había cambiado la situación.

—Cuando, en 1793, la Revolución Francesa se convirtió en el Reinado del Terror, Inglaterra declaró la guerra a Francia. Desde entonces no hemos dejado de luchar, salvo durante un breve periodo —explicó Bethany—. Debido a la guerra y al miedo general a cualquier cosa que pueda considerarse radical, el gobierno hizo cuanto pudo por suprimir todos los grupos que exigían reformas, lo cual dañó a las sociedades antiesclavistas. El movimiento cayó casi en la parálisis.

—Hubo además una gran revuelta de esclavos y mulatos en la colonia francesa de Santo Domingo. —Mary retomó el hilo—. Tanto los franceses como los británicos lucharon por sofocar la rebelión, pero fracasaron. La colonia se ha convertido en la nación negra libre de Haití. —No intentó despojar de orgullo su voz—. Eso no sólo demostró lo bien que pueden luchar los africanos, sino que desde que la isla no está bajo control francés, los hacendados británicos de las Antillas ya no pueden decir que tienen que conservar a sus esclavos para competir con los franceses. Además, los soldados británicos que lucharon contra los rebeldes negros no quieren volver a combatir con ellos para apoyar la esclavitud, que muchos soldados rasos desprecian.

—Si esa revuelta de esclavos ha tenido éxito, habrá puesto muy nerviosos a los hacendados de las Antillas —dijo Nikolai pensativamente—. Si los esclavos vencen en una isla, pueden vencer en otras. Así que tal vez sea mejor que no sean esclavos.

Bethany volvió a llenar sus tazas de té.

—Los franceses han vacilado. ¡Es tan propio de ellos! En un estallido de idealismo, declararon libres a todos los esclavos. Fue en 1794, creo. Pero luego uno de sus generales, Napoleón Bonaparte, se proclamó emperador, y Francia ya no es tan libre ni tan idealista. Una de las consecuencias de ello es que los franceses intentan ahora restablecer la esclavitud.

—Han abierto la caja de Pandora. —Jean tomó dos pastas más. Viajar en el tiempo siempre le abría el apetito—. Quienes han sido libres no aceptarán de nuevo las cadenas voluntariamente.

—Los franceses ya se han dado cuenta de ello. —Bethany sonrió con picardía—. Un aspecto delicioso de todo esto es que ahora los ingleses pueden mostrarse más virtuosos que los franceses simplemente oponiéndose a la esclavitud. Ha sido un gran espaldarazo para nuestra causa.

Jean y Nikolai se rieron.

—Haz que tu oponente se sienta superior por darte la razón y tendrás la batalla medio ganada —dijo—. Entonces ¿todas esas circunstancias hacen más probable la abolición del tráfico de esclavos?

—Todo eso, y un golpe maestro —dijo Mary.

—Uno de los abolicionistas más tenaces es un abogado de la Marina llamado James Stephen, un hombre muy listo —prosiguió Bethany—. Vivió unos años en las Antillas y detesta la esclavitud. Escribió un libro explicando que, a pesar de que la Armada británica había bloqueado Francia, los franceses habían mantenido un comercio muy beneficioso utilizando barcos de países neutrales como Estados Unidos. Si nuestra Armada apresaba esos barcos, ello perjudicaría a los franceses y sería muy beneficioso para los navíos responsables de los apresamientos. Stephen convenció a Wilberforce de que presentara un proyecto de ley concediendo permiso para apresar cualquier barco neutral que ayudara a Francia. Sonaba muy patriótico y la ley se aprobó sin mucho revuelo.

Mary volvió a pasar el plato de las pastas. Jean y Nikolai tomaron más. Jean se alegró al darse cuenta de que no era la única que estaba hambrienta.

—Lo que no sabe la mayoría de la gente —explicó Mary— es que muchos de esos presuntos barcos neutrales son en realidad británicos. Lo único americano es la bandera. ¡Así pues, la ley del señor Stephen ha acabado obstaculizando el comercio de esclavos!

—¿No es delicioso? —dijo Bethany—. Aunque en los años noventa se suprimieron los grupos abolicionistas, resultó que los sentimientos de la gente no habían cambiado. El movimiento ha reaparecido y es más fuerte que nunca. En las últimas elecciones legislativas, resultaron elegidos más diputados abolicionistas. La propuesta de ley de Wilberforce para abolir el tráfico de esclavos se está debatiendo en este preciso instante, y pronto habrá una votación.

Nikolai cerró los ojos.

—Los espíritus proesclavista y antiesclavista se encuentran trabados en un abrazo mortal, ¿no es cierto? Habiendo tantas personas que se decantan apasionadamente por uno u otro bando, hay una enorme cantidad de energía en acción.

—El escudo es más fuerte ahora que cuando estuvisteis aquí la última vez, pero necesitará toda su fuerza para mantener a raya al Demonio durante la votación —dijo Mary, muy seria—. Creo que, si se dejan guiar por su conciencia, los parlamentarios votarán en su mayoría a favor de la propuesta de ley. Debemos asegurarnos de que no ocurra nada que pueda envenenar sus mentes y cambie el sentido de sus votos.

—Que es donde entramos nosotros. —Jean dejó su taza vacía. Estaba muy tranquila—. Si los Comunes aprueban la ley, ¿cabe la posibilidad de que la apruebe también la Cámara de los Lores y la refrende el rey?

—Hay motivos para creer que el movimiento se ha fortalecido tanto que estarán de acuerdo. —Bethany se mordió el labio—. Me lo repito constantemente porque no quiero creer lo contrario. Pronto lo descubriremos, creo. Si estáis listos, podemos ir a Westminster.

—¿Podemos asearnos primero? —preguntó Jean.

—Perdonad, debería haberlo pensado —dijo Bethany en tono de disculpa—. Podéis usar el cuarto de invitados al que habéis llegado.

—La precisión de los ancestros es realmente asombrosa. —Nikolai se levantó—. ¿Es probable que la votación tenga lugar hoy? Las energías de los espíritus parecen muy, muy intensas.

Bethany asintió con la cabeza.

—Debería ser en las próximas horas. He pensado llevaros al mismo palco desde el que visteis la sesión anterior. ¿Os parece bien?

—Sí. —Jean también se levantó—. Ojalá sólo tengamos que mirar.

* * *

A Nikolai le pareció un poco espeluznante volver al lugar de su última visita al Parlamento. El palco privado seguía igual, si bien un poco más ajado. Las galerías estaban tan llenas como la última vez, aunque la moda en el vestir había cambiado. Muchas caras seguían siendo las mismas, aunque aquellos casi veinte años de vida las hubieran avejentado. Incluso las energías que se percibían en segundo plano eran las mismas, a pesar de que ahora eran peligrosamente intensas.

Tras acomodarse junto a Jean, Bethany y Mary, Nikolai se concentró en los entes enfrentados. El escudo servía de contrapeso al Demonio, aunque no sin dificultad. La energía proesclavista era tensa y voluble, como si apenas fuera consciente de que su existencia estaba amenazada. Nikolai afinó sus sentidos más y más, ignorando el debate que tenía lugar más abajo, hasta que encontró lo que estaba buscando. Entonces contuvo el aliento.

Jean le observaba.

—¿Qué has encontrado?

—Kondo ha viajado a un mundo paralelo y está azuzando la energía oscura como si fustigara a un tiro de caballos. —Mientras vigilaba a Kondo, sintió crecer el Demonio—. ¡Maldición! Está atrayendo energías oscuras de otras partes del mundo. De África, de Asia, de las Antillas… De cualquier lugar donde haya energía esclavista e intensa miseria.

Jean arrugó el ceño.

—¿Puede utilizar esa energía para inundar el Parlamento y emponzoñar la mentalidad de la gente contra la abolición?

Nikolai analizó lo que estaba percibiendo.

—Creo que eso es lo que pretende. Puede que tenga poder suficiente para dañar físicamente a algunos de los abolicionistas más apasionados, como hizo con Wilberforce.

Jean palideció.

—¿El escudo no podrá detenerlo?

—Está recurriendo a una población mucho más grande. Aunque pudieras conectar con la energía de todos los abolicionistas de Europa, no creo que fuera tan fuerte.

—Puede que no, pero voy a intentarlo —dijo ella con gravedad.

Nikolai pensó en su iniciación y en los muchos mundos paralelos que había visitado. Ahora veía que sus viajes habían sido un modo de prepararlo para aquello.

—Creo que puedo alcanzarlo en ese otro mundo y quizá detenerlo antes de que pueda lanzar su ataque.

—Parece peligroso.

—Es muy probable que lo sea. Pero se trata de la culminación de nuestra misión, Jean. —La miró fijamente—. Los dos estábamos dispuestos a entregar la vida si era necesario. Hasta ahora hemos corrido pocos peligros. Esta noche nos enfrentamos al desafío definitivo.

Ella asintió. Había aflicción en su mirada, pero no intentó disuadirlo.

—Reforzaré el escudo cuanto pueda. Toma toda la energía protectora que necesites. Te juro que habrá suficiente. —Bethany y Mary, que estaban escuchando, asintieron gravemente.

—Entonces voy a empezar, y ojalá llegue a tiempo. —Nikolai echó su silla hacia atrás para apoyar la cabeza en la pared. Se relajó físicamente al tiempo que concentraba su mente hasta formar con ella una hoja muy fina. Luego siguió el rastro de la energía oscura.

Pasó por un calidoscopio de sensaciones: luz y oscuridad, formas y caos, ruido y silencio sobrecogedor, llamas abrasadoras y frío paralizante. Había que cruzar mundos distintos para llegar al infierno en el que actuaba el espíritu de Kondo.

Encontró a su enemigo en la noche oscura de una llanura roja e infinita. El aire estaba cargado de gruñidos y gritos de dolor, como si todas las almas atormentadas del universo moraran allí. En cuanto se detuvo, su cuerpo desnudo comenzó a descomponerse en partículas de polvo. Sofocó un gemido y se reconcentró cuanto pudo, luchando por mantenerse entero.

Advirtió que Jean lo había acompañado como un hilo de luz muy tenue, pero irrompible. A través de ella, pudo envolverse en el escudo refulgente. Su poder logró mantener unidos mente y cuerpo.

Ya preparado, se volvió lentamente y aguzó la vista hasta que vio una columna de humo oscuro a media distancia. Era Kondo que, convertido en tornado, se preparaba para canalizar las lúgubres energías de la esclavitud e inundar con ellas la sala atestada de Westminster.

Nikolai deseó estar más cerca, y en un abrir y cerrar de ojos se hallaba junto a Kondo. El sacerdote africano adoptó su forma humana y miró a Nikolai con ojos rojos y brillantes.

—No deberías haberme seguido, necio, porque en este mundo eres vulnerable.

—Igual que tú. —Nikolai visualizó una gran espada de plata. La espada se formó a partir del escudo diamantino y se adaptó perfectamente a su mano. Un río de luz atravesó a Nikolai e inundó la hoja.

Nikolai lanzó una estocada a la energía oscura, apuntando no a Kondo, sino a la masa bullente de dolor que el sacerdote había reunido. El golpe la partió en dos mitades. Kondo y las multitudes ululantes profirieron un chillido ensordecedor, pero un instante después los gritos de dolor disminuyeron.

Iba por buen camino: dividir la energía reducía su poder. Logró asestar otro golpe antes de que Kondo respondiera con una masa de materia negra y ardiente, como brea al rojo vivo. Las llamas se extendieron por el cuerpo de Nikolai, abrasando su piel y carcomiendo el escudo. Nikolai gritó. El dolor era indescriptible.

Una vez más, Jean le insufló poder, un torrente dulce y plateado que neutralizó el fuego. Nikolai la sentía a ella y sentía a los primeros defensores del escudo, que extraían energías de una inmensidad de personas convencidas de lo abominable de la esclavitud. No sólo inglesas, sino también de toda Europa y América, y de otros países que desconocía. Comprendió con asombro que Jean estaba recurriendo a personas del futuro, un milagro que seguramente era posible porque Kondo y él se hallaban en un lugar sin tiempo.

Cuando el dolor dejó de atormentarlo, atacó de nuevo al Demonio. No se limitó a la superficie de la llanura: usando sólo el pensamiento, logró elevarse más y más, adentrándose en la energía oscura. No podía eliminarla, pero fragmentar su poder reducía su eficacia. Pedazos de maldad oscuros y palpitantes caían sobre la llanura.

Mientras tanto, Kondo enseñaba las garras, juraba y gruñía. Pero el escudo era demasiado fuerte: el sacerdote no podía dañarlo. Aunque cada uno de los golpes de Kondo la sacudía, tensándola hasta casi quebrantarla, Jean no desfalleció. Estaba canalizando la mitad de la luz del mundo hacia las manos y la espada de Nikolai.

Pasada una eternidad sin tiempo, él neutralizó el último infierno líquido de energía demoníaca. Se volvió para enfrentarse a Kondo, dejándose llevar al mismo tiempo hacia la superficie de la llanura. Los gritos de dolor habían disminuido hasta convertirse en un tenue murmullo de fondo.

Kondo apenas tenía forma humana. Su aspecto era casi demoníaco, y sin embargo había en él algo de trágico y humano. Recordándose que Kondo también había sido un esclavo y que el cautiverio había degradado por completo su vida, Nikolai sintió compasión.

—Te has consagrado a la maldad, Kondo. Aléjate de ella y vive como un hombre libre y honorable.

—Soy libre —siseó Kondo—. Trent me dio los papeles.

Nikolai hizo una mueca.

—¿Crees que esos papeles te habrían defendido de una banda que quisiera enviarte de vuelta a las Antillas como un esclavo? Un africano libre no puede andar tranquilamente por la calle sin una docena de amigos a la espalda. No serás verdaderamente libre mientas la ley afirme que puede haber esclavos. Los papeles que te dio Trent no valen nada.

—¡Mientes! —La furia de Kondo se intensificó—. ¡Soy libre y valgo tanto como él!

—Tanto o tan poco —replicó Nikolai. Bajó la espada, apiadándose de él—. Pero Trent podría volver a venderte como esclavo o darte una paliza de muerte y nadie intentaría impedírselo. Salvo quizá Granville Sharp, que luchaba por salvar a hombres negros simplemente porque era lo correcto. ¿Puede decir Trent lo mismo? Tu capitán te utilizaba como arma contra sus marineros. Hacía asesinar a niños porque sus llantos lo molestaban. ¿Te habría concedido la libertad si no le interesara? Sigues siendo un esclavo a pesar de tus preciados papeles, porque sirves a la maldad de tu amo.

—¡El capitán Trent es mi amigo! —bramó Kondo con angustia. Pero en su rostro se veía la certeza descarnada de que Nikolai tenía razón: Trent era malvado, y lo traicionaría en un abrir y cerrar de ojos si ello le beneficiaba.

—La maldad es mala amiga. —Lleno de desconfianza, Nikolai dejó que la espada se desvaneciera. Luego cruzó el tiempo y el espacio para tocar a Jean y regresar a casa siguiendo su argéntea fortaleza.

Lo último que vio fue la cólera de Kondo, que se desvanecía mientras el africano clamaba iracundo al cielo oscurecido. Que Dios se apiadara del alma herida y retorcida de aquel hombre.

Jean siguió de cerca a Nikolai, protegiéndolo con una parte de su poder mientras con la otra buscaba ayuda. Bethany y Mary permanecían firmemente a su lado, al igual que otros defensores experimentados.

Descubrió con asombro que podía traspasar límites anteriores y llegar a personas que se hallaban en tiempos y lugares desconocidos para ella. Incluso Adia estaba allí, aportando fuerza desde cincuenta años atrás. El esfuerzo de canalizar toda aquella energía estuvo a punto de desgarrar la mente de Jean, pero logró enviar a Nikolai la fuerza que necesitaba para hacer trizas el poder del Demonio de la Esclavitud.

Había acercado su silla a la de Nikolai. Necesitaba tomarlo de la mano mientras viajaba a lugares inimaginablemente lejanos. A pesar del esfuerzo, era vagamente consciente del debate que estaba teniendo lugar allá abajo. Los argumentos eran parecidos a los que había oído otras veces, pero el equilibrio de fuerzas había cambiado. Más y más personas se acercaban a sus posiciones a medida que el Demonio se desvanecía.

Mary soltó un bufido.

—¡Ese hipócrita ha defendido la esclavitud durante años! Y ahora que ve que están cambiando las tornas, apoya la abolición.

—Es un hipócrita, no hay duda —dijo Bethany con pragmatismo—, pero por ahora es nuestro hipócrita, y eso es lo que cuenta.

Una voz nueva, que le resultaba familiar, llenó la sala. Jean abrió los ojos y al mirar hacia abajo vio que el capitán Trent, iracundo y con la cara sofocada, estaba declamando acerca de por qué la esclavitud era el fundamento de la riqueza de Inglaterra, y afirmando que cualquiera que lo negara era un pérfido traidor, ¡pardiez! Su voz sonaba frenética, como si sólo con su furia pudiera decantar la votación a su favor.

Jean estaba concentrándose de nuevo en Nikolai cuando, de pronto, la sala se llenó de gritos. Sobresaltada, miró por encima de la barandilla y vio que Trent se había desplomado. Algunos diputados se acercaron a él. Uno de ellos era lord Buckland, que le buscó el pulso en el pecho y la garganta. Buckland sacudió la cabeza y se levantó. Con voz compasiva que resonó en la sala, anunció:

—El honorable diputado por Liverpool ha fallecido.

Otra voz clara (no era la de Wilberforce, ¿verdad?) exclamó:

—¡Dios lo ha fulminado por la iniquidad de sus convicciones!

Los presentes en la sala contuvieron el aliento, trémulos.

—Bien dicho —dijo Bethany en voz baja.

—Quizá convendría suspender la sesión —dijo una voz hosca.

—¡Basta ya de retrasos! —contestó Buckland en tono acerado—. Todos hemos expuesto nuestros argumentos. Quizá si hubiera habido menos demoras, el honorable diputado por Liverpool aún estaría vivo. ¡Yo digo que votemos la propuesta de ley ahora!

Siguió un murmullo de aprobación. Se hizo un corto silencio mientras el cuerpo de Trent era retirado de la sala.

Jean volvió a fijar su atención en Nikolai cuando él le apretó la mano. Se volvió en la silla y se sobresaltó al ver que el cabello negro de sus sienes se había encanecido.

—Nikolai…

Él abrió los ojos con aire cansado.

—No quiero volver nunca a ese mundo.

—No hace falta. Creo que nos has salvado. La votación está a punto de empezar. —Cuando se acercaron a la barandilla, añadió—: El capitán Trent ha muerto en la sala hace unos minutos, en medio de una soflama proesclavista.

Nikolai se quedó callado un momento.

—Al final, desafié a Kondo hablándole de Trent. Le dije que su antiguo amo volvería a venderlo como esclavo si tenía una buena razón. Creo que toqué un temor secreto. Puede que Kondo haya atacado a Trent, y que eso haya causado su fallo cardíaco. No hay duda de que la energía que estaba reuniendo podría haber parado el corazón de más de un abolicionista si la hubiera usado como pretendía.

Aunque John Donne había dicho que con cada vida que se perdía todos perdíamos algo, Jean no podía lamentar la muerte de Trent.

—¿Qué le ha pasado a Kondo?

—No lo sé. Estaba destrozado por su derrota y por mi desafío a sus miedos. No sé si está vivo o muerto. —Nikolai se quedó abstraído unos instantes—. No lo sé. Pero ya no es un peligro.

Un poderoso rugido se elevó en la sala, más abajo. Bethany y Mary se levantaron y se abrazaron, sollozando.

—¡Han aprobado la ley! —dijo Mary con voz entrecortada.

—Y por un gran margen, porque muchos diputados se han pasado al lado ganador —exclamó Bethany—. ¡El pueblo de Inglaterra ha hablado, y el Parlamento ha escuchado!

Jean y Nikolai se miraron. Su largo viaje había concluido. Él se inclinó para salvar el espacio que los separaba y la besó.

—Lo hemos conseguido, brujita —susurró—. Nosotros, y muchos otros.

Ella lo rodeó con sus brazos, temblorosa. Habían vencido.

¿Y ahora qué?

Capítulo 38

Durante las semanas siguientes, Jean contuvo el aliento metafóricamente. Se llevó una sorpresa cuando, a pesar de su terco conservadurismo, la Cámara de Lores aprobó la propuesta de ley sobre la abolición. Los Lores seguían siendo conservadores, pero los tiempos habían cambiado, al igual que algunas mentalidades.

Por fin, sorprendentemente, el rey Jorge firmó la moción convirtiéndola en ley.

—¡Ya está! —exclamó con júbilo cuando la nota de lord Buckland llegó a la posada en la que se hospedaban—. Temía que el rey no quisiera firmarla. Sobre todo, teniendo en cuenta que su hijo Clarence ha sido uno de los defensores más entusiastas de la esclavitud.

Nikolai sonrió desde su sillón al otro lado del fuego. Con las sienes plateadas tenía un aire más distinguido.

—Ya decía yo que no había por qué preocuparse. Hay hombres que se irán a la tumba convencidos de que la esclavitud es buena y honrada, y seguramente eso incluye a la familia real, pero el espíritu maligno que crearon sus ideas se ha hecho añicos. Ningún inglés decente puede ya apoyar la esclavitud con la conciencia tranquila. A pesar de sus debilidades, vuestro rey Jorge es un hombre honesto que intenta hacer lo correcto.

—El tráfico de esclavos acabará el primero de mayo, así que el paso siguiente es la emancipación de quienes todavía viven esclavizados.

El semblante de Nikolai se ensombreció.

—Eso también llegará. No tan pronto como desearíamos, pero llegará. Como un genio liberado de su botella, la libertad no volverá a dejarse encerrar. No sólo los esclavos serán libres, sino que los pobres de este país exigirán justicia y un trato mejor para sí mismos y para sus hijos. El mundo tal y como lo conocemos ha cambiado irrevocablemente, y para mejor.

Jean reflexionó sobre lo que acababa de decir Nikolai. La sociedad en la que había crecido era mucho más rígida que la de 1807. No tanto en su hogar, en Escocia, donde un labriego se sabía igual a su señor, sino en Inglaterra, indudablemente. Las clases que formaban la sociedad ocupaban lugares cerrados. Dado que ella se hallaba situada cerca de la cúspide y había llevado una vida confortable, nunca había cuestionado su mundo. Pero eso ya no era posible.

—Te gusta este mundo nuevo lleno de osadía, ¿verdad?

—Sí. Lady Bethany dice que está creciendo el apoyo a la reforma electoral para que puedan votar más hombres.

Los ojos de Jean relucieron.

—¿Y si las mujeres consiguieran el voto?

Él se rió.

—Eres aún más radical que yo, mi pequeña hechicera. Creo que eso también llegará con el tiempo.

—¿Quieres quedarte aquí?

Él vaciló.

—Me gusta este año, pero desde el principio nuestro plan era completar nuestra misión, si era posible, y luego volver a casa.

—No sé si podremos hacerlo —dijo ella sombríamente—. Le pregunté a Mary Owens si algún anciano de Londres puede practicar la magia temporal. Me dijo que había sólo un hombre con ese talento y que murió poco después de que se hicieran los brazaletes mágicos. —Jean tocó las pequeñas cuentas que quedaban en el brazalete—. No hay nadie más en la comunidad africana de Londres con esa habilidad, y no parece que los Guardianes tengan ese talento.

Nikolai se quedó callado.

—¿No hay nadie?

—Eso dice Mary. —Jean suspiró—. Ésta es una época interesante, llena de ideas nuevas. Pero mi familia y mis amigos se encuentran cincuenta años atrás. Creo que al menos debo tratar de volver con ellos. Lo entenderé, si no quieres intentarlo.

Nikolai se inclinó hacia ella y la tomó de las manos.

—Me preguntaba si el fin de nuestra misión sería el fin de nuestra unión, pero ahora estamos más unidos que nunca. Tú eres mi familia, Jean, y donde tú vayas, iré yo.

Ella contuvo el aliento.

—¿Sí? —Apenas se había atrevido a esperar que él quisiera volver—. Si lo intentamos y fracasamos, y tenemos que quedarnos aquí, te prometo que no me quejaré. Pero debo intentarlo.

»He estado pensando. —Se quitó el brazalete de la muñeca—. Se han consumido todas las cuentas grandes, pero las pequeñas absorbieron parte de la misma energía. Si hacemos el ritual y pensamos con todas nuestras fuerzas en el lugar al que queremos ir, tal vez regresemos a Santola. Pero puede que sea peligroso intentarlo.

Nikolai cogió el brazalete y lo observó con el ceño fruncido.

—La magia temporal es débil, pero puede que funcione si puedo abrir un portal a otro mundo en el que sea más fuerte. Como tú dices, será peligroso, pero hay alguna posibilidad de que lo logremos.

—Entonces, ¿vendrás conmigo? —preguntó ella, todavía incrédula.

—Con una condición.

Ella lo miró con cierta desconfianza.

—¿Cuál?

Él levantó su mano izquierda y besó la alianza de oro de su dedo anular.

—Que hagamos real este anillo de boda. Estamos tan unidos que casi parece innecesario. Casi, pero no del todo. —Le sonrió—. Cásate conmigo y así me vengaré de tu padre, que seguramente deseaba que te casaras con un buen Guardián.

Riendo, ella se lanzó en sus brazos.

—Siempre he sabido que no me casaría con un Guardián, pero me faltaba imaginación para adivinar que me casaría con un pirata.

Se casaron discretamente en el salón de baile de Falconer House, ante una concurrencia formada por Guardianes británicos, sacerdotes africanos y personas que eran ambas cosas. Menuda y serena, Meg fue la dama de honor de Jean, y Buckland el padrino de Nikolai.

Durante el almuerzo de boda, Jean habló con Simon.

—Piensas vivir eternamente, ¿verdad?

Él se echó a reír.

—No, pero la magia del unicornio que adquirí hace muchos años nos ha mantenido sanos a Meg y a mí mucho más tiempo del que dispone la mayoría de la gente. —Su mirada voló infaliblemente hacia su esposa—. Cuando nos vayamos, lo haremos juntos, y no será dentro de mucho tiempo. Pero primero os ayudaremos a volver a casa.

Jean y Nikolai bebieron poco: no convenía viajar entre mundos distintos con la cabeza embotada. Tras una larga ronda de abrazos y despedidas, llegó el momento del ritual.

Jean se colgó del hombro izquierdo la bolsa de viaje que llevaba desde hacía medio siglo y cogió de las manos a su flamante marido. Entre sus palmas se hallaban los abalorios que aún quedaban en el brazalete.

—Tendremos que celebrar otra boda en el pasado, porque la fecha 1807 quedará un poco rara en nuestra partida de matrimonio.

Él se rió, con ojos oscuros y cálidos.

—Me casaré contigo cualquier año, Jean Macrae. Ahora, aventurémonos en el abismo una vez más.

Todos los presentes se unieron al círculo. Jean se concentró y cerró los ojos, sintiendo las energías que giraban en torno. Seguramente los defensores del escudo les prestarían poder suficiente para volver a casa. Los defensores, y los ancestros.

Comenzó el ritual, y el mundo se disolvió a su alrededor. Jean experimentó sensaciones al mismo tiempo parecidas y distintas a las de otros viajes en el tiempo. Ya no veía a Nikolai, pero se aferraba a sus manos como si fueran el único asidero en un mundo de niebla. Los pequeños abalorios ardieron, chamuscándole la palma de la mano.

—Tranquila —dijo él con voz ronca, apretándole las manos con tanta fuerza que se las entumecía—. Veo un sendero que puede llevarnos a casa.

En otros viajes por el tiempo, Jean no había sido consciente de nada, salvo del tumulto del torbellino. Ahora se dio cuenta de que estaban atravesando un mundo que no conocía. El viaje siguió y siguió, llevándolos por lugares extraños y angustiosos. Nikolai continuó agarrándola de las manos sin vacilar. Pasada una eternidad, empezó a verse una luz a través de la bruma. El pulso de Jean (¿tenía pulso allí?) se aceleró.

—¿Eso es Santola?

—Eso espero —dijo él adustamente—. Ésta es la única salida que he visto, así que creo que debemos tomarla.

Con una última y atroz sacudida, atravesaron el portal y pisaron un suelo cubierto por una alfombra. Todo giraba vertiginosamente y Jean estuvo a punto de caer. Algo enorme y oscuro como un murciélago se precipitó sobre ella, y al agachar la cabeza sofocó un grito.

Pero Nikolai se echó a reír.

—¡*Isabelle*! —El gran guacamayo azul se posó sobre su hombro y comenzó a cloquear, entusiasmado, mientras frotaba su gran pico contra la cara de Nikolai.

Jean sacudió la cabeza para despejarse. ¿*Isabelle*? Y aquél parecía el despacho de la casa de Nikolai. ¡Santo cielo, lo habían conseguido!

—Bienvenidos a casa, viajeros —dijo una hermosa voz de mujer.

Jean se volvió y vio a Adia mirándolos.

—¡Adia! —Se lanzó en brazos de la otra mujer, riendo y llorando al mismo tiempo—. ¡Nuestra misión ha tenido éxito! El comercio de esclavos será abolido en 1807, y poco después seguirá la emancipación.

—¡Qué noticia tan maravillosa! —Radiante de felicidad, Adia se acomodó en su sillón—. Contádmelo todo.

Eso hicieron, interrumpiéndose el uno al otro mientras hablaban de las distintas épocas que habían visto y de cómo había crecido el movimiento abolicionista, pasando de ser una idea descabellada a convertirse en una fuerza irresistible.

Adia escucha atentamente mientras acariciaba con una mano al gran gato anaranjado sentado sobre regazo. Jean concluyó diciendo:

—Y un libro que escribiste sobre tus vivencias se convirtió en un gran éxito. Pero todavía tardará treinta y cinco años en publicarse. —Sonrió—. No sabía que fueras una princesa africana.

—No lo soy, pero Louise dijo que así el libro se vendería mejor. —Adia miró al gato. Con voz tensa preguntó—: ¿Queda alguna cuenta mágica?

La excitación de Jean se apagó al comprender lo que aquello significaba para Adia.

—No. Lo siento —susurró—. Usamos las cuentas grandes en nuestra misión, y necesitábamos todas las pequeñas para volver aquí.

Tras un largo silencio, Adia dijo:

—Santola es un buen lugar. He hecho amigos aquí. —Levantó los ojos. Su cara parecía una máscara llena de templanza—. Intentaré hacer algo útil.

Su valor se estaba resquebrajando.

—Tal vez podamos encontrar un sacerdote africano que practique la magia temporal en esta época —ofreció Nikolai.

—Para entonces ya habré muerto de vieja —dijo Adia con sorna—. Ese talento es muy raro.

—Quizá Moses, mi amigo africano de Marsella, sepa cómo encontrar a un sacerdote que conozca la magia temporal —sugirió Jean—. Un chamán viajó de África a Francia sólo para instruirle. Así que tal vez Moses pueda encontrar alguno.

—Sois más optimistas que yo. —Adia se encogió de hombros—. Si he aprendido algo, es que hay que sacar el mayor provecho a lo que te depara la vida.

Adia había aprendido aquella lección por las malas. Jean deseó que hubiera más motivos para tener esperanzas. Decidió cambiar de tema.

—¿Cuánto tiempo hemos estado fuera?

—Unos ocho meses. Ahora estamos en 1754.

Nikolai frunció el ceño mientras hacía cálculos.

—Es más o menos el espacio de tiempo que nosotros hemos pasado viajando.

—Entonces ¿hemos pasado en el futuro tanto tiempo como si nos hubiéramos quedado aquí? —preguntó Jean—. Tiene sentido, hasta cierto punto.

Adia dejó al gato en el suelo y se puso en pie. Esbozó una sonrisa que parecía sincera.

—He de anunciar que habéis regresado, para que podamos celebrar vuestro éxito.

Todos los habitantes de Santola fueron al pueblo a dar la bienvenida a Nikolai. En el puerto se apiló leña para hacer una hoguera y las mujeres de la isla comenzaron a preparar un suntuoso banquete. Jean sabía que cuando volviera a Inglaterra sería recibida con cariño, pero su recibimiento sería poca cosa comparado con aquella exuberante reunión.

No tuvo ocasión de hablar con Nikolai en privado hasta que acabó el banquete y empezó el baile. El sol iba acercándose al horizonte cuando se sentó junto a él, en un banco tosco, apoyando la espalda en la pared. El sonido de los tambores llenaba el cielo y la hacía vibrar de felicidad. Mientras veía a Adia bailar con Tano, levantó los ojos hacia Nikolai con aire soñador.

—Esta isla es asombrosamente hermosa. Un buen lugar para vivir.

Nikolai le pasó un brazo por los hombros y le lanzó una sonrisa íntima.

—Me han dicho que Escocia también es precioso. He pensado que podemos dividir nuestro tiempo entre esto y Gran Bretaña. Y el mar, por supuesto.

Ella lo miró fijamente. No sabía si había oído bien.

—Estaba preparada para ser como Ruth e ir donde tú vayas, o sea, a Santola y al mar. ¿De veras no te importaría tener una casa en Gran Bretaña?

Nikolai la estrechó, apoyando la mejilla sobre su pelo.

—Quieres a tu familia y a tus amigos, y estaría muy mal por mi parte privarte de ellos. Y a ellos de ti. —Titubeó—. Y si tenemos hijos, se merecen conocer a su familia.

Jean lo abrazó y contuvo las lágrimas mientras pensaba en lo solo que había estado Nikolai casi toda su vida.

—Mi familia es ahora la tuya, mi querido pirata. Hasta te gustará mi hermano y tú a él cuando dejéis de entrechocar los cuernos y de arañar el suelo con las pezuñas, como toros.

Él se echó a reír.

—¿Eso es lo que crees que haremos?

—No hay duda —dijo ella al instante—. Pero Gwynne y yo no os dejaremos desenfundar las espadas.

—Me parece que me estoy convirtiendo en un marido domesticado —comentó él—. La victoria es indudablemente tuya, amor mío.

—En un buen matrimonio, la victoria es mutua, y yo no pienso conformarme con menos. —Jean deslizó un brazo por su cintura y se preguntó cuánto tiempo tendrían que esperar para retirarse a sus habitaciones. Mirándolo de reojo, preguntó—: ¿Has dicho «amor mío»?

Nikolai pareció extrañamente azorado.

—Es más fácil hablar con indirectas que ser franco y decir «te quiero». Es una confesión tan tremenda… Y sin embargo… es cierto. Eres mi corazón, mi queridísima bruja.

Ella tragó saliva.

—No habría podido decir esto antes de que nos hiciéramos amantes porque me daba miedo que tu fuerza me apabullara, pero ahora sé que juntos estamos mejor y somos más fuertes que separados. Te quiero, Nikolai. Creo que he vivido muchas vidas contigo, y más que están por venir.

—¿Muchas vidas? Qué idea tan maravillosa. —Se inclinó y la besó.

Jean respondió con cada fibra de su ser. Sabía que aquél era verdaderamente el momento de su boda, más que la ceremonia que habían celebrado en 1807, y más que la que celebrarían de nuevo muy pronto.

Él se rió de improviso.

—En todas esas vidas, ¿seremos adversarios antes de ser amantes?

—Sin duda —murmuró ella—. Estoy intentando recordar cuándo me enamoré de ti esta vez.

—Cuando te rapté, por supuesto. —Sus ojos oscuros bailaban cuando volvió a besarla. Jean no creía que hubiera sido más feliz en toda su vida. Esa noche harían el amor, y quizá le dijera a su cuerpo que ya era hora de tener un hijo…

Nikolai puso fin al beso de mala gana, pero la mantuvo dentro del círculo de su brazo.

—Tenemos mucho trabajo que hacer en esta época, así que no nos aburriremos. Las bases del movimiento abolicionista se están sentando ahora, y nosotros podemos echar una mano. Por ejemplo, debemos ocuparnos de que la historia de Adia se publique en el momento preciso, cuando el sentimiento abolicionista esté en auge.

Ella asintió con la cabeza.

—También debería escribir un mensaje a nuestros amigos de 1807 para que sepan que hemos vuelto sanos y salvos. Una firma de abogados puede conservarlo hasta entonces.

Nikolai sonrió.

—Puede que estés viva en 1807. Levantamos con tanto cuidado los muros entre nuestro yo actual y el futuro que es imposible saberlo. Tal vez estábamos los dos allí, en Londres, deseando ir a la boda, pero teníamos que mantenernos alejados para no aumentar la confusión de nuestras vidas traídas y llevadas en el tiempo.

Ella gruñó.

—¡Nunca entenderé las repercusiones de viajar en el tiempo!

—No hace falta entenderlas. Lo que importa es que logramos hacer lo que era necesario, y hasta volver a casa sanos y salvos.

—Puede que volver formara parte de nuestra misión, por el trabajo que tenemos que hacer en nuestro tiempo normal —dijo ella con aire travieso.

Esta vez fue Nikolai quien gruñó.

—Tienes razón, sólo los ancestros comprenden los viajes en el tiempo. —Juntó las cejas—. No me había dado cuenta hasta ahora, pero durante nuestros viajes sentí la presencia de los ancestros. Sobre todo, la de mi abuela. Ahora esa sensación ha desaparecido. Los ancestros nos han abandonado.

Jean miró dentro de sí y se dio cuenta de que un hilo de magia salvaje tan fino que no se había percatado de su existencia había desaparecido.

—Me alegro de que podamos estar a solas. Pero… también les echaré de menos. Fue un gran privilegio convertirse en una hebra del tapiz del destino.

Sintió, más que verlo, que Nikolai asentía. Luego él dijo con voz distinta:

—Un barco forastero está entrando en el puerto. —La apartó y se levantó, lleno de tensión—. No es de los nuestros. Es la primera vez que ocurre algo así.

Jean se levantó con dificultad, tan recelosa como él.

—Creía que era imposible que los barcos normales llegaran hasta aquí.

—Y lo es. Así pues ¿quién va en ese barco? —Nikolai se dirigió al puerto a grandes zancadas, y Jean tuvo que apretar el paso para alcanzarlo.

Se armó cierto revuelo; las madres cogieron a sus niños para llevarlos a casa y los hombres corrieron a buscar sus armas. La bandera blanca que llevaba el velero de dos palos daba a entender que éste tenía intenciones pacíficas, pero nunca se sabía. La multitud observó en silencio cómo el navío se detenía junto al muelle más largo.

Se lanzaron las amarras por la borda, y Jean observó el barco pensando que la gente que había a bordo le resultaba familiar. Seguramente… Se interrumpió y corrió hacia el muelle.

—¡Moses! ¡Jemmy! ¡Breeda!

Moses se echó a reír y saltó al embarcadero, tan atildado como cuando estaba en su despacho, en Marsella. La cogió de los hombros y la miró con visión de mago.

—Nos has dado un buen susto, mi niña. Usamos todas las formas de magia que se nos ocurrieron para encontrarte, y empezaba a pensar que no lo lograríamos. Durante mucho tiempo fue como si te hubieras desvanecido en el aire. Luego, de pronto, supimos dónde encontrarte. ¿Qué ocurrió? Parece que estás como una rosa.

—Lo estoy, y es verdad que me desvanecí en el aire. Pero ahora he vuelto y mis aventuras han acabado. Al menos, durante un tiempo. —Un instante después, Jemmy y Breeda estuvieron lo bastante cerca como para que se abrazaran. Radiante de dicha, Jean preguntó—: ¿Y Lily? ¿No estará enferma?

—En absoluto —contestó Moses, y sus dientes blancos brillaron en la penumbra—. Pero no quería dejar al bebé. Si no hubieras desaparecido, serías la madrina de nuestro hijo. Annie, tu doncella, se negó a dejar Marsella mientras no volvieras. También estaría aquí, pero se casó con un francés y está embarazada, y no podía afrontar un viaje por mar.

Nikolai se había reunido con ellos, Jean le presentó.

—Quiero que conozcáis a mi marido, pero primero... Moses, dijiste que Sekou, tu maestro, te habló de la magia temporal africana. ¿Tú tienes ese talento?

Él pareció sorprendido.

—Un poco, y Sekou insistió mucho en que aprendiera a usarlo todo lo posible, aunque nunca seré uno de los grandes chamanes del tiempo. ¿Por qué lo preguntas?

—Porque necesitamos esa habilidad para mandar a una amiga a casa. Aquí, en la isla, hay varios magos, pero ninguno tiene ese don. ¿Crees que podrás celebrar un rito temporal si te proporcionamos suficiente magia en bruto?

Moses contuvo el aliento.

—Yo… no lo sé. Tal vez. No puedo asegurarlo, porque nunca he dirigido el ritual. —Tras una larga pausa, añadió—: Me pregunto si Sekou insistió tanto porque sabía que algún día necesitaría la magia temporal.

—Puede que el adiestramiento que recibiste formara parte de un gran plan ideado por los ancestros, porque, aun sin garantías, eres la última esperanza de Adia. —Jean lo cogió del brazo y lo llevó hasta su amiga—. Tenemos que hablar.

Fue duro esperar tres días, pero Adia se obligó a hacerlo. Había hecho amigos en Santola y, cuando se marchara, sería para siempre. Dejar a Louise y a sus hijos le partía el corazón: Louise era como la hermana que había dejado en África, y sus hijos como sobrinos y sobrinas.

Despedirse de Tano fue duro en otro sentido. Cuando fue a verlo para decirle adiós, él inclinó la cabeza y le deseó que fuera feliz con una mirada triste y serena.

Al alejarse, Adia comprendió que Tano encontraría otra esposa, pero que no la olvidaría. Ni ella a él. En un corazón cabían muchas formas de amor.

Jean Macrae prometió ocuparse de *Toro*. El veleidoso felino ya se había encariñado con la escocesa.

Siguiendo las indicaciones de Moses, Adia y los demás sacerdotes africanos habían fabricado una cuenta que contenía hilos de la prenda que Adia llevaba puesta en su viaje a través del tiempo. Y habían vertido en ella toda la magia temporal que Moses pudo invocar.

Junto con la cuenta, Adia llevaba la piedra guía que la mujer sabia y ella habían creado hacía muchos años, muy lejos de allí, en las Carolinas. La llevaba consigo desde entonces. Algunos de sus dibujos, hechos con sangre, se habían borrado, pero no importaba. La energía de la piedra la conectaba con Daniel.

Cuando se celebró el ritual, participaron en él todos los hombres, mujeres y niños de la isla que tenían poder. Moses invocó a los cuatro vientos, Adia llamó al fuego y rezó con todas sus fuerzas para que el ritual diera resultado. El torbellino se formó, y Santola se disolvió a su alrededor. Con su último aliento, Adia dio las gracias a todos los que la habían ayudado para volver a casa.

Su segundo viaje a través del tiempo pareció interminable. El miedo y el dolor resquebrajaron su lucidez mientras caía infinitamente, sofocada por el temor a quedar atrapada para siempre en el caos. La cuenta mágica ardió hasta consumirse. La piedra guía sólo se chamuscó. Adia se aferraba a ella con todas sus fuerzas y rezaba, consciente de que, si algo podía conducirla por otros mundos hasta su verdadero amor, era aquella piedra.

Después los pedazos de su alma se ensamblaron y, aturdida y desorientada, se encontró tendida sobre una superficie dura. La oscuridad era total. Flexionó las manos y la piedra guía cayó de su palma. Su calor se había extinguido. De pronto, su mente se aclaró y se dio cuenta con una oleada de alegría de que estaba en el dormitorio de su casita.

Cuando sus ojos se acostumbraron a la penumbra, vio la larga figura de Daniel tendida en la cama. Una voz cálida e indulgente sonó en su cabeza. *¿Creías que te abandonaríamos antes del final de tu viaje, niña?*

Adia sintió que su abuela no volvería a hablarle con claridad, y una nota agridulce se coló en el núcleo de su felicidad. Quizás aquello hizo su dicha aún más honda. Aturdida por la emoción, se levantó y se desvistió sin hacer ruido. Luego se metió en la cama, junto a Daniel, vestida sólo con su piel.

El deseo de abrazar a su marido, piel con piel, disipó su cansancio. Lo rodeó con los brazos, embriagada por su olor y su tacto, que recordaba con tanta ternura. Deslizó las manos sobre sus costillas, hasta las ásperas cicatrices que le había dejado su primer intento de escapar a la esclavitud. Su amado, su esposo, su Daniel. Sopló suavemente en su oído, susurrando su nombre antes de saborear la sal de su piel.

Él la rodeó con sus brazos, medio dormido, mientras murmuraba:

—Mujer soñada, te pareces tanto a Adia... —Su mano grande se deslizó por la espalda desnuda de Adia para tocar sus nalgas.

El deseo se inflamó dentro de ella.

—No es un sueño. —Mordisqueó su oreja. Deseaba absorber su sangre y su alma.

Él se despertó con la velocidad del rayo.

—¡Adia! ¡Dios mío, eres tú de verdad!

—Sí, soy yo. —Se rió, llena de felicidad por la reacción instantánea de Daniel al verla. Al hacer aparecer un manojo de fuego para alumbrar aquel rostro fuerte que tan bien conocía, exclamó—: ¡Y, ay, amor mío, cuántas cosas tengo que contarte!

Nota de la autora

Hay muchas cosas en torno al movimiento abolicionista que no me enseñaron en el colegio. Una de mis mayores sorpresas fue que los británicos ofrecieran la libertad a los esclavos americanos durante la Revolución. Y que, cuando acabó la guerra, evacuaran a tantos ex esclavos como les fue posible para librarlos de los cazadores de esclavos, lo cual les honra.

El movimiento abolicionista incluye muchas historias. Aunque me he tomado ciertas libertades, muchos de los acontecimientos en los que aparecen personajes históricos están tomados de la realidad. Thomas Clarkson descubrió, en efecto, su vocación mientras meditaba junto a la carretera, en un viaje entre Cambridge y Londres, tras ganar el prestigioso premio de ensayo latino, aunque no hizo falta que dos transeúntes lo convencieran de nada.

Clarkson fue asimismo agredido por los marineros de un barco negrero en un muelle de Liverpool durante una tormenta, pero fueron su propia fuerza y su rapidez las que le permitieron salir indemne. En una época en la que pocas personas sabían nadar, habría sido fácil que lo marineros lo ahogaran, cambiando así en gran medida la historia del movimiento abolicionista.

Los relatos publicados por antiguos esclavos, como Olaudah Equiano (cuyo nombre de esclavo era Gustavo Vasa),

507

ayudaron a los ingleses a comprender la naturaleza de la esclavitud. La historia de un individuo es siempre más impactante que los argumentos abstractos.

Mientras que Clarkson fue un organizador brillante y entregado, William Wilberforce fue un político muy querido y respetado que trabajó incansablemente para que se aprobara la legislación antiesclavista, así como otras reformas de importancia esencial. En efecto, cayó enfermo justo antes de la sesión parlamentaria de 1788 en la que pensaba presentar una propuesta de ley contra el comercio de esclavos. Es cierto que lo enviaron a Bath para que se recuperara, pero su colapso durante una reunión de partidarios de la abolición es invención mía. Él y sus amigos evangélicos, conocidos como los Santos o la Secta de Clapham, encabezaron numerosas reformas sociales de amplio alcance.

Elizabeth Heydrick era una abolicionista radical y apasionada cuya convicción de que la abolición debía efectuarse de manera inmediata tuvo una gran influencia sobre el movimiento abolicionista en general, especialmente en la década de 1820. Las mujeres solían ser más radicales que los hombres en lo tocante a la abolición, y los grupos abolicionistas constituidos únicamente por mujeres fueron muy influyentes.

Es pura invención por mi parte situar a Elizabeth Heydrick en la Cámara de los Comunes durante la votación de 1791 sobre la moción de Wilberforce para acabar con el comercio de esclavos, pero es cierto que el boicot nacional del azúcar cobró vida después de que la propuesta de ley fracasara. Cientos de miles de personas en toda Gran Bretaña dejaron de comprar azúcar, aunque la palabra «boicot» no apareció en el idioma hasta 1880.

Los abolicionistas fueron los primeros en emplear muchas de las herramientas de los movimientos sociales modernos: grupos de protesta, publicidad directa a través del correo, logotipos y chapas, y boicots. Un número reducido de pe sonas se propuso cambiar el mundo, y lo consiguió.

Pero, aunque muchos abolicionistas creían que prohibir el tráfico se traduciría rápidamente en el fin de la esclavitud al interrumpirse el suministro de esclavos, se equivocaban. Los propietarios de esclavos de las Antillas quizá trataran un poco mejor a sus esclavos porque era más difícil conseguir otros que les reemplazaran, pero los negreros siguieron desafiando los bloqueos navales británicos y los esclavos siguieron sufriendo y muriendo. Pasaron más de veinte años antes de que el Parlamento aprobara la ley de emancipación, en 1833.

La emancipación fue posible después de que en 1832 se aprobaran en Inglaterra las primeras leyes de reforma política del siglo XIX, leyes que incrementaron sustancialmente la cifra de varones con derecho a voto. Quedaba aún mucho camino por recorrer antes de que hubiera sufragio universal, pero esta primera reforma cambió la composición del Parlamento lo suficiente para que se aprobara la emancipación.

Las instituciones políticas conservadoras detestaban ceder el poder (¿acaso no lo detesta todo el mundo?), pero había una inquietud creciente entre la población, y la reforma política era preferible a la revolución. Además, las sangrientas rebeliones de las Antillas habían dejado claro que los esclavos estaban dispuestos a luchar y a morir por su libertad… y que luchaban muy, muy bien.

En vista de que la derrota era inevitable, el *lobby* esclavista llevó a cabo con éxito una campaña para obtener compensaciones por la «pérdida de sus bienes». No se aprobaron indemnizaciones para los esclavos.

A quienes deseen saber más sobre este asombroso episodio histórico les recomiendo el maravilloso libro de Adam Hochschild *Enterrad las cadenas*. Nominado al Premio Nacional de Ensayo, el libro posee la claridad y la emoción de una novela trepidante, y describe a las personas y las ideas políticas que se aunaron para poner fin a una de las mayores crueldades de la humanidad.

El libro de Simon Schama *Rough Crossings: Britain, the Slaves and the American Revolution* [*Ardua encrucijada: Gran Bretaña, los esclavos y la Revolución Americana*] incluye material similar al de Hochschild, pero desde una perspectiva más americana.

Otros posibles libros de interés son: *Epic Journeys of Freedom* [*Viajes épicos hacia la libertad*], de Cassandra Pybus, que narra historias de esclavos que, tras la Revolución Americana, escaparon a diversas partes del mundo después de la Revolución Americana. Y *Staying Power* [*Resistencia*], de Peter Fryer, una historia de los negros en Gran Bretaña.

El mundo es un lugar imperfecto, pero gracias al valor y la convicción de numerosas personas, ha mejorado mucho.